C0-ATS-084

# COMMENTAIRE SUR LE CANTIQUE DES CANTIQUES

SOURCES CHRÉTIENNES

Nº 376



# ORIGÈNE

# COMMENTAIRE SUR LE CANTIQUE DES CANTIQUES

TOME II

*TEXTE DE LA VERSION LATINE DE RUFIN*
*TRADUCTION, NOTES ET INDEX*

par

**Luc BRÉSARD, o.c.s.o.** et **Henri CROUZEL, s.j.**

avec la collaboration de

**Marcel BORRET, s.j.**

*Ouvrage publié avec le concours du*
*Centre National de la Recherche Scientifique*
*et de l'Œuvre d'Orient*

LES ÉDITIONS DU CERF, 29, BD DE LATOUR-MAUBOURG, Paris 7e
1992

*La publication de cet ouvrage a été préparée avec le concours de l'Institut des Sources Chrétiennes (U.R.A. 993 du Centre National de la Recherche Scientifique)*


ISBN 2-204-04513-6
ISNN 0750-1978

# NOTE PRÉLIMINAIRE

La présente édition est l'œuvre de Luc Brésard, moine de Cîteaux, d'Henri Crouzel, professeur à l'Institut catholique de Toulouse et à l'Université Grégorienne de Rome, et de Marcel Borret, des Sources Chrétiennes. Au Frère Brésard sont dues la division du texte en chapitres et paragraphes, la traduction, une partie des notes, l'histoire des Commentaires et de l'influence d'Origène. Au Père Crouzel la rédaction de l'introduction, une révision de la traduction et d'importantes notes d'érudition et de théologie origénienne. Au Père Borret une seconde révision de l'ensemble — l'introduction exceptée — et des additions aux notes, signées de ses initiales (M. B.).

Le présent tome II contient le texte et la traduction des livres III et IV du *Commentaire sur le Cantique*, avec les fragments de chaînes exégétiques qui leur correspondent. Notes complémentaires et index se rapportent aux tomes I et II.

# TEXTE ET TRADUCTION

# LIVRE III

(*Cant.* 1, 15 - 2, 9)

## Chapitre premier

## « Comme tu es gracieuse »

*Cant.* 1, 15 : *Comme tu es gracieuse, ma compagne, comme tu es gracieuse ; tes yeux sont des colombes*

1-2 : Seconde intervention de l'Époux, plus louangeuse : l'Épouse est gracieuse, non seulement quand elle lui tient compagnie, mais même quand il lui arrive d'être absent ; 3-9 : sa vue n'avait pas été louée tant qu'elle n'avait pas progressé jusqu'à voir par l'intelligence spirituelle ; maintenant on compare ses yeux à des colombes, car elle comprend les Écritures non plus selon la lettre mais selon l'Esprit, car la colombe est le symbole du Saint Esprit ; dans les psaumes, l'âme désire qu'on lui donne des ailes de colombe, pour qu'elle puisse voler dans l'intelligence des mystères spirituels ; sont promises des ailes argentées, agrémentées de l'ornement de la parole et de la raison ; on dit que le dos présente l'apparence de l'or, pour indiquer la constance de la foi et la solidité des doctrines des parfaits ; comme on dit que la tête est le Christ, on peut dire que les yeux qui comprennent de façon spirituelle sont le Saint Esprit ; dans la Loi on présentait en sacrifice un agneau, et aussi des colombes ; 10-13 : la répétition « tu es gracieuse » peut indiquer le siècle présent et le siècle futur ; les deux colombes concernant les deux yeux sont le Fils de Dieu et l'Esprit Saint ; l'un et l'autre sont dits avocats ; même désignation chez Zacharie par les deux oliviers placés à droite et à gauche du candélabre.

## LIBER TERTIUS.

### 1

**1** *Ecce es speciosa, proxima mea; ecce es speciosa; oculi tui columbae*[a]. Secundo iam sponsus cum sponsa in verbo colloquioque miscetur. Et primo quidem sermone invitavit eam ad hoc ut cognosceret semet ipsam, dicens ei quod *bona* quidem esset *inter mulieres*[b], sed, nisi cognosceret semet ipsam, certa quae pateretur. Et quasi quae velociter ad agnitionem sui sensu intellectuque cucurrerit, comparat eam *equis* suis vel *equitatui*, quibus obtinuerit *currus Pharaonis*[c]. Simul et *genas* eius pro insigni verecundia et conversionis pernicitate *turturibus* comparat *cervicemque* eius ornamentorum *redimiculis*[d].

Baehrens p. 173 **2** Nunc autem iam *speciosam* profitetur eam et *speciosam*, non sicut | prius *in mulieribus*[e] tantum, sed quasi *proximam* sibi, et adhuc in maius titulum laudis extollit et affirmat quia non tantum cum proxima ei est, speciosa sit, sed et si contingat ei absentem esse, etiam sic speciosa sit. Hoc enim indicatur in eo quod, cum dixisset : *Ecce es speciosa proxima mea*, addidit post haec absolute et sine ulla adiunctione : *Ecce es speciosa.*

a. Cant. 1, 15 || b. Cf. Cant. 1, 8 || c. Cf. Cant. 1, 9 || d. Cf. Cant. 1, 10 || e. Cf. Cant. 1, 8.

# LIVRE TROISIÈME

## 1

**1** «Comme tu es gracieuse, ma compagne, comme tu es gracieuse ; tes yeux sont des colombes [a].» Pour la seconde fois, l'Époux à présent s'engage dans une conversation et un dialogue avec l'Épouse. A la première, il l'a invitée à se connaître elle-même, lui disant qu'elle était «bonne entre les femmes [b]», sans doute, mais si elle ne se connaissait pas elle-même, elle aurait certainement à souffrir. Et comme si elle avait allégrement couru vers la connaissance de soi par la pensée et l'intelligence, il l'assimile à ses «chevaux» ou sa «cavalerie» par lesquels il est venu à bout «des chars de Pharaon [c]». En même temps pour sa pudeur exemplaire et la rapidité de sa conversion, il compare ses «joues à des tourterelles» et son «cou à des colliers [d]» d'ornements.

**Toujours gracieuse**

**2** Mais ici à présent il la déclare «gracieuse», et «gracieuse» non seulement comme auparavant «entre les femmes [e]», mais comme sa «compagne»; et il l'exalte encore par un plus grand titre de louange ; il affirme qu'elle est gracieuse, non seulement quand elle lui tient compagnie, mais même s'il lui arrive d'être absent, elle est encore aussi gracieuse. C'est en effet ce qu'indique le fait qu'après avoir dit : «Comme tu es gracieuse, ma compagne», il ajouta ensuite simplement et sans aucune addition : «Comme tu es gracieuse».

**3** Sed in superioribus non laudaverat visum eius, credo quod nondum ad intuitum profecerat spiritalis intelligentiae. Nunc ergo ait : *Oculi tui columbae*. Grandis in hoc profectus eius ostenditur, ut, quae prius tantum *speciosa in mulieribus* dicta est, nunc *proxima* et *speciosa* dicatur, ex ipso sine dubio sponso splendorem decoris accipiens, ut semel ab ipso sumpta pulchritudine, etiamsi accidat ei paululum sponsi absentiam pati, nihilominus *pulchra* permaneat.

**4** Quod autem oculi eius comparantur columbis, ob hoc profecto quia Scripturas divinas non iam secundum litteram, sed secundum spiritum intelligat, et adspiciat in iis spiritalia mysteria ; columba[f] enim indicium est Spiritus sancti. Spiritali ergo sensu intelligere legem et prophetas, hoc est oculos columbae habere.

**5** Et hic quidem *columbae oculi* eius appellantur, in psalmis vero huiusmodi anima *pennas sibi dari columbae*[g] desiderat, ut volare possit in intellectu spiritalium mysteriorum et requiescere in atriis sapientiae.

**6** Sed et si *dormire* quis possit, hoc est collocari et requiescere *in medio sortium* atque intelligere rationem sortium et agnoscere divini iudicii causas, non solum *pennae columbae*, quibus in spiritalibus intellectibus volet, promittuntur ei, sed et *deargentatae pennae*[h], id est verbi et rationis ornamento decoratae. *Scapulae* quoque *eius in*

*PG* (col

f. Cf. Matth. 3, 16 || g. Ps. 54, 7 || h. Cf. Ps. 67, 14.

1. Passage du *Ps.* 67 (v. 14 s.) fréquemment cité. Du texte hébreu on a écrit : « Versets célèbres pour leur obscurité, texte à peu près désespéré », Osty, qui traduit le début : « Lorsque vous étiez couchés au milieu des bercails », comme avait fait Crampon. « Alors que vous reposez entre les deux murets (les petits murs convergents des parcs à brebis) », *BJ* ; « Restez-vous couchés au bivouac ? », *TOB*. « Si vous couchez entre deux parcs », Dhorme, qui d'ailleurs rejette ce début

**Des yeux de colombe**

**3** Mais plus haut, l'Époux n'avait pas loué la vue de l'Épouse, parce que, je crois, elle n'avait pas encore progressé jusqu'à la vue de l'intelligence spirituelle. Maintenant donc il dit : «Tes yeux sont des colombes.» On montre par là son grand progrès, au point que celle qui auparavant avait été dite seulement «gracieuse entre les femmes» est dite à présent «compagne» et «gracieuse», recevant de l'Époux lui-même sans nul doute la splendeur de son charme, en sorte que, une fois sa beauté reçue de lui, même s'il lui arrive de souffrir un peu de l'absence de l'Époux, elle n'en demeure pas moins «belle».

**4** Or, que ses yeux soient comparés à des colombes, cela tient sûrement à ce qu'elle comprend les divines Écritures non plus selon la lettre, mais selon l'esprit, et qu'elle perçoit en elles des mystères spirituels; car la colombe est le symbole du Saint Esprit[f]. Comprendre la Loi et les prophètes au sens spirituel, c'est donc avoir «des yeux de colombe».

**5** Et certes, on mentionne ici ses «yeux de colombe», mais dans les psaumes, une âme de cette qualité désire qu'on lui «donne des ailes de colombe[g]», afin qu'elle puisse voler dans l'intelligence des mystères spirituels et se reposer dans les parvis de la sagesse.

**6** De plus, si quelqu'un pouvait «dormir», c'est-à-dire s'établir et se reposer au milieu des lots[1], et comprendre la raison des lots, et reconnaître les motifs du jugement divin, non seulement lui sont promises «des ailes de colombe», pour qu'il prenne grâce à elles son envol dans les idées spirituelles, mais encore «des ailes argentées[h]», c'est-à-dire agrémentées de l'ornement de la parole et de la raison. «Le dos de l'âme» aussi, dit-on, «présente l'apparence

comme une interpolation en provenance de *Jug.* 5, 16. Origène traduit la Septante : ἀνὰ μέσον τῶν κλήρων. (M.B.)

*specie auri* fieri dicuntur, ubi constantia fidei et dogmatum stabilitas indicatur perfectorum.

**7** Ergo sicut *caput*[i] esse Christus dicitur, nihil puto absurdum videri, si et *oculi* eorum qui *secundum interiorem hominem*[j] spiritaliter intelligunt et *spiritaliter diiudicant*[k], Spiritus sanctus esse dicantur.

174 **8** Et ob hoc | fortassis in lege sicut agnus[l] positus est, per cuius hostiam populus purificaretur in pascha, ita et columbae[m] positae sunt, quibus purificetur homo ingressus hunc mundum.

**9** Sed de his nunc dicere et hostiarum qualitates discutere longus videtur excessus et proposito operi minime conveniens. Haec autem memorasse sufficiat pro eo quod praesens sermo continet : *Oculi tui columbae.* Quasi diceret : Oculi tui spiritales sunt, spiritaliter videntes, spiritaliter intelligentes.

**10** Potest adhuc profundiore fortasse sacramento, quod dixit *ecce es speciosa, proxima mea*, intelligi de praesenti saeculo dictum, quia speciosa sit quidem et hic ecclesia, cum *proxima* est Christo et cum imitatur Christum.

**11** Quod vero iteravit et dixit : *Ecce es speciosa*, potest ad futurum saeculum pertinere, ubi iam non solum imitatione, sed ipsa sui perfectione formosa est et speciosa, et ibi dicat esse oculos eius columbas, ut duorum oculorum duae *columbae* intelligantur esse Filius Dei et Spiritus sanctus.

i. Cf. I Cor. 11,3 || j. Cf. Rom. 7,22 || k. Cf. I Cor. 2,14 || l. Cf. Ex. 12, 5 s. || m. Cf. Lév. 12,8.

---

1. Sur le même symbolisme de l'argent et de l'or, voir *supra*, II, 8, 14, et notes *ad loc.*
2. «Là» : dans le siècle futur.

de l'or», quand on indique la constance de la foi et la solidité des doctrines des parfaits[1].

**7** Dès lors, comme on dit que «la tête[i]» est le Christ, je pense qu'il ne semble en rien absurde de dire que les yeux de ceux qui comprennent de façon spirituelle «selon l'homme intérieur[j]», et qui «jugent de façon spirituelle[k]», sont le Saint Esprit.

**8** Et c'est peut-être pour cela que dans la Loi, comme on présente un agneau[l] par le sacrifice duquel le peuple était purifié à Pâques, de même on présente aussi des colombes[m] par lesquelles l'homme est purifié à son entrée dans ce monde.

**9** Mais parler de cela maintenant, étudier les propriétés des sacrifices semble une digression longue et qui ne convient guère à l'ouvrage placé sous nos yeux. Qu'il suffise de l'avoir rappelé à cause de ce que contient la parole présente : «Tes yeux sont des colombes.» Comme si on disait : Tes yeux sont spirituels, ils voient spirituellement, ils comprennent spirituellement.

**Les deux colombes**

**10** Dans un sens mystérieux peut-être encore plus profond, la parole : «Comme tu es gracieuse, ma compagne» peut s'entendre comme dite du siècle présent. Car même ici-bas l'Église est vraiment «gracieuse», quand elle est la compagne du Christ et qu'elle imite le Christ.

**11** Mais le fait que l'Époux s'est répété et a dit : «Comme tu es gracieuse» peut concerner le siècle futur où désormais l'Église, non seulement par son imitation, mais par sa perfection même est élégante et gracieuse, et il dirait que là[2] ses yeux sont des colombes, pour que l'on comprenne que les deux colombes concernant les deux yeux sont le Fils de Dieu et l'Esprit Saint.

**12** Et ne mireris, si columbae simul dicantur, cum uterque similiter *advocatus* dicatur, sicut Iohannes evangelista declarat *Spiritum* quidem sanctum dicens *Paracletum*[n], quod est advocatus ; et de Iesu Christo nihilominus in epistola sua dicit quia ipse sit *advocatus apud Patrem*[o] pro peccatis nostris.

**13** Sed et apud Zachariam prophetam *duae olivae ad dexteram et ad sinistram candelabri positae*[p] Unigenitum nihilominus et Spiritum sanctum designare creduntur.

n. Cf. Jn 14, 16.17 || o. I Jn 2, 1 || p. Cf. Zach. 4, 3.

**12** Et ne t'étonne pas qu'on les dise en même temps «des colombes», puisque l'un et l'autre sont pareillement nommés «avocats» comme le déclare Jean l'Évangéliste appelant l'Esprit Saint «Paraclet[n]», ce qui veut dire Avocat ; et au sujet de Jésus-Christ, il dit également dans sa Lettre qu'il est lui-même «avocat auprès du Père[o]» pour nos péchés.

**13** De plus, on pense que chez le prophète Zacharie «les deux oliviers, placés à droite et à gauche du candélabre[p]», désignent également le Fils unique et l'Esprit Saint.

## Chapitre 2

## « Comme tu es beau »

*Cant.* 1, 16 : *Comme tu es beau, mon Bien-Aimé,*
*oui, comme tu es gracieux.*
*Notre couche est ombragée*

1-4 : Les yeux de colombe permettent l'intelligence spirituelle de la beauté du Verbe de Dieu ; *la couche* est le corps ; ombragée, garnie de l'épaisseur des bonnes œuvres ; beauté qui n'est point perçue par tous, mais seulement par celle qui a progressé, ou celui qui comprend l'épaisseur des sens spirituels ; 5-9 : *« notre couche »*, expression pour indiquer la place du corps de l'Épouse partagée entre elle et son Époux, à interpréter d'après Paul : « nos corps » veut dire le corps de l'Épouse ; (sont) « les membres du Christ », le corps de l'Époux ; corps ombragés, que le soleil ne brûle pas ; le Bien-Aimé, beau et charmant dans la mesure où on le regarde avec des yeux spirituels ; à le contempler, l'homme intérieur de jour en jour se renouvelle ; l'âme considère son corps comme une couche qu'elle partage avec le Verbe ; la puissance divine parvient jusqu'à la grâce du corps ; le corps de Jésus peut recevoir le nom de couche qu'il partage avec l'Épouse, car c'est par lui que l'Église semble avoir été unie au Christ.

# 2

★ **1** *Ecce es bonus, fraternus meus, et quidem ecce es speciosus, cubile nostrum umbrosum*[a]. Nunc primum videtur attentius inspexisse sponsi sui pulchritudinem sponsa et considerasse illis *oculis* qui *columbae* esse dicti sunt, decus 175 et speciem Verbi Dei. Quia revera nec potest | prius perspici nec agnosci quanta sit in Verbo magnificentia, nisi prius oculos quis columbae, id est intelligentiam spiritalem, accipiat. (147

**2** Commune autem sibi *cubile* quod dicit esse cum sponso, corpus hoc mihi videtur indicari animae, in quo adhuc posita digna habita sit adscisci ad consortium Verbi Dei. Idque *umbrosum*, utpote non aridum, sed fructuosum memorat et tamquam densitate boni operis nemorosum. Sed haec sponsa dicit, anima dumtaxat, quae *columbae* iam *oculos* habet.

**3** Hi vero qui tantummodo credunt sponso, non tamen perspicere potuerunt in Verbo Dei quanta sit pulchritudo, dicunt : *Et vidimus, et non habebat speciem neque decorem, sed species eius indecora et deficiens prae filiis hominum*[b]. Quae autem bene profecit et supergressa est *adulescentularum* et *octoginta concubinarum et sexaginta reginarum*[c] ordinem, ista anima potest dicere : *Ecce es decorus, fraternus meus, et quidem speciosus*[d].

a. Cant. 1,16 || b. Is. 53, 2-3 || c. Cf. Cant. 6,8 || d. Cant. 1,16.

1. Allusion à la distinction fréquente entre la simple foi et la connaissance qui a la foi pour base, mais progresse à partir de la foi vers une saisie de nature mystique.

## 2

★

**L'intelligence spirituelle**

**1** «Comme tu es beau, mon Bien-Aimé, oui, comme tu es gracieux. Notre couche est ombragée [a]». Maintenant pour la première fois l'Épouse semble avoir examiné avec plus d'attention la beauté de son Époux, et considéré de ces «yeux» que l'on dit «des colombes» le charme et la grâce du Verbe de Dieu. Tant il est vrai qu'on ne peut d'abord distinguer et reconnaître tout ce qu'il y a de magnificence dans le Verbe, si on ne reçoit d'abord «des yeux de colombe», c'est-à-dire l'intelligence spirituelle.

**2** Quant à cette «couche» que l'Épouse dit avoir en commun avec l'Époux, on indique par là, me semble-t-il, le corps de l'âme, où résidant encore, elle est estimée digne d'être admise à l'union du Verbe de Dieu. Et elle la qualifie «d'ombragée» parce qu'elle n'est pas aride mais porte des fruits, et comme du feuillage par l'épaisseur des bonnes œuvres. Mais c'est l'Épouse qui le dit, à savoir l'âme, qui a maintenant «des yeux de colombe».

**3** Mais ceux qui croient seulement à l'Époux, sans avoir pu cependant discerner toute la beauté qu'il y a dans le Verbe de Dieu, disent : «Nous l'avons vu, et il n'avait ni grâce ni charme, mais son apparence était laide et vile en comparaison des fils des hommes [b].» Au contraire [1], celle qui a bien progressé et a dépassé l'ordre «des jeunes filles», «des quatre-vingts concubines et des soixante reines [c]», cette âme peut dire : «Comme tu es charmant, mon Bien-Aimé, et vraiment gracieux [d].»

**4** Sed et si adhuc in corpore positus intelligam densitatem spiritalium sensuum, intelligentiam Scripturarum divinarum tam crebra opacitate contextam, ut rapidior aestus, qui multos solet adurere et arefacere fructus eorum, me tamen tenebrare non possit nec ulla vis tentationum fidei in me germen arefacere, tunc possum dicere quia *cubile nostrum umbrosum*.

**5** Quod autem dicit *cubile nostrum*, quasi communem sibi cum sponso corporis sui indicans locum, ad illam similitudinem dictum intellige qua et Paulus dixit quia *corpora nostra membra Christi sunt*[e]. Cum enim dicit 176 *corpora nostra*, | quasi sponsae id esse corpus ostendit ; cum vero membra Christi memorat, eadem corpora etiam sponsi esse indicat corpus.

**6** Haec ergo corpora si *umbrosa* sint, ut superius diximus, bonis dumtaxat operibus referta et spiritalium sensuum densitate comantia, de his talibus dici potest : *Per diem sol non uret te neque luna per noctem*[f]. Iustum namque *sol* tentationis *non adurit* requiescentem sub umbra Verbi Dei (iste enim sol qui adurit iustum non est laudabilis, sed ille magis qui *se transfigurat in angelum* (148) *lucis*[g]).

**7** *Bonus* ergo et *decorus* dicitur *fraternus* et quanto magis inspici potuerit spiritalibus oculis, tanto speciosior invenitur et pulchrior, quia non solum illius species et pulchritudo mirabilis apparebit, verum et inspicienti atque intuenti eum decus ingens et species formae nova ac mirabilis orietur secundum illud quod Apostolus Verbi Dei

e. I Cor. 6, 15 || f. Ps. 120, 6 || g. Cf. II Cor. 11, 14.

1. Cf. *supra*, § 2.
2. Origène oppose volontiers la vraie lumière — qu'il rapporte surtout au Fils, mais aussi au Père, son origine, et à l'Esprit — aux ténèbres diaboliques, qui veulent se faire prendre pour la lumière ; cf. *infra*, III, 5, 18, et note.

**4** De plus, si toujours placé dans le corps, je comprends l'épaisseur des sens spirituels, l'intelligence des divines Écritures serrée en un ombrage si compact que la chaleur excessive, qui d'ordinaire brûle et dessèche beaucoup de leurs fruits, ne peut néanmoins m'enténébrer, ni aucune violence des tentations dessécher en moi le bourgeon de la foi, alors je peux dire : «Notre couche est ombragée».

**A l'ombre du Verbe**

**5** Quant à dire «notre couche», comme pour indiquer la place de son corps partagée entre elle et son Époux, comprends l'expression suivant cette comparaison que Paul aussi a dite : «Nos corps sont les membres du Christ[e].» En effet, quand il dit : «nos corps», il montre pour ainsi dire qu'il s'agit du corps de l'Épouse ; mais quand il mentionne «les membres du Christ», il révèle que ces mêmes corps sont aussi le corps de l'Époux.

**6** Si donc ces corps sont «ombragés», à savoir, comme nous avons dit plus haut[1], riches en bonnes œuvres et couverts de l'épaisseur des sens spirituels, on peut dire de tels corps : «Durant le jour le soleil ne te brûlera pas, ni la lune durant la nuit[f].» Car «le soleil» de la tentation «ne brûle pas» le juste qui se repose à l'ombre du Verbe de Dieu (de fait, ce soleil qui brûle le juste n'est pas celui qui est digne d'éloge, mais plutôt celui qui «se transforme[2] en ange de lumière[g]»).

**La beauté du Verbe**

**7** Donc le Bien-Aimé est dit «beau» et «charmant», et plus il peut être contemplé par des yeux spirituels, plus il est trouvé beau et gracieux, car non seulement sa beauté et sa grâce apparaîtront admirables, mais pour qui le considère et le contemple surgiront un charme infini et une nouvelle et admirable grâce de forme, selon ce que dit l'Apôtre,

intuens pulchritudinem dicit : *Nam et si is qui foris est homo noster corrumpitur, sed qui intus est renovatur de die in diem*[h].

**8** Merito ergo talis haec anima commune habet *cubile* cum Verbo corpus suum ; pervenit enim divina virtus usque ad corporis gratiam, cum in eo vel castitatis donum, vel continentiae aliorumque bonorum operum collocat gratiam.

**9** Considera sane ne forte possit etiam illud corpus quod assumpsit Iesus commune ei cum sponsa *cubile* nominari, quoniamquidem per ipsum videtur ecclesia Christo esse sociata[i] et participium Verbi Dei capere potuisse, secundum quod et *mediator Dei et hominum*[j] dicitur et secundum quod Apostolus dicit quoniam in ipso *habemus accessum per fidem in spe gloriae Dei*[k].

h. II Cor. 4, 16 || i. Cf. Col. 1, 24 || j. I Tim., 2, 5 || k. Rom. 5, 2.

contemplant la beauté du Verbe de Dieu : « Car même si en nous l'homme extérieur se détériore, l'homme intérieur se renouvelle de jour en jour[h]. »

**8** C'est donc à bon droit qu'une telle âme tient son corps comme « une couche » qu'elle partage avec le Verbe ; car la puissance divine parvient jusqu'à la grâce du corps, lorsqu'elle met en lui soit le don de la chasteté, soit la grâce de la continence et des autres bonnes œuvres.

**Le corps de Jésus**

**9** Examine bien si ce corps que Jésus a pris ne pourrait peut-être pas aussi recevoir le nom de « couche » qu'il partage avec l'Épouse, car c'est par lui que l'Église semble avoir été unie au Christ[i], et avoir pu obtenir participation au Verbe de Dieu, selon qu'il est dit encore « médiateur entre Dieu et les hommes[j] », et selon ce que dit l'Apôtre : En lui « nous avons accès par la foi à l'espérance de la gloire de Dieu[k] ».

# Chapitre 3

## Poutres et solives

*Cant.* 1, 17 : *Les solives de nos maisons sont des cèdres, nos poutres, des cyprès*

1 : Les matériaux, d'après le récit historique ; 2-4 : l'Église semble être décrite par le Christ, elle qui est la maison spirituelle, la maison de Dieu selon Paul ; aussi bien la maison du Fils de Dieu ; l'Église ou les églises sont la maison de l'Époux et de l'Épouse ; poutres et solives représentent les degrés de la hiérarchie de l'Église.

## 3

**1** *Tigna domorum nostrarum cedri, trabes nostrae cypressi*[a]. Videtur ab sponso responderi ad gratiam eorum quae dicta fuerant prius ab sponsa, quibus edoceat eam cuiusmodi sint tecta ista communia et qualis in iis materia contignationis habeatur. Haec habet historica narratio.

**2** Videtur autem ecclesia describi a Christo, quae est domus spiritalis et *domus Dei*, sicut docet Paulus dicens : 177 *Si autem tardius venero,* | *ut scias quomodo te oporteat in domo Dei conversari, quae est ecclesia Dei vivi, columna et firmamentum veritatis*[b]. Si ergo ecclesia *domus Dei* est, quia omnia quae habet Pater Filii sunt[c], ecclesia domus Filii Dei est.

**3** Frequenter autem et plurali numero appellantur ecclesiae, ut ait ibi : *Nos talem consuetudinem non habemus neque ecclesiae Dei*[d]. Et iterum scribit *ecclesiis Galatiae*[e] Paulus et Iohannes *septem ecclesiis*[f]. Sunt ergo sive ecclesia vel ecclesiae domus sponsi et sponsae sive animae et domus Verbi, in quibus tigna sunt cedrina.

**4** Legimus esse quasdam *cedros Dei*, super quas *vinea*, quae *translata est de Aegypto*, *extendisse* dicitur *traduces* sive *arbusta* sua[g], sicut ait in psalmis : *Operuit montes* (14 *umbra eius, et arbusta eius cedros Dei*[h].

a. Cant. 1, 17 || b. I Tim. 3, 15 || c. Cf. Jn 16, 15 || d. I Cor. 11, 16 || e. Gal. 1, 2 || f. Apoc. 1, 4 || g. Cf. Ps. 79, 9 s. || h. Ps. 79, 11.

1. Voir la note complémentaire 19 : « L'Église ».

# 3

**1** « Les solives de nos maisons sont des cèdres, nos poutres, des cyprès.[a] » Cela semble être la réponse de l'Époux à la gentillesse des paroles précédentes de l'Épouse, par où il lui fait connaître de quoi sont couverts ces toits qu'ils ont en commun, et quel est le matériau de leur charpente. Voilà pour le récit historique.

**L'Église maison de Dieu**

**2** Mais l'Église[1] semble être décrite par le Christ, elle qui est la maison spirituelle et « la maison de Dieu », comme l'enseigne Paul : « Mais si je viens plus tard, sache comment tu dois te comporter dans la maison de Dieu, qui est l'Église du Dieu vivant, colonne et soutien de la vérité[b]. » Si donc l'Église est « la maison de Dieu », puisque tout ce qu'a le Père est au Fils[c], l'Église est la maison du Fils de Dieu.

**3** Mais fréquemment aussi on parle au pluriel des Églises, comme là où il est dit : « Nous n'avons pas une telle habitude, ni les Églises de Dieu[d]. » Et de nouveau Paul écrit « aux Églises de Galatie[e] », et Jean « aux sept Églises[f] ». Donc l'Église ou les Églises sont la maison de l'Époux et de l'Épouse, ou la maison du Verbe et de l'âme, où sont les solives de cèdre.

**Poutres, solives**

**4** Nous lisons qu'il y a « des cèdres de Dieu » sur lesquels « la vigne transplantée d'Égypte » a étendu ses sarments et ses pampres[g], comme on dit dans les Psaumes : « Son ombre a couvert les montagnes, et ses pampres les cèdres de Dieu[h]. »

**5** Evidenter igitur per haec quaedam in ecclesia *cedri Dei* nominantur. Cum ergo dicit sponsus : *Tigna domorum nostrarum cedri*, intelligere debemus *cedros Dei* esse eos qui ecclesiam contegunt et esse aliquos horum validiores, qui *trabes* appellantur. Et puto quod convenienter hi qui episcopatum bene ministrant in ecclesia *trabes* dici possunt, quibus sustentatur et tegitur omne aedificium vel ab imbrium labe vel ab ardoribus solis.

**6** Secundo autem horum loco, *tigna* presbyteros opinor appellari et *trabes* quidem dici *cypressos*, quibus et fortitudo robustior et odoris suavitas inest, per quod et in operibus solidum et in doctrinae gratia fraglantem designat episcopum. Similiter autem et tigna cedros appellavit, ut per hoc incorruptionis virtutis et odoris scientiae Christi plenos designaret debere esse presbyteros.

1. Quelques lignes plus haut, évêques et prêtres étaient figurés par du cèdre.

2. La vertu d'incorruptibilité semble désigner la chasteté, prélude de l'éternité.

**5** A l'évidence donc par ces mots certaines réalités dans l'Église sont nommées «cèdres de Dieu». Dès lors, quand l'Époux dit : «Les solives de nos maisons sont des cèdres», nous devons comprendre que sont des cèdres de Dieu ceux qui couvrent l'Église, et qu'il y a certains d'entre eux, plus solides, qui sont appelés «poutres». Et je pense que ceux qui exercent comme il faut l'épiscopat dans l'Église peuvent justement être dits «des poutres», eux par qui tout l'édifice est maintenu en bon état et protégé soit de la dégradation causée par les averses, soit des ardeurs du soleil.

**6** Or au second rang après eux, je pense que les prêtres sont nommés «solives», et que «les poutres» sont dites «des cyprès», par quoi on indique l'évêque[1] fort en œuvres, exhalant une odeur suave par la grâce de la doctrine. De la même manière on appela «les solives» «cèdres», afin d'indiquer par là que les prêtres doivent être remplis de la vertu d'incorruptibilité[2] et de l'odeur de la science du Christ.

## Chapitre 4

## Fleur des champs et lis des vallées

*Cant.* 2, 1-2 : *Je suis la fleur des champs et le lis des vallées.*
*Comme un lis au milieu des épines,*
*ainsi ma compagne au milieu des filles*

1 : L'Époux semble dire cela de lui-même et de l'Épouse ; il faut comprendre que *le Christ le dit relativement à l'Église* et déclare qu'il est lui-même «la fleur des champs et le lis des vallées» ; 2-4 : on peut interpréter *le champ* comme ce peuple qui était cultivé par les prophètes et par la Loi, mais *la vallée*, comme le terrain rocailleux et inculte des nations ; l'Époux fut cette fleur dans ce peuple ; mais la Loi ne conduisant personne à la perfection, le Verbe de Dieu ne put y progresser de la fleur à la perfection des fruits ; dans cette vallée des nations il est devenu *un lis* revêtu par le Père céleste d'un vêtement de chair tel que pas même Salomon dans toute sa gloire n'a pu en posséder : une chair immaculée ; il a voulu devenir un lis, pour que sa compagne l'imite ; 5-7 : «comme un lis au milieu des épines, ainsi ma compagne» : il parle de *l'Église* issue des infidèles, exposée aux morsures des hérétiques ; «ainsi ma compagne au milieu des filles» : il s'agit *des âmes* qui étaient parvenues à croire ; chaque âme vertueuse peut être dite un champ où le Verbe de Dieu se fait fleur dans les vallées, puis lis au milieu des épines.

# 4

**1** *Ego flos campi et lilium convallium; sicut lilium in medio spinarum, ita proxima mea in medio filiarum*[a]. Haec ille qui sponsus et Verbum et Sapientia est de semet ipso et de sponsa ad amicos ac sodales suos loqui videtur. Sed secundum propositae expositionis ordinem, Christus haec de ecclesia loqui intelligendus est et ipse dicere se esse *florem campi et lilium convallium*.

**2** *Campus* planities terrae dicitur, cui cultura adhibetur et excolitur ab agricolis; *convalles* vero saxosa magis et inculta indicant loca. Possumus ergo campum illum intelligere populum qui per prophetas colebatur et legem, | 178 *convallem* vero saxosum et incultum gentium locum.

★ **3** Sponsus ergo hic in illo populo flos fuit, sed quoniam neminem *ad perfectum adduxit lex*[b], idcirco ibi Verbum Dei non potuit a *flore* proficere et ad perfectionem fructuum pervenire. In ista tamen *convalle* gentium effectus est *lilium*. Cuiusmodi autem lilium? Tale sine dubio quale et ipse in evangeliis dicit quod *Pater caelestis vestit*[c], et *neque Solomon in omni gloria sua indutus est sicut unum ex istis*[d]. Fit ergo *lilium* in hac *convalle* sponsus in eo quod *vestivit* eum *Pater caelestis* tali indumento carnis quale *nec Solomon in omni gloria sua* habere potuit. Non enim (1 habuit Solomon absque concupiscentia viri et concubitu

a. Cant. 2, 1-2 || b. Cf. Hébr. 7, 19 || c. Cf. Matth. 6, 28-30 || d. Matth. 6, 29.

## 4

**1** «Je suis la fleur des champs et le lis des vallées. Comme un lis au milieu des épines, ainsi ma compagne au milieu des filles[a].» Celui qui est l'Époux, le Verbe et la Sagesse semble le dire de lui-même et de l'Épouse à ses amis et compagnons. Mais selon l'ordre de l'explication proposée, il faut comprendre que le Christ le dit relativement à l'Église et déclare qu'il est lui-même «la fleur des champs et le lis des vallées».

**Champ, fleur et lis**

**2** On appelle «champ» une surface plane de terre réservée à la culture et travaillée par des agriculteurs ; mais «vallées» fait penser à des terrains plus rocailleux et incultes. Nous pouvons comprendre ainsi «le champ» comme le peuple qui était cultivé par les prophètes et la Loi, mais «la vallée» comme le pays rocailleux et inculte des nations.

★ **3** L'Époux fut donc cette «fleur» dans ce peuple, mais parce que «la Loi n'a conduit» personne «à la perfection[b]», le Verbe de Dieu ne put y progresser à partir de «la fleur» et parvenir à la perfection des fruits. Toutefois dans cette «vallée» des nations, il s'est fait «lis». Mais un lis de quelle sorte ? Tel sans nul doute que celui dont lui-même dit dans les Évangiles que «le Père céleste en revêt[c]», et que «pas même Salomon dans toute sa gloire ne fut vêtu comme l'un d'eux[d]». L'Époux devient donc «lis» dans cette «vallée», en ce sens que «le Père céleste l'a revêtu» d'un tel vêtement de chair que «pas même Salomon dans toute sa gloire» n'a pu en posséder. Car Salomon n'a pas eu, sans le

mulieris immaculatam et nulli prorsus peccato obnoxiam carnem.

**4** Sed et causam cur is qui *in campo flos* fuerat voluerit esse *in convallibus lilium* videtur ostendere. Cum enim multo tempore flos fuisset in campo, nullum dicit ex ipso campo florem ad imitationem sui ac similitudinem processisse. Ubi vero factus est *in convallibus lilium*, continuo efficitur etiam *proxima* eius imitatione ipsius lilium ut operae pretium fuerit, quoniam ipse effectus est lilium ut etiam proxima sua, id est unaquaeque anima quae ei approximat et exemplum eius imitationemque sectatur, lilium fiat.

**5** Quod ergo ait : *Sicut lilium in medio spinarum, ita proxima mea in medio filiarum*[e], accipiemus ecclesiam gentium dici quod vel e medio infidelium et non credentium quasi ex spinis emerserit vel pro haereticorum | 179 circumstrepentium se morsibus *in medio spinarum* posita dicatur.

**6** Quod et magis videbitur verisimile pro eo quod dicit : *Ita proxima mea in medio filiarum*[f]. Non enim *filias* appellasset illas animas quae numquam omnino venerint ad credendum. Omnes enim haeretici primo ad credulitatem veniunt, et post haec ab itinere fidei et dogmatum veritate declinant. Sicut et Iohannes Apostolus in epistola sua dicit quia : *A nobis exierunt, sed non erant ex nobis; nam si fuissent ex nobis, mansissent utique nobiscum*[g].

e. Cant. 2,2 || f. Cant. 2,2 || g. I Jn 2,19.

---

1. Il s'agit de la conception virginale de Jésus ; peut-être aussi de l'absence de concupiscence en Jésus, qui en est la conséquence pour Origène : cf. *FragmRom* XLV (l. 8), *JThS* 14, 1912-1913, p. 17, et les nombreux textes où, commentant *Rom.* 8,3, il montre que la chair de Jésus n'était pas «chair de péché», mais seulement à «la ressemblance de la chair de péché». Par là il n'exprime, pas plus que Paul, aucun docétisme, mais simplement l'absence de concupiscence. Corrélativement, l'âme humaine, unie au Verbe, est absolument impeccable, par

désir charnel de l'homme et l'union avec la femme, une chair immaculée, exempte absolument de tout péché[1].

**4** De plus, on semble montrer la raison pour laquelle celui qui avait été «une fleur dans le champ» a voulu être «un lis dans les vallées». En effet, alors que la fleur avait longtemps été dans le champ, il ne dit pas qu'une fleur à son imitation et à sa ressemblance soit venue de ce champ même. Mais dès qu'il s'est fait «lis dans les vallées», aussitôt sa compagne aussi se fait lis à son imitation, pour être le prix de son service, puisque lui-même s'est fait lis pour que sa compagne, c'est-à-dire toute âme qui s'approche de lui, suit son exemple et l'imite, devienne également lis.

**L'Église**

**5** Quand donc l'Époux dit : «Comme un lis au milieu des épines, ainsi ma compagne au milieu des filles[e]», nous comprendrons qu'il le dit de l'Église des nations, soit parce qu'elle a émergé du milieu des infidèles et des non croyants comme au sortir des épines, soit parce que, du fait des morsures des hérétiques vociférant autour d'elle, on peut la dire placée «au milieu des épines».

**6** Cela semblera d'autant plus vraisemblable qu'il ajoute : «Ainsi ma compagne au milieu des filles[f]». Car il n'aurait pas appelé «filles» ces âmes qui n'étaient absolument jamais parvenues à croire. En effet, tous les hérétiques viennent d'abord à la foi, puis se détournent du chemin de la foi et de la vérité des doctrines[2]. Ainsi l'Apôtre Jean aussi dit dans sa Lettre : «Ils sont sortis de chez nous, mais ils n'étaient pas de chez nous; car s'ils avaient été de chez nous, ils seraient à coup sûr restés avec nous[g].»

cette union même, tout en étant une âme semblable aux autres âmes et douée comme elles de libre arbitre : mais elle est rendue telle par l'infinité de sa charité, cf. *PArch.* II, 6,5-6.

2. Sont visés les hérésiarques, plus que ceux qui sont nés dans l'hérésie.

**7** Possumus autem et ad unamquamque id animam referentes huic quidem animae, quae pro simplicitate sui et planitie vel aequitate *campus* dici potest, *florem* fieri Verbum Dei et initia bonorum operum docere. His vero qui profundiora iam quaerunt et demersiora scrutantur quasi in *convallibus* vel pro claritate pudicitiae vel pro fulgore sapientiae efficitur *lilium*, ut et ipsi fiant lilia erumpentia de medio spinarum, id est fugientes cogitationes et sollicitudines saeculares, quae *spinis*[h] in evangelio comparatae sunt.

h. Cf. Matth. 13,22.

1. Si on ne tenait pas compte des dates, on pourrait voir là une allusion antipélagienne, et l'attribuer à Rufin. Mais le Commentaire a été traduit par Rufin en 410, avant le début de la controverse péla-

**L'âme**

**7** Mais nous pouvons, en le rapportant aussi à chaque âme, enseigner que pour cette âme qui, en raison de sa simplicité, de son caractère uni, de son égalité d'humeur, peut être dite « un champ », le Verbe de Dieu se fait « fleur » et enseigne les commencements des bonnes œuvres[1]. Mais pour ceux qui déjà cherchent des vérités plus profondes et scrutent des réalités plus cachées, pour ainsi dire « dans des vallées », en raison de la splendeur de sa pureté ou de l'éclat de sa sagesse, il se fait « lis », pour qu'eux aussi deviennent des lis surgissant au milieu des épines, c'est-à-dire fuyant les pensées et les soucis du siècle qui dans l'Évangile, sont comparés « à des épines[h] ».

gienne et semi-pélagienne. D'ailleurs, un texte indiscutablement origénien, *ComJn* VI, 181, exclut absolument tout semi-pélagianisme, avec une précision digne du concile d'Orange qui condamna cette hérésie.

# Chapitre 5

## A l'ombre du Christ

*Cant.* 2,3 : *Comme un pommier parmi les bois de la forêt,
ainsi mon Bien-Aimé au milieu des fils.
A son ombre j'ai désiré me trouver et je me suis assise ;
et son fruit est doux à ma gorge*

1-3 : paroles de l'Épouse, toute à l'admiration pour son Époux, adressées aux jeunes filles ; 4-8 : selon le mystère, ceux que l'Épouse appelle *fils* peuvent s'entendre ou bien de ceux qui le furent jadis et ne le sont plus, ou bien de la multitude des personnages célestes : tous sont appelés fils de Dieu, mais les uns mourront, et l'autre, l'Époux, est parmi eux avec un fruit meilleur, comme le pommier parmi les arbres stériles de la forêt que sont les fauteurs d'hérésies ; 9-19 : *à son ombre* désire séjourner l'Épouse, soit l'Église, soit l'âme ; pour la dénomination d'ombre, voir ce qu'en dit l'Écriture : Jérémie, l'Évangile ; à cette ombre est la vie, à l'ombre des autres bois, la mort ; pour l'Apôtre : « la Loi a l'ombre des biens à venir » ; la religion des anciens est « la copie et l'ombre des réalités célestes » ; nous qui sommes sous la grâce, nous sommes sous une ombre meilleure, « nous vivons à l'ombre du Christ parmi les nations » ; de l'une à l'autre il y a progrès ; pour Job « la vie des hommes est une ombre sur la terre » ; mais l'Église désire être à l'ombre de l'Époux, et toute âme a besoin d'une ombre contre l'ardeur du soleil ; l'ombre de la Loi tempérait cette ardeur, l'ombre du Christ la dissipe et l'éteint ; il est écrit : « A l'ombre de tes ailes j'exulterai », et pour l'Épouse un temps viendra où toutes les ombres seront dissipées ; 20-21 : la parole « *son fruit* est doux à ma gorge » est dite par l'âme qui ne profère rien de mort et d'erroné, contrairement à d'autres ; parole aussi d'autres justes.

## 5

★ **1** *Sicut arbor mali inter ligna silvae, ita fraternus meus inter medium filiorum; in umbra eius concupivi et sedi, et fructus eius dulcis in faucibus meis*[a]. Decuit quidem sponsum et de semet ipso dicere, quid esset in campo, quid etiam in convallibus, et de sponsa, quae esset qua- (15 lisve inter ceteras filias haberetur. Sponsam vero ad haec | 180 respondentem non conveniebat de semet ipsa aliquid dicere, sed effici totam erga admirationem sponsi et ipsius laudibus inhaerere.

**2** Comparat ergo eum arbori mali. Sed ne ex similitudine sermonis simpliciores aliqui arborem mali malam arborem putent et a malitia dictam, dicamus nos arborem meli, graeco quidem nomine utentes, sed simplicioribus quibusque Latinorum plus notiore quam mali. Melius est enim ut grammaticos offendamus quam legentibus scrupulum aliquem in veritatis explanatione ponamus.

**3** Comparat igitur eum arbori meli, sodales vero eius reliquis arboribus silvae. Sed sponsum ita arbori huic meli similem dicit, ut etiam concupisse se dicat sub umbra eius sedere fructumque eius dulcem sibi effectum in faucibus asseveret. Et haec ad adulescentulas loqui videtur, sicut et sponsus locutus est prius ad sodales suos.

a. Cant. 2,3.

---

1. *Malum* signifie à la fois «le mal» et «la pomme». D'où la confusion possible justifiant cette remarque de Rufin. En grec, la pomme se dit μῆλον.

2. La double expression du comparatif, *plus notiore*, est curieuse. Il faut conclure de cette phrase que le mot *melum* était connu aussi des Latins.

## 5

★ **1** «Comme un pommier parmi les bois de la forêt, ainsi mon Bien-Aimé au milieu des fils. A son ombre, j'ai désiré me trouver et je me suis assise ; et son fruit est doux à ma gorge [a].» Il aurait convenu, certes, que l'Époux dise et de lui-même ce qu'il était dans le champ, ce qu'il était aussi dans les vallées, et de l'Épouse ce qu'elle était, ou en quelle considération elle était tenue parmi les autres filles. Mais il ne convenait pas que l'Épouse, dans sa réplique, dise quoi que ce soit d'elle-même, mais qu'elle soit toute à l'admiration de son Époux et s'en tienne à ses louanges.

**2** Elle le compare donc à un pommier. Mais pour éviter que, par suite de la ressemblance de l'expression, des gens plus simples ne pensent qu'un pommier (*arbor mali*) est un mauvais arbre [1] (*arbor mala*), nommé d'après sa mauvaise qualité, nous disons «pommier», en employant le mot grec, il est vrai, mais qui est plus familier [2] que *mali* aux plus simples des Latins. Mieux vaut, en effet, choquer les grammairiens que de placer pour les lecteurs quelque pierre d'achoppement dans l'explication de la vérité [3].

**3** L'Épouse compare donc l'Époux à un pommier et ses compagnons aux autres arbres de la forêt. Mais elle dit l'Époux semblable à un pommier pour ajouter qu'elle a désiré s'asseoir «à son ombre» et pour assurer que son fruit est devenu doux dans sa gorge. Et cela, elle semble le dire aux jeunes filles, comme l'Époux aussi s'est adressé auparavant à ses compagnons.

3. «Mieux vaut nous exposer aux reproches des grammairiens que de ne pas être compris par le peuple», AUGUSTIN, *in psalm. 138*, 20.

**4** Sed videamus nunc secundum mysterium, quos dicat sponsa filios inter quos *tamquam arborem meli* praecellere reliqua *silvae ligna* asserat sponsum ; et vide si possumus secundum quae in superioribus de *filiabus* et *spinis*[b] dupliciter exposuimus, ita etiam hic *filios* vel eos qui aliquando fuerunt et non sunt, vel multitudines caelestium ministrorum dictos esse intelligere.

**5** Ad omnes enim in initio pertinet illud quod scriptum est : *Ego dixi : dii estis et filii Excelsi omnes*[c]. Sed differentia intercessit per hoc quod ait : *Vos autem ut homines moriemini, et sicut unus de principibus cadetis*[d]. Sed et illud in hoc respicit : *Quoniam quis in nubibus aequabitur Domino? Aut quis assimilabitur ei inter filios Dei*[e] ?

**6** *Sicut* ergo *arbor meli inter* reliqua *ligna silvae*, ita est sponsus *inter filios* habens fructum qui non solum sapore omnes, sed et odore praecellat et duos pariter animae sensus, id est gustum simul et odoratum, efficiat.

181 **7** Di|versis namque copiis *mensam suam* nobis *praeparat Sapientia*[f], in qua non solum *panem vitae*[g] apponit, sed et (152 immolat carnes Verbi ; et non solum *miscet in cratere suum vinum*[f], sed et mela odorata satis adhibet et dulcia, quae

b. Cf. Cant. 2, 2 || c. Ps. 81.6 || d. Ps. 81, 7 || e. Ps. 88, 7 || f. Cf. Prov. 9, 1-2 || g. Cf. Jn 6, 35.

1. Cf. *supra*, III, 4, 5-6.
2. Cf. *HomCant.* II, 6 ; voir Prol. 2, 10, et la note complémentaire 2 : « Le thème des sens spirituels de l'homme ».
3. Reprise du thème des « nourritures spirituelles » : cf. Prol. 1, 4 ; I, 4, 12-13 (avec l'expression « les chairs du Verbe ») ; II, 8, 40 ; III, 8, 10. Voir H. Crouzel, *Connaissance*, « Le mystère est nourriture », p. 166-184. Le Christ, pour répondre aux besoins de chaque âme, se fait pour elles toute sorte de nourriture, leur transmettant ainsi la nature divine dont il est constamment nourri par le Père. Il est herbe pour l'âme encore animale (*Ps.* 22), lait pour l'enfantine (*I Cor.* 3, 2 ; *Hébr.* 5, 12-13 ; *I Pierre* 2, 2), légume pour la malade (*Rom.* 4, 1-2 interprété

**Selon le mystère**

**4** Mais voyons maintenant, selon le mystère, ceux que l'Épouse appelle «fils» au milieu desquels elle assure que l'Époux l'emporte en excellence «comme le pommier» sur les autres bois de la forêt»; et vois si, selon la double explication que nous avons donnée plus haut[1], à propos «des filles» et des «épines[b]», nous pouvons de même entendre ici que l'on appelle «fils», ou bien ceux qui le furent jadis et qui ne le sont plus, ou bien la multitude des serviteurs célestes.

**Les fils de Dieu**

**5** A tous en effet s'applique au début ce qui est écrit : «J'ai dit : Vous êtes des dieux et des fils du Très Haut, vous tous[c].» Mais une différence est intervenue du fait qu'il est dit : «Mais vous, comme des hommes vous mourrez, et comme des princes vous tomberez[d].» A quoi, de plus, se rapporte ce qui est écrit : «Qui dans les nuées est comparable au Seigneur? Ou qui lui est semblable parmi les fils de Dieu[e]?»

**La pomme**

**6** Par conséquent, «comme un pommier parmi les» autres «bois de la forêt», ainsi est l'Époux «parmi les fils» avec un fruit qui l'emporte sur tous, non seulement par la saveur mais encore par l'odeur, et affecte également deux sens de l'âme, à la fois le goût et l'odorat[2].

**7** Car «la Sagesse» nous «prépare sa table[f]» avec des ressources variées : sur elle non seulement elle place «le Pain de vie[g]», mais encore elle immole les chairs du Verbe[3]; et non seulement elle mêle son vin dans la coupe[f], mais encore elle ajoute beaucoup de pommes odorantes et

allégoriquement), mais pour l'âme spirituellement forte, les chairs de l'Agneau (*Ex.* 12) ou le Pain descendu du ciel (*Jn* 6, 32-58). Car la seule nourriture convenant à la créature raisonnable est la nature de Dieu. Le «pain des anges» correspond à la nourriture de la béatitude. — Le vin y ajoute les effets affectifs de la connaissance, exprimés surtout par «l'enthousiasme», c'est-à-dire le sentiment éprouvé de la présence divine.

non tantum in ore et labiis suavitatem reddant, sed et interioribus tradita faucibus dulcedinem servent.

**8** Possumus autem *ligna silvae* accipere illos angelos qui uniuscuiusque haereseos auctores fautoresque visi sunt exstitisse, ita ut videatur ecclesia comparans suavitatem doctrinae Christi ad asperitatem haereticorum dogmatum ac sterilem eorum infructuosamque doctrinam dicere mela quidem suavia et dulcia esse ecclesiastica dogmata quae in Christi ecclesia praedicantur, *ligna* vero esse *silvae* ea quae a diversis haereticis affirmantur. Et de istis videbitur infructuosis *lignis silvae* dici, quod in evangelio scriptum est : *Ecce iam securis ad radices arborum posita est; omnis ergo arbor quae non affert fructum bonum excidetur et in ignem mittetur*[h]. Fraternus ergo sponsae est ut *arbor meli* in ecclesia Christi ; ceteri vero haeresiarchae tamquam infructuosa ligna silvae divino iudicio ut securi excidenda et in ignem mittenda.

**9** Igitur in huius meli umbra concupiscit sponsa residere, vel ecclesia, ut diximus, *in protectione Filii Dei*[i], vel anima refugiens omnes reliquas doctrinas et adhaerens uni soli Verbo Dei, cuius etiam *dulcem* habeat *in faucibus fructum*, *meditando* scilicet *indesinenter legem Dei*[j] et semper eam velut mundum animal ruminando.

★ **10** Verum de appellatione umbrae istius sub qua sedere concupisse se dicit ecclesia non puto absurdum si ea quae invenire possumus in scripturis divinis proferamus in

h. Matth. 3, 10 || i. Cf. Ps. 90, 1 || j. Ps. 1, 2.

1. Sur les anges (démons) qui inspirent les hérésies, à propos de « la sagesse des princes de ce monde » (*I Cor.* 2, 6), voir *PArch.* III, 3, 1-3, avec la note 16 *ad loc.* (*SC* 269, p. 76).

2. « Pour moi, je pense que celui-là est dit ruminer qui s'adonne à la science et ' médite la Loi du Seigneur jour et nuit ' ... Ruminer, c'est donc reprendre au sens spirituel la lecture faite selon la lettre, et

douces, qui non seulement laissent un goût délicieux sur les lèvres et à la bouche, mais encore, parvenues dans les profondeurs de la gorge, conservent leur douceur.

**Bois de la forêt**

**8** Or nous pouvons comprendre « les bois de la forêt » comme ces anges qui paraissent avoir été les auteurs et les fauteurs de chaque hérésie ; en sorte que l'Église, comparant la suavité de la doctrine du Christ à l'âpreté des croyances hérétiques et à leur doctrine stérile et sans fruit, semble dire que sont des pommes suaves et douces les doctrines ecclésiastiques que l'on prêche dans l'Église du Christ, mais sont « des bois de la forêt » celles que prônent les divers hérétiques. Et c'est pour ces arbres stériles de la forêt que paraîtra écrit dans l'Évangile : « Voici que déjà la cognée est mise aux racines des arbres ; donc, tout arbre qui ne produit pas de bon fruit sera coupé et jeté au feu[h]. » Ainsi, le Bien-Aimé de l'Épouse est comme « un pommier » dans l'Église du Christ, tandis que tous les autres, les hérésiarques[1], comme « des bois de la forêt » stériles « sont à couper et à jeter au feu » par suite du jugement divin.

**L'ombre du Christ, l'ombre de la Loi**

**9** Désire alors séjourner à l'ombre de ce pommier l'Épouse : soit, comme nous avons dit, l'Église « sous la protection du Fils de Dieu[i] » ; soit l'âme qui fuit toutes les autres doctrines et adhère au seul et unique Verbe de Dieu, dont elle garde aussi « le doux fruit dans sa gorge », à savoir « en méditant sans cesse la Loi de Dieu[j] » et en la ruminant toujours comme un animal pur[2].

★ **10** Mais pour la dénomination de cette ombre sous laquelle l'Église dit qu'elle désire s'asseoir, je ne crois pas absurde d'étaler au grand jour ce que nous pouvons trouver dans les divines Écritures, afin que soit reconnue d'une

s'élever des choses inférieures et visibles aux réalités invisibles et supérieures », *HomLév.* VII, 6, avec la note 1 *ad loc.* (*SC* 286, p. 342).

medium, ut quae sit umbra meli huius dignius et divinius agnoscatur.

182 | **11** Ait Hieremias in Lamentationibus : *Spiritus vultus nostri Christus Dominus comprehensus est in corruptionibus nostris, cui diximus : in umbra eius vivemus in gentibus*[k]. Vides ergo quomodo Spiritu sancto propheta permotus (153 vitam de umbra Christi praeberi gentibus dicit ; et quomodo non vitam nobis praebeat *umbra eius*, cum et in conceptu corporis ipsius ad Mariam dicatur : *Spiritus sanctus veniet super te, et virtus Altissimi obumbrabit tibi*[l] ? Si ergo obumbratio fuit Altissimi in conceptu corporis eius, merito umbra eius vitam gentibus dabit.

**12** Et merito sponsa eius ecclesia *sub meli umbra sedere concupiscit*, sine dubio ut vitae quae est in umbra eius particeps fiat. Reliquorum vero lignorum silvae umbra talis est ut qui sederit sub ipsa *sedere* videatur *in regione umbrae mortis*[m].

**13** Sed adhuc, ut magis ac magis planior reddatur locus qui habetur in manibus, requiramus quomodo et Apostolus dicat *legem umbram habere futurorum bonorum*[n] et omnia quae vel de *diebus festis vel sabbatis vel neomeniis*[o] scripta sunt, *umbram* memoret esse *futurorum bonorum*, in his scilicet quae secundum litteram gerebantur ; et quomodo

k. Lam. 4, 20 || l. Lc 1, 35 || m. Cf. Matth. 4, 16 || n. Hébr. 10, 1 || o. Cf. Col. 2, 16-17.

---

1. Cette phrase de *Lam.* 4, 20, dont le sens littéral vise le roi Sédécias, «l'Oint» du Seigneur, fait prisonnier par Nabuchodonosor et emmené à Babylone, est, appliquée au Christ (Oint), un des textes majeurs de la christologie d'Origène, constamment répété. L'ombre du Christ désigne son âme humaine, son humanité, sous laquelle nous vivons en ce monde-ci. Pour nous, hommes terrestres, elle est en quelque sorte, après le Verbe, Image de Dieu, une seconde image inter-

manière plus digne et plus divine quelle est l'ombre de ce pommier.

**11** Jérémie dit dans les Lamentations[1] : «Le souffle de notre visage, le Seigneur Christ, fut pris dans nos corruptions, lui dont nous disions : A son ombre nous vivrons parmi les nations[k].» Donc tu vois que le prophète, mû par l'Esprit Saint, dit que la vie est offerte aux nations à partir de l'ombre du Christ. Et comment «son ombre» ne nous offrirait-elle pas la vie, puisque même pour la conception de son corps, il est dit à Marie : «L'Esprit Saint viendra sur toi, et la puissance du Très-Haut te couvrira de son ombre[l].» Si donc il y eut l'ombre du Très-Haut[2] pour la conception de son corps, à juste titre son ombre donnera la vie aux nations.

**12** Et à juste titre son Épouse, l'Église, «désire s'asseoir à l'ombre du pommier», sans nul doute pour participer à la vie qui se trouve à son ombre. Au contraire, l'ombre des autres bois de la forêt est telle que celui qui s'est assis sous elle semble «être assis dans le pays de l'ombre de la mort[m]».

**13** Mais encore, afin de rendre de plus en plus clair ce passage qui est entre nos mains, cherchons dans quel sens l'Apôtre aussi déclare que «la Loi a l'ombre des biens à venir[n]» et rappelle que tout ce qui est écrit «des jours de fête, des sabbats, des néoménies» est «l'ombre des biens à venir[o]», à savoir dans ce qui était accompli selon la lettre ; et dans quel sens il proclame que toute la religion des

médiaire, par laquelle nous parvient la participation à l'image de Dieu et qui sert de modèle immédiat à notre imitation. Cf. Crouzel, *Origène*, p. 257.

2. Sens donné à la citation : la Puissance du Très-Haut, c'est-à-dire le Fils, dont Puissance est «une dénomination», «un aspect», met sur Marie son ombre, son âme humaine, unie au Verbe dès la préexistence.

omnem veterum culturam *exemplar et umbram* pronuntiet esse *caelestium*[p]. Quod utique si ita est, ostenduntur sub umbra legis sedisse omnes quicumque sub lege erant et umbram magis verae legis habebant.

**14** Nos autem alieni sumus ab umbra eorum, quoniam *non sumus sub lege, sed sub gratia*[q]. Sed quamvis non simus sub umbra illa quam legis littera faciebat, sumus tamen sub umbra meliore. *In umbra* enim *Christi vivimus inter gentes*[r].

**15** Et est profectus quidam de umbra legis venire ad umbram Christi, ut, quia *Christus vita est et veritas et via*[s], 183 effi|ciamur primo in umbra *viae* et in umbra *vitae* et in umbra *veritatis* et *comprehendamus ex parte et in speculo ac in aenigmate*[t], ut post haec, si incedamus per hanc viam[u] quae est Christus, pervenire possimus in hoc ut *facie ad faciem comprehendamus*[v] ea quae prius in umbra et in aenigmate videramus. Non enim quis poterit ad illa quae vera sunt et perfecta pervenire, nisi prius desideraverit et concupierit in hac umbra residere.

**16** Sed et Iob omnem hominum vitam umbram dicit esse super terram[w], credo pro eo quod omnis anima in hac vita velamento crassi huius corporis obumbratur. Omnes ergo qui in hac vita sunt, necesse est in umbra quadam esse.

**17** Sed alii quidem sunt *sedentes in regione umbrae mortis*[x], hi profecto qui non credunt Christo ; ecclesia vero cum fiducia dicit : *In umbra* sponsi *concupivi et sedi*[y], quamvis fuerit tempus quo potuerit quis sub umbra legis

p. Hébr. 8, 5 || q. Rom. 6, 15 || r. Lam. 4, 20 || s. Cf. Jn 14, 6 || t. I Cor. 13, 12 || u. Cf. Jn 14, 6 || v. Cf. I Cor. 13, 12 || w. Job 8, 9 || x. Matth. 4, 16 || y. Cant. 2, 3.

anciens est «une copie et une ombre des réalités célestes[p]». Assurément s'il en est ainsi, on montre qu'étaient assis sous l'ombre de la Loi tous ceux qui étaient sous la Loi et avaient plutôt l'ombre de la Loi véritable.

**14** Quant à nous, nous sommes étrangers à leur ombre, car «nous ne sommes pas sous la Loi mais sous la grâce[q]». Mais, bien que nous ne soyons pas sous cette ombre que faisait la lettre de la Loi, nous sommes toutefois sous une ombre meilleure. Car «nous vivons à l'ombre du Christ parmi les nations[r]».

**15** Et il y a un certain progrès à venir de l'ombre de la Loi à l'ombre du Christ ; afin, puisque le Christ est la Vie et la Vérité et la Voie[s]», que nous nous trouvions d'abord à l'ombre de la Voie, à l'ombre de la Vie, à l'ombre de la Vérité, et que «nous comprenions en partie, à travers un miroir et en énigme[t]», pour qu'ensuite, si nous avançons par cette Voie qu'est le Christ[u], nous puissions parvenir au point où nous saisirons «face à face[v]» ce que nous avions d'abord vu en ombre et en énigme. Car personne ne pourra parvenir à ces biens qui sont vrais et parfaits, s'il n'a auparavant désiré et souhaité ardemment séjourner à cette ombre.

**16** De plus, Job dit que toute «la vie des hommes sur la terre est une ombre[w]», pour cette raison je crois que toute âme en cette vie est couverte d'ombre par le voile de ce corps grossier. Ainsi donc, tous ceux qui sont dans cette vie doivent nécessairement être sous une ombre[1].

**17** Et certes, d'autres sont «assis dans la région de l'ombre de la mort[x]», assurément ceux qui ne croient pas au Christ. Mais l'Église dit avec assurance : «A l'ombre de l'Époux «j'ai désiré être et je me suis assise[y]», bien qu'il y eut un temps où, séjournant à l'ombre de la Loi, on aurait

1. Voir la note complémentaire 20 : «Le thème de l'ombre».

residens defendi a duritia ardoris et aestus. Sed transiit illud tempus, veniendum nunc est ad arboris meli umbram et, quamvis diversa quis utatur umbra, videtur tamen omnis anima, donec in praesenti vita est, umbram habere necessariam, propter illum credo ardorem solis qui, cum exortus fuerit, continuo semen quod non alta radice demersum est arescit[z] et deperit.

**18** Sed hunc ardorem tenuiter quidem legis umbra propellit, *Christi* vero *umbra*, *in* qua nunc *in gentibus vivimus*[aa], id est incarnationis eius fides, avertit penitus et exstinguit (ille enim qui adurebat ambulantes sub umbra legis, tempore passionis Christi *sicut fulgur visus est* 184 *cecidisse de caelo*[ab]) ; quamvis | etiam eius umbrae tempus in fine saeculi compleatur, quia, sicut diximus, post consummationem saeculi iam non *per speculum* et *in aenigmate*, sed *facie ad faciem videbimus*[ac] veritatem.

**19** Simile puto esse et illud quod scriptum est : *Sub umbra alarum tuarum exsultabo*[ad]. Sed et in sequentibus huius libelli ita dicit sponsa : *Fraternus meus mihi et ego illi ipsi, qui pascit inter lilia, donec respiret dies et amoveantur umbrae*[ae], edocens per haec quia veniet tempus, cum omnes umbrae removebuntur et permanebit veritas sola.

**20** Sed et quod ait : *Et fructus eius dulcis in faucibus meis*[af], illius animae est hoc dicere quae nihil emortuum, nihil insensibile habet *in faucibus suis* et in nullo prorsus

z. Cf. Matth. 13,6 || aa. Lam. 4,20 || ab. Lc 10,18 || ac. I Cor. 13,12 || ad. Ps. 62,8 || ae. Cant. 2,16-17 || af. Cant. 2,3.

---

1. Comme Delarue, après *tempus*, une virgule et non un point.
2. Il s'agit là du faux soleil, de la fausse lumière qui est en réalité ténèbre : Satan se transfigure en « ange de lumière », essaie de tromper l'homme *sub specie boni*, ce qui rend nécessaire « le discernement des esprits », *I Cor.* 12, 10. Voir *PArch.* III, 2, 4, et III, 3, 4-5, avec les notes *ad loc.* (*SC* 269, p. 64, n. 30, et p. 78-81, n. 26 s.).

pu être protégé de l'inclémence de la grosse chaleur et de l'été. Mais ce temps est passé[1], il faut maintenant venir à l'ombre du pommier; et, bien qu'on mette à profit une autre ombre, il semble pourtant que toute âme, tant qu'elle est dans la vie présente, a besoin d'une ombre à cause, je crois, de cette ardeur du soleil qui, lorsqu'il s'est levé, «dessèche[z]» et fait périr aussitôt la semence qui n'est pas implantée par une racine profonde.

**18** Or l'ombre de la Loi tempère faiblement cette ardeur; mais «l'ombre du Christ», sous laquelle maintenant «nous vivons parmi les nations[aa]», c'est-à-dire la foi en son incarnation, la dissipe entièrement et l'éteint (en effet, celui qui brûlait ceux qui marchaient sous l'ombre de la Loi[2], au temps de la passion «on vit qu'il tomba du ciel comme la foudre[ab]»); encore que même le temps de son ombre s'achève à la fin du siècle, puisque, comme nous avons dit, après la consommation du siècle, non plus «à travers un miroir et en énigme» mais «face à face, nous verrons[ac]» la Vérité.

**19** Cela aussi rappelle, je pense, ce qui est écrit : «A l'ombre de tes ailes j'exulterai[ad].» De plus, dans la suite de ce petit livre, l'Épouse s'exprime ainsi : «Mon Bien-Aimé est à moi, et moi je suis à lui, lui qui paît parmi les lis, jusqu'à ce que souffle le jour et que s'enfuient les ombres[ae].» Elle nous enseigne par là qu'un temps viendra où toutes les ombres seront dissipées et demeurera la seule Vérité[3].

**« Son fruit est doux à ma gorge »**

**20** De plus, la parole : «Et son fruit est doux à ma gorge[af]», la dire est le propre de cette âme qui n'a rien de mort, rien d'insensible «dans sa gorge», et sans conteste

3. Vérité est un autre nom de Mystère ou de Réalité, pour désigner les biens qui seront connus dans l'eschatologie.

similis est illis de quibus dicitur : *Sepulcrum patens est guttur eorum*[ag]. Quicumque enim verba mortis et interitus de faucibus proferunt, ipsorum fauces sepulcra dicuntur, sicut sunt omnes qui vel contra veram fidem loquuntur vel contra disciplinam castitatis et iustitiae ac sobrietatis aliquid proferunt. Ipsi ergo sunt quorum fauces sepulcra sunt et loca mortis, unde mortis verba proferuntur.

**21** Iustus autem dicit : *Quam dulcia faucibus meis eloquia tua*[ah]. Et alius, qui verba vitae docebat, ita dicit : *Os nostrum patet ad vos, o Corinthii, cor nostrum dilatatum est*[ai]. Sed et alius, qui Verbo Dei aperuit os suum, dicit : *Os meum aperui et attraxi spiritum*[aj].

ag. Ps. 5, 10 || ah. Ps. 118, 103 || ai. II Cor. 6, 11 || aj. Ps. 118, 131.

n'est en rien semblable à ceux dont il est dit : « Leur gosier est un sépulcre béant [ag] ». Car tous ceux qui font sortir de leur gorge des paroles de mort et de ruine, on dit qu'ils ont des sépulcres pour gorge, comme sont tous ceux qui parlent contre la vraie foi ou profèrent quelque propos contraire à la discipline de la chasteté, de la justice et de la tempérance. Voilà bien ceux dont les gorges sont des sépulcres et des lieux de mort, d'où des paroles de mort sont proférées.

**21** Mais le juste dit : « Que tes paroles sont douces à ma gorge [ah]. » Et un autre qui enseignait les paroles de la vie s'exprime comme suit : « Notre bouche s'est ouverte pour vous, ô Corinthiens, notre cœur s'est dilaté [ai]. » De plus, un autre qui ouvrit sa bouche au Verbe de Dieu dit : « J'ai ouvert ma bouche et j'ai attiré l'Esprit [aj]. »

# Chapitre 6

## La maison du vin

*Cant.* 2, 4 a : *Introduisez-moi dans la maison du vin*

1 : parole de l'Épouse aux amis de l'Époux ; 2 : c'est-à-dire aux prophètes, auxquels s'adressent l'*Église* du Christ ou *l'âme* qui adhère au Verbe, aspirant au *vin de la Sagesse* ; 3 : *maison du festin* pour ceux qui viennent de l'orient et de l'occident s'installer avec Abraham ; où conduisent les âmes, prophètes, saints anges et célestes puissances ; 4 : vin pour qui furent écrits les psaumes « pour les pressoirs » ; vin de la Vigne véritable, exprimé par le Père céleste vigneron, et des sarments qui demeurent en Jésus ; 5 : vin dont désirent être enivrés justes et saints : jadis un Noé, un David ; 6 : maison du vin où l'Église et toute âme désirant les biens parfaits se hâtent d'entrer ; 7-9 : le mauvais vin, le bon vin.

# 6

★ **1** *Introducite me in domum vini*[a]. Sponsae adhuc verba sunt, sed ad amicos et familiares sponsi, ut arbitror, diriguntur, a quibus videtur exposcere ut introducant eam in domum laetitiae, ubi vinum bibitur et epulae parantur. Quae enim iam viderat *cubiculum regium*[b], desiderat etiam nunc regale introire convivium et frui *vino* laetitiae.

185 | **2** Supra iam diximus amicos sponsi prophetas et omnes qui ministraverunt Verbum Dei ab initio saeculi intelligendos, ad quos recte vel ecclesia Christi vel anima Verbo Dei adhaerens dicat, ut se *introducant in domum vini*, id est ubi Sapientia miscuit in cratere vinum suum et deprecatur per servos suos omnem insipientem et egentem sensu dicens[c] : *Venite, manducate panes meos, et bibite vinum quod miscui vobis*[d]. (15

**3** Ista est *domus vini* domusque convivii, in quo convivio omnes qui *veniunt ab oriente et occidente recumbent cum Abraham et Isaac et Iacob in regno*[e] Dei. Ad quam domum et ad quod convivium prophetae perducunt animas, quae tamen eos audiunt et intelligunt ; sed et sancti angeli caelestesque *virtutes, quae in ministerio mittuntur propter eos qui hereditatem capiunt salutis*[f].

a. Cant. 2, 4 || b. Cf. Cant. 1, 4 || c. Cf. Prov. 9, 1-6 || d. Prov. 9, 5 || e. Matth. 8, 11 || f. Hébr. 1, 14.

---

1. Ce sont, au contraire, des paroles de l'Époux, qui demande à l'âme d'être reçu comme hôte : « Introduisez l'Époux le Verbe ... dans votre maison », dans *HomCant.* II, 7, fin.
2. Cf. *supra*, II, 8, 20.

# 6

★ **1** « Introduisez-moi dans la maison du vin[a]. » Ce sont encore des paroles de l'Épouse[1], mais elles sont adressées, je crois, aux amis et familiers de l'Époux ; elle semble leur demander de l'introduire dans la maison de l'allégresse, où l'on boit du vin et apprête des mets. Car celle qui avait déjà vu « la chambre à coucher royale[b] » désire encore maintenant avoir accès au festin royal et savourer le vin de l'allégresse.

**Maison et vin d'allégresse**

**2** Nous avons déjà dit plus haut[2] que les amis de l'Époux sont à comprendre des prophètes et de tous ceux qui furent au service du Verbe de Dieu depuis le commencement du siècle. C'est à juste titre que l'Église de Dieu ou l'âme qui adhère au Verbe de Dieu leur dit de « l'introduire dans la maison du vin », c'est-à-dire là où la Sagesse a mêlé son vin dans le cratère et a convié par ses serviteurs tous les sots qui manquent de bon sens[c] : « Venez, mangez mes pains, et buvez le vin que j'ai mêlé pour vous[d]. »

**3** Voilà « la maison du vin » et la maison du festin. A ce festin, tous ceux qui viennent de l'orient et de l'occident s'installeront avec Abraham, Isaac et Jacob dans le royaume[e] » de Dieu. A cette maison, à ce festin, les prophètes conduisent les âmes, celles du moins qui les écoutent et les comprennent ; mais le font aussi les saints anges et les célestes « puissances, qui sont envoyées en mission pour ceux qui obtiennent l'héritage du salut[f] ».

**4** Istud est vinum cui scribuntur illi psalmi qui *pro torcularibus*[g] attitulantur. Istud est vinum ex illa vite vindemiatum, quae dicit : *Ego sum vitis vera*[h], quod expressit *Pater* caelestis *agricola*. Istud est vinum quod attulerunt illi palmites qui in Iesu permanserunt non solum in terris, sed etiam in caelis. Sic enim ego audio illud quod dicitur quia *omnis palmes qui non manet in me non potest afferre fructum*[i]. Nemo enim producit fructum vini huius, nisi qui permanet in Verbo et sapientia et veritate et iustitia et pace omnibusque virtutibus.

**5** Istud est vinum quo etiam inebriari iustis et sanctis quibusque optabile ducitur. Haec puto et in Spiritu iam tunc Noe contuens inebriatus[j] esse dicitur ; et David admiratur huius convivii calicem et dicit : *Et poculum tuum inebrians quam praeclarum est*[k] !

**6** Ad hanc ergo domum vini ecclesia vel anima unaquaeque, desiderans quae perfecta sunt, festinat intrare et dogmatibus sapientiae mysteriisque scientiae velut epularum suavitate et vini laetitia perfrui.

**7** Sciendum sane est quia, sicut est istud vinum, quod de dogmatibus veritatis pressum commiscetur in cratere Sapientiae[l], ita est et contrarium vinum, quo inique inebriantur peccatores et hi qui falsae scientiae dogmata 186 per|niciosa suscipiunt.

**8** De quibus Solomon in Proverbiis dicit : *Hi autem edunt cibos impietatis, vino autem iniquo inebriantur*[m]. De hoc eodem iniquo vino etiam in Deuteronomio legimus ita

g. Ps. 8, 1 ; 80, 1 ; 83, 1 || h. Cf. Jn 15, 1 || i. Jn 15, 4 || j. Cf. Gen. 9, 21 || k. Ps. 22, 5 || l. Cf. Prov. 9, 1-2 || m. Prov. 4, 17.

1. Nouvelle énumération de dénominations ou d'aspects du Christ qui est en personne toute vertu. Cf. I, 6, 12-14, et la note complémentaire 14 : « Les aspects du Christ ».

**4** Voilà le vin pour lequel on a écrit ces psaumes intitulés : «Pour les pressoirs[g]». Voilà le vin vendangé de cette vigne qui dit : «Je suis la vraie Vigne», et qu'a exprimé le «Père» céleste «vigneron»[h]. Voilà le vin qu'ont produit ces sarments qui sont demeurés en Jésus non seulement sur la terre mais encore dans les cieux. C'est ainsi que moi, j'entends cette parole : «Tout sarment qui ne demeure pas en moi ne peut porter de fruit[i].» Personne en effet ne porte le fruit qui donne ce vin, sinon celui qui demeure dans le Verbe, la Sagesse, la Vérité, la Justice, la Paix et toutes les vertus[1].

**5** Voilà le vin tel que même en être enivré apparaît désirable à tous les justes et saints. Je pense que c'est parce que jadis Noé contemplait déjà cela en esprit qu'il s'est enivré[j], dit-on ; et David admire la coupe de ce festin : «Et ta coupe enivrante, comme elle est merveilleuse[k] !»

**6** Dans cette maison de vin donc, l'Église ou toute âme désirant les biens parfaits se hâte d'entrer et de jouir des doctrines de la Sagesse et des mystères de la Science, comme on jouit de la douceur des mets et de l'allégresse du vin.

**Le mauvais vin**

**7** Mais il faut bien le savoir : comme il y a ce vin qui, exprimé des doctrines de la Vérité, est mêlé dans le cratère de la Sagesse[l], de même il y a aussi un vin opposé, dont s'enivrent d'une manière inique les pécheurs et ceux qui accueillent les doctrines funestes d'une fausse science.

**8** De ceux-là, Salomon dit dans les Proverbes : «Ils mangent les mets de l'impiété, ils s'enivrent d'un vin inique[m].» A propos de ce même vin inique, nous lisons encore dans le Deutéronome[2] : «C'est du vignoble de

2. Cf. *supra*, I, 2, 17 ; II, 3, 12. Origène cite de mémoire : les trois formulations des versets sont différentes.

scriptum : *Ex vinea Sodomorum vitis eorum, et palmes eorum ex Gomorra; uva eorum uva fellis, et botrus amaritudinis iis; furor draconum vinum eorum, et furor aspidum insanabilis*[n].

**9** Illud autem vinum, quod de *vite vera*[o] procedit, novum semper est; semper enim per profectus discentium scientiae et sapientiae divinae innovatur agnitio. Et ideo dicebat Iesus discipulis suis quia : *Novum illud bibam vobiscum in regno Patris mei*[p]. Innovatur enim semper agnitio secretorum arcanorumque revelatio per sapientiam Dei, non solum hominibus, sed et angelis caelestibusque virtutibus.

n. Deut. 32,32-33 || o. Cf. Jn 15,1 || p. Matth. 26,29.

Sodome que viennent leur vigne, et leurs sarments de Gomorrhe ; leurs raisins sont des raisins pleins de fiel, et pour eux, une grappe d'amertume ; c'est une fureur de dragon que leur vin, une fureur d'aspic incurable[n]. »

**Le vin nouveau**

**9** Mais ce vin qui provient de « la vraie Vigne[o] » est toujours nouveau. Toujours, en effet, par les progrès de ceux qui s'instruisent, se renouvelle la connaissance de la Science et de la Sagesse divines. Et c'est pourquoi Jésus disait à ses disciples : « Je boirai ce vin nouveau avec vous dans le Royaume de mon Père[p]. » Car toujours nouvelle est la connaissance des secrets et la révélation des mystères par la Sagesse de Dieu[1], non seulement pour les hommes, mais encore pour les anges et les puissances célestes.

1. Annonce de la doctrine de l'« épectase » : cf. *supra* Prol. 3, 20, et la note complémentaire 7 : « Les tentes ».

# Chapitre 7

## La charité ordonnée

*Cant.* 2, 4 b : *Ordonnez en moi la charité*

1 : parole de la même Épouse aux mêmes personnages, et peut-être aux apôtres ; 2-5 : tous les hommes aiment, mais d'une façon désordonnée ou ordonnée ; la charité doit être ordonnée ; pour Dieu, sans mesure ; pour le prochain, avec une certaine mesure ; 6-15 : membres les uns les autres, mais membres divers nous devons garder l'ordre de la charité selon les mérites de chacun, nos maîtres dans le Christ, notre prochain, nos ennemis ; 16-20 : selon le rang de chacun, épouse, mère, sœurs, père, frères, autres parents ; saints, pasteurs, évêques, prêtres ; parents, et frères et sœurs, croyants ou incroyants ; 21-26 : les pensées de l'Épouse, l'exemple de Dieu ; 27-31 : l'Épouse, c'est-à-dire l'Église ou l'âme tendant à la perfection, font la demande d'être introduites dans la maison du vin auprès des amis de l'Époux, anges, prophètes, saints, apôtres.

## 7

**1** *Ordinate in me caritatem*[a]. Eiusdem sponsae ad eosdem verba sunt, nisi quod possunt fortassis etiam Apostoli Christi inter eos haberi ad quos ista memorantur.

**2** Quod ergo ait : *Ordinate in me caritatem*, hunc habet sensum. Omnes homines amant sine dubio aliquid et nullus est qui ad id aetatis venerit ut amare iam possit, et non aliquid amet, sicut etiam in praefatione huius operis sufficienter ostendimus. Sed hic amor vel haec caritas in nonnullis quidem suo ordine et convenienter aptata procedit, in plurimis vero contra ordinem.

**3** Dicitur autem contra ordinem esse in aliquo caritas, cum aut id diligit quod non debet, aut quod debet diligit, sed plus iusto diligit aut minus iusto. In istis ergo inordinata esse caritas dicitur, in illis vero quos valde

a. Cant. 2, 4.

---

1. C'est-à-dire aux amis et familiers de l'Époux (III, 6, 1).

2. Cette mention des apôtres n'a pas de suite, et ne reparaît qu'à la fin du chapitre. Forme-t-elle une inclusion ? En tout cas, elle est importante : les apôtres — auteurs du Nouveau Testament, hérauts de la Parole de Dieu — enseignent à l'Église de Dieu ou à l'âme «l'ordre entier et la raison de la charité» (§ 31).

3. Sur l'amour ordonné et mesuré, et l'amour désordonné par excès ou par défaut, cf. *HomLc* XXV, et les notes *ad loc.* (*SC* 87, p. 328 s.).

4. Cf. *supra*, Prol. 2, 39.

5. Sur ces différents vocables, cf. *supra*, Prol. 2, 20, et note *ad loc.*

6. Comme exemple d'amour excessif, Origène cite celui dont furent l'objet Jean-Baptiste, Paul, d'autres. Lui-même se dit exalté par les uns, calomnié par d'autres, *HomLc* XXV, 6.

# 7

**1** «Ordonnez en moi la charité [a].» Ce sont des paroles de la même Épouse adressées aux mêmes personnages [1], à moins qu'il ne puisse y avoir peut-être aussi des apôtres du Christ parmi ceux à qui elles sont dites [2].

**Charité ordonnée ou désordonnée**

**2** Ce que dit l'Épouse : «Ordonnez en moi la charité» a le sens que voici [3] : Tous les hommes aiment sans nul doute quelque chose, et il n'y a personne qui arrive à cet âge où désormais il peut aimer, et qui n'aime pas quelque chose, comme nous l'avons assez montré dans le prologue de cet ouvrage [4]. Mais cet amour ou cette charité [5], chez quelques-uns certes progresse d'une manière conforme et appropriée à son ordre, mais chez beaucoup, elle le fait contrairement à l'ordre.

**3** Or la charité est dite chez quelqu'un contraire à l'ordre, quand ou bien il aime ce qu'il ne doit pas, ou bien il aime ce qu'il doit, mais l'aime plus qu'il n'est juste ou moins qu'il n'est juste [6]. En ces derniers la charité est dite désordonnée, mais en ceux que je pense très peu nombreux [7], à savoir ceux qui marchent sur «la route de la

7. Cette remarque est faite à plusieurs reprises dans *HomCant.* II, 8, où l'explication du verset est assez différente. Plus théologale, elle ne manque pas de beauté : il est montré que la charité peut être ordonnée ou désordonnée, puis une première partie demande que l'amour de Dieu soit premier ; une seconde règle l'ordre à garder dans la charité envers le prochain.

paucos esse arbitror, qui scilicet per *viam vitae*[b] incedant et *non declinent neque ad dexteram neque ad sinistram*[c], in ipsis solis ordinata est caritas et ordinem suum tenet.

**4** Est autem ordo eius et mensura huiusmodi, verbi gratia, Deum diligere nullus modus, nulla mensura est, nisi haec sola, ut totum exhibeas quantum habes. In Christo enim Iesu *diligendus est Deus ex toto corde et ex tota anima et ex totis viribus*[d]. In hoc ergo nulla mensura est. Diligere vero proximum est iam mensura aliqua. *Proximum*, inquit, *tuum diliges sicut te ipsum*[e].

**5** Si ergo aut in Dei dilectione minus aliquid feceris quam potes et quam in viribus tuis est, aut inter te et proximum non servaveris aequi|tatem, sed aliquid differentiae habueris, non est in te caritas ordinata nec ordinem suum tenens.

187

**6** Verum quoniam sermo nobis de ordine caritatis est, diligentius per singula requiramus, vel quos diligi vel quantum diligi oporteat. Nam si, ut Apostolus dicit, *membra alterutrum sumus*[f], puto quod hunc affectum erga proximos habere debeamus ut eos, non quasi aliena corpora, sed velut membra nostra diligamus.

**7** Secundum hoc ergo quod *membra nostra invicem sumus*, aequalem erga omnes habere dilectionem similemque conveniet. Secundum hoc vero quod sunt *in corpore* aliqua *membra honorabiliora et honestiora*, alia vero *inho-*

b. Cf. Ps. 15, 11 || c. Cf. Prov. 4, 27 || d. Lc 10, 27 || e. Matth. 22, 39 || f. Éphés. 4, 25.

1. En *HomLc* XXV, 8, Origène se demande comment il faut aimer le Christ et répond : « Aime le Seigneur ton Dieu dans le Christ. Ne pense pas que tu puisses avoir deux amours, l'un envers le Père, l'autre envers le Fils. Aime en même temps Dieu et le Christ. Aime le Père dans le Fils et le Fils dans le Père, 'de tout ton cœur, de toute ton âme, de toutes tes forces' ». — Le Fils est intérieur au Père et le

vie[b] » et « ne se détournent ni à droite ni à gauche[c] », en eux seuls la charité est ordonnée et conserve son ordre.

**4** Or son ordre et sa mesure, les voici : par exemple, à aimer Dieu il n'y a nulle borne, nulle mesure, sinon celle-ci seule, de lui donner tout ce qu'on a. Car dans le Christ Jésus[1], « Dieu doit être aimé de tout son cœur, de toute son âme, de toutes ses forces[d] ». Ici donc, il n'y a pas de mesure[2]. Mais à aimer le prochain il y a une certaine mesure : « Tu aimeras le prochain comme toi-même[e]. »

**5** Si donc, ou bien dans l'amour de Dieu tu as fait une chose inférieure à ce que tu peux et qui est de tes forces, ou bien entre toi et le prochain tu n'as pas gardé l'équité, mais a fait quelque différence, en toi la charité n'est pas ordonnée, elle ne garde pas son ordre.

**Elle doit être ordonnée**

**6** Mais puisque nous parlons de l'ordre de la charité, examinons plus attentivement point par point qui on doit aimer et dans quelle mesure les aimer. Car si, comme dit l'Apôtre, « nous sommes membres les uns des autres[f] », je pense que nous devons avoir envers nos proches cette disposition qui nous les fait aimer, non pas comme des corps étrangers, mais comme nos membres.

**7** Donc, du fait que « nous sommes membres les uns des autres », il conviendra que nous ayons envers tous une tendresse égale et semblable. Mais du fait qu'il y a dans « le corps » quelques « membres plus nobles et plus honorables »,

Père au Fils ; le Fils ne sort pas du Père, même dans l'Incarnation : cf. *ComJn* XX, 153-159. Telle est la représentation origénienne de l'unité de nature : Le même amour atteint à la fois l'un et l'autre.

2. « La raison pour laquelle on aime Dieu, c'est Dieu ; et la mesure de cet amour, c'est de l'aimer sans mesure *(modus sine modo)*, Bernard, *Traité de l'amour de Dieu* 1.

*nestiora et inferiora*[g], puto quod rursus pro membrorum meritis et honore etiam dilectionis librari debeat modus.

**8** Si quis ergo rationabiliter cuncta agere et secundum Verbum Dei actus suos et affectus temperare proponit, puto quod erga haec singula ordinem caritatis et scire debeat et tenere. Verum ut apertius fiat quod dicimus, paulo evidentioribus utamur indiciis.

**9** Si quis, verbi gratia, *laboret in Verbo*[h] Dei atque animas nostras instruat et illuminet, viam salutis doceat, vivendi ordinem tradat, non tibi videtur et hic proximus quidem esse, sed multo amplius alio proximo diligendus qui horum nihil gerit ? Nam et ille quidem diligendus est pro eo quod *membra unius corporis sumus*[i] uniusque substantiae, sed hic multo amplius, qui, cum et ius proximi nobiscum habeat, quod ceteri homines habent, dat tamen hanc maiorem caritatis erga se causam, quod viam Dei ostendit et animae salutem divini Verbi illuminationibus confert.

**10** Quod si aliquis me errantem et in praecipitio positum muliebris peccati ad lucem revocet veritatis et de ipso iam interitu eripiat ac retrahat ad salutem atque ex ipsis faucibus aeternae mortis abripiat, non tibi videtur quod illa ipsa, si fieri potest, plenitudine caritatis qua Deum diligimus diligendus sit post Deum ?

**11** Et ne putes quod nos ita praesumimus, audi et Apostolum Paulum de his *qui in Verbo* Dei *laborant*[j] dicentem : *Ut superabundantius habeatis in caritate eos* qui eiusmodi sunt *propter opus ipsorum*[k].

g. Cf. I Cor. 12, 22 s. || h. Cf. I Tim. 5, 17 || i. Cf. I Cor. 12, 12 || j. Cf. I Tim. 5, 17 || k. I Thes. 5, 13.

1. *Rationabiliter* : conformément au Verbe Raison, cf. la note complémentaire 1 («Le Verbe de Dieu»).

et d'autres moins honorables et inférieurs[g], je crois par contre que le genre de tendresse aussi doit être ajusté aux mérites et à l'honneur de ses membres.

**8** Donc, si on se propose d'agir en tout suivant la raison[1] et de régler ses actions et dispositions selon le Verbe de Dieu, je pense qu'envers chacun de ses membres on doit connaître et garder l'ordre de la charité. Mais pour rendre plus clair ce que nous disons, usons de preuves un peu plus évidentes.

**Selon le mérite de chacun : Nos maîtres dans le Christ**

**9** Si quelqu'un, par exemple, «travaille pour la Parole[h]» de Dieu, instruit et illumine nos âmes, enseigne la voie du salut, transmet une règle de vie, ne te semble-t-il pas que celui-là aussi est bien ton prochain, mais qui doit être aimé beaucoup plus qu'un autre prochain qui ne fait rien de cela ? Certes, lui aussi est à aimer du fait que «nous sommes membres d'un seul corps[i]» et d'une même substance, mais l'autre est à aimer beaucoup plus, lui qui, bien qu'il ait avec nous aussi le titre de prochain qu'ont les autres hommes, offre cependant cette plus forte raison de charité envers lui qu'il montre la voie de Dieu et dispense à l'âme le salut grâce aux illuminations du Verbe divin.

**10** Si, alors que j'erre et suis établi dans le précipice du péché avec une femme, quelqu'un me ramène à la lumière de la vérité, m'arrache à ce qui est déjà une perte et me ramène au salut, me soustrait à la gueule même de la mort éternelle, ne te semble-t-il pas que, de cette plénitude même, si possible, dont nous aimons Dieu, il doit être aimé après Dieu ?

**11** Et pour que tu ne penses pas qu'il y ait là de notre part une présomption, écoute encore l'apôtre Paul, disant à propos de «ceux qui travaillent pour la Parole[j]» de Dieu : «Ayez une charité plus que surabondante» envers ceux qui sont de ce genre «en raison de leur travail[k]».

**12** Videamus autem et alium adhuc ordinem caritatis, eius dumtaxat quae erga proximos haberi iubetur. Si sit 188 aliquis non quidem habens docendi vel instruendi gra|tiam neque Verbum Domini praedicandi, sed tamen sanctae vitae vir, innocens, immaculatus et qui *in iustificationibus et mandatis Dei ingrediatur sine querela*[l], videturne tibi talis hic vir in eodem caritatis ordine habendus quo ille qui nihil horum agit, quoniamquidem uterque proximus dicitur? Nonne et hic *propter opus* suum et vitae meritum, secundum Apostoli dictum, similiter ut ille *qui in Verbo Dei laborat*[m], *superabundantius habendus est in caritate propter opus* vitae suae?

**13** Est adhuc alius ordo caritatis. Iubemur enim et *inimicos nostros diligere*[n]. Sed videamus si etiam in ipsis unus solus modus erit dilectionis an et ibi habebit locum sermo iste qui dicit : *Ordinate in me caritatem*[o].

**14** Puto ergo quod in his sit ordo caritatis; verbi gratia, est aliquis mihi inimicus, in aliis tamen bene agens, *pudicus, sobrius*[p], mandata Dei plurima ex parte custodiens, in aliquibus tamen errans, ut homo; et alius, qui inimicus quidem sit et ipse nobis, sit tamen suae vitae atque animae inimicus, paratus ad scelera, praeceps ad flagitia, nihil sancti, nihil religiosi ducens : non tibi videtur esse etiam inter ipsos inimicos quaedam diversitas habenda caritatis?

**15** Puto quidem quod ex his satis abunde patuerit esse vim quidem caritatis unam, multas tamen habere causas et multos ordines diligendi et propter hoc dicere nunc

l. Lc 1, 6 || m. Cf. I Thess. 5, 13; cf. I Tim 5, 17 || n. Cf. Matth. 5, 44 || o. Cant. 2, 4 || p. Cf. Tite 2, 2.

Notre prochain

**12** Mais voyons encore aussi un autre ordre de la charité, bien entendu de celle qu'il est commandé d'avoir envers le prochain. Voici quelqu'un qui, certes, n'a pas la grâce d'enseigner ou d'instruire, ni de prêcher la Parole du Seigneur, mais toutefois est un homme de sainte vie, innocent, pur, et qui «marche sans reproche dans les observances et les commandements de Dieu[l]». Te semble-t-il qu'un tel homme est à mettre au même ordre de la charité que celui qui ne fait rien de cela, bien qu'on appelle prochain l'un et l'autre? Est-ce que celui-là aussi, «en raison de son travail» et du mérite de sa vie, d'après la parole de l'Apôtre, tout comme celui «qui travaille pour la Parole de Dieu[m]», ne doit pas «être l'objet d'une charité plus que surabondante en raison du travail» accompli dans sa vie?

Nos ennemis

**13** Il y a encore un autre ordre de la charité. Car on nous ordonne aussi «d'aimer nos ennemis[n]». Mais voyons si même à leur égard il y aura une seule sorte d'amour, ou si encore ici trouvera place cette parole qui dit : «Ordonnez en moi la charité[o].»

**14** Alors je pense qu'il y aura pour eux un ordre de la charité. Par exemple, voici quelqu'un qui est pour moi un ennemi, pour le reste toutefois se conduisant bien, «chaste, sobre[p]», observant pour la plus grande part les commandements de Dieu, se fourvoyant toutefois sur quelques points en homme qu'il est. Et un autre qui est bien lui aussi notre ennemi, et d'ailleurs l'ennemi de sa vie et de son âme, prêt aux scélératesses, prompt aux scandales, sans penser faire rien de saint, rien de religieux. Ne te semble-t-il pas qu'il doit y avoir aussi envers les ennemis eux-mêmes une certaine différence de charité?

**15** Certes, je pense qu'il ressort de cela d'une façon assez évidente que la force de la charité est une, mais qu'il y a bien des motifs et bien des ordres d'aimer. Et c'est pourquoi l'Épouse ici demande : «Ordonnez en moi la cha-

sponsam : *Ordinate in me caritatem*[q], hoc est docete me diversos ordines caritatis.

**16** Quodsi adhuc addendum his aliquid videtur, possumus etiam illud in medium adducere quod ait Apostolus : *Viri, diligite uxores vestras sicut corpora vestra, sicut Christus dilexit ecclesiam*[r]. Quid ergo ? Debent quidem viri uxores suas diligere, alias vero mulieres non debent omnino diligere in omni castitate et sanctitate ? An non videbuntur etiam ipsae esse de proximis, sed impendenda quidem est dilectio vel in coniugem vel in matrem vel in sororem, si tamen fideles sint et Deo adhaerentes, et erga aliam nullam mulierem, secundum quod et ipsa *proxima* dicitur, est nobis impendenda dilectio ?

**17** Quod si hoc absurdum videtur, debet autem secundum mandati ordinem etiam erga eas casta haberi dilectio, prorsus inter ipsas personas feminarum, quibus impendenda dilectio est, habendus profecto est ordo quidam in caritate conveniensque distinctio.

189 **18** Et maiore quidem cum honorifi|centia matri deferenda dilectio est, sequenti vero gradu cum quadam nihilominus reverentia etiam sororibus. Proprio vero quodam et sequestrato ab his more caritas coniugibus exhibenda. Post has vero personas pro meritis etiam et causis unicuique in omni, ut supra diximus, castitate deferenda dilectio est. Secundum haec vero etiam de patre vel fratre atque aliis propinquis observabimus. (15

**19** Erga sanctos vero qui nos *in Christo genuerunt*[s] sed et pastores atque episcopos vel qui Verbo Dei praesunt presbyteri aut qui bene ministrant in ecclesia vel qui in

q. Cant. 2,4 || r. Éphés. 5,25.28 || s. Cf. I Cor. 4,15.

1. «Le saint», c'est le fidèle, sanctifié par son appartenance au Christ.

rité[q] », ce qui veut dire : Enseignez-moi les ordres variés de la charité.

**Selon le rang de chacun**

**16** S'il semble qu'on doit encore ajouter à cela quelque chose, nous pouvons aussi mettre en avant ce que dit l'Apôtre : « Maris, aimez vos femmes comme vos corps, comme le Christ a aimé l'Église[r]. » Quoi donc ? Les maris doivent aimer leurs femmes, mais ne doivent absolument pas aimer les autres femmes en toute chasteté et sainteté ? Ne sembleront-elles pas elles aussi avoir part à la qualité de prochain, mais doit-on accorder l'amour à la femme, à la mère, à la sœur, si toutefois elles sont croyantes et adhèrent à Dieu, et à nulle autre femme, selon qu'elle aussi a le titre de « prochain » nous ne devons point accorder l'amour ?

**17** Que si cela semble absurde, on doit par contre, selon l'ordre du commandement, avoir pour elles aussi une chaste tendresse, et en un mot, parmi les personnes mêmes de sexe féminin auxquelles doit être accordée la tendresse, s'impose assurément un certain ordre dans la charité et une distinction convenable.

**18** Et, mêlé certes à un plus grand honneur, l'amour doit être offert à la mère, puis au degré suivant avec non moins de respect aux sœurs également. Mais c'est d'une manière particulière et mise à part de celles-là que la charité doit être témoignée aux épouses. Puis après ces personnes, à chacune en raison aussi des mérites et des situations en toute chasteté, comme nous avons dit plus haut, l'amour doit être accordé. Mais conformément à ces principes nous serons pleins d'égards aussi envers le père, le frère et les autres parents.

**19** Quant aux saints[1] qui « nous ont engendrés dans le Christ[s] », de plus aux pasteurs et aux évêques ou aux prêtres qui président à la Parole de Dieu, ou bien qui exercent de beaux ministères dans l'Église, ou qui sur-

fide praecellunt ceteros, quomodo non pro uniuscuiusque meritis affectio pensabitur caritatis longe eminentior quam erga eos haberi potest, qui aut nihil horum aut non integre egerunt?

**20** Sed et inter fideles parentes et infideles et fratres fideles ac infideles sororesque potestne fieri ut non erga hos singulos diversus habeatur ordo caritatis?

**21** Quas diversitates intuens sponsa et videns de his omnibus animae ad perfectionem tendenti necessariam videri scientiam rerum, ut uniuscuiusque loci et ordinis mensuras possit tenere caritatis, dicit ad amicos sponsi, eos videlicet qui Verbum Dei subministrant : *Ordinate in me caritatem*[t], hoc est docete me et tradite mihi quomodo per haec singula ordinem servare debeam caritatis.

**22** Omnes enim homines, sicut iam diximus, secundum hoc quod similes [homines] nobis sunt, similiter diligendi sunt : immo omnis rationabilis natura a nobis utpote rationabilibus aequaliter diligenda est. Adiciendum tamen in caritate est unicuique ad hoc quod homo est et ad hoc quod rationabilis est; si, verbi gratia, aut in moribus aut in opere aut in proposito aut in scientia aut in studiis ceteros praecellit, et pro his singulis secundum suum cuique meritum, ad generalem dilectionem addendum est etiam specialis aliquid caritatis.

**23** Verum ut maior de his habeatur auctoritas, ab ipso Deo capiamus exemplum. Et ipse enim *amat omnia quae*

t. Cant. 2, 4.

---

1. Au IIIe siècle, des chrétiens se recrutent encore parmi les païens.
2. *Rationabiles* : participants au Verbe Raison. Ces êtres raisonnables sont, outre les hommes, les anges, peut-être aussi les astres s'ils sont des êtres vivants et raisonnables. Sur les uns et les autres voir dans le *Peri Archôn* le second des traités du premier cycle («Sur les

passent les autres dans la foi, comment ne point payer un sentiment d'amour proportionné aux mérites de chacun, qui dépasse de loin celui qu'on peut avoir envers ceux qui n'ont rien fait de tel ou ne l'ont pas fait complètement ?

**20** De plus, entre les parents fidèles ou infidèles, et les frères et les sœurs fidèles ou infidèles[1], peut-il se faire qu'envers chacun d'eux il n'existe pas un ordre distinct de charité ?

**21** L'Épouse considère ces distinctions et voit, à propos de tout cela, que pour l'âme qui tend à la perfection la science des réalités semble nécessaire, afin qu'elle puisse respecter les mesures de chaque situation et de l'ordre de la charité ; elle dit aux amis de l'Époux, c'est-à-dire à ceux qui sont au service de la Parole de Dieu : « Ordonnez en moi la charité[t] », c'est-à-dire : Enseignez-moi, expliquez-moi comment en chacun de ces points je dois garder l'ordre de la charité.

**22** Car tous les hommes, comme nous avons déjà dit, du fait qu'ils sont pareils à nous, doivent être aimés pareillement ; bien plus toute nature raisonnable doit être également aimée par nous, raisonnables[2] que nous sommes. Il faut néanmoins ajouter dans la charité pour chacun au fait qu'il est homme et au fait qu'il est raisonnable : si, par exemple, il l'emporte sur les autres dans les mœurs, dans le travail, dans l'intention, dans la science, dans les études, et pour chacun de ces points, selon le mérite de chacun, à la tendresse générale il faut ajouter encore quelque chose d'une charité spéciale.

**L'exemple de Dieu**

**23** Mais pour avoir une plus grande autorité en la matière, prenons l'exemple de Dieu lui-même. En effet, lui aussi « aime tout

créatures raisonnables ») : *PArch.* I, 5-8 ; et aussi *infra*, *ComCant.* III, 13, 22.

*sunt* aequaliter *ac nihil odit eorum quae fecit; neque enim fecit aliquid quod odio haberet*[u].

**24** Non tamen ob hoc similiter dilexit Hebraeos et Aegyptios, et Pharaonem ut Moysen et Aaron. Nec rursus reliquos filios Istrahel similiter dilexit ut Moysen et Aaron et Mariam, nec iterum Aaron et Mariam similiter dilexit ut 190 Moysen; sed, quamvis verum sit ut dicitur | ad eum : *Parcis autem omnibus, quia omnia tua sunt, Domine, amator animarum; spiritus enim incorruptionis est in omnibus*[v], tamen ille qui *mensura et numero et pondere disposuit omnia*[w] secundum mensuram sine dubio uniuscuiusque meritorum etiam dilectionis suae temperat libram.

**25** Numquidnam putabimus quia similiter ab eo dilectus est Paulus tum, cum *persequeretur ecclesiam Dei*[x], sicut diligebatur, cum ipse pro ea *persecutiones* cruciatusque *tolerabat*[y] et cum dicebat inesse sibi *sollicitudinem omnium ecclesiarum*[z]?

**26** Multum est nunc, ut inter istos ordines caritatis (15 etiam de affectu odii, qui videtur huic caritatis affectui contrarius, inseramus; quia etiam Dominus dicit : *Inimicus ero inimicis tuis et adversabor adversariis tuis*[aa], et iterum : *Si peccatori tu adsistis et ei quem odit Dominus amicus es*[ab]. Quae utique hanc habent absolutionem quam et illud quod dictum est : *Honora patrem tuum et matrem*[ac], et iterum : *Qui non odit patrem et matrem*[ad] et reliqua, in quo profecto nimietas caritatis in Deum his qui adversantur contrarium generare videtur affectum, dum nulla potest esse consonantia luci et tenebris et Christo cum Belial nec eadem portio esse fideli cum infideli[ae].

u. Sag. 11,24 || v. Sag. 11,26; 12,1 || w. Cf. Sag. 11,20 || x. Cf. I Cor. 15,9 || y. Cf. II Cor. 4,9 || z. Cf. II Cor. 11,28 || aa. Ex. 23,22 || ab. Cf. II Chron. 19,2 || ac. Ex. 20,12 || ad. Lc 14,26 || ae. Cf. II Cor. 6,14-15.

ce qui existe» d'une manière égale, «et ne hait rien de ce qu'il a fait ; car il n'a rien fait de ce qu'il aurait eu en haine[u]».

**24** Néanmoins pour autant il n'aima pas de la même manière les Hébreux et les Égyptiens, et Pharaon comme Moïse et Aaron. En revanche il n'aima pas le reste des fils d'Israël comme Moïse, Aaron et Marie, ni d'autre part n'aima Aaron et Marie comme Moïse. Mais bien qu'il soit vrai, comme on lui dit : «Tu ménages tous les êtres parce que tout est à toi, Seigneur ami des âmes ; car ton souffle incorruptible est en tous[v]», cependant, lui qui «a tout disposé avec mesure, nombre et poids[w]», sans nul doute d'après la mesure des mérites de chacun règle aussi la balance de son amour.

**25** Est-ce que vraiment nous allons penser que Paul en fut aimé, alors qu'il «persécutait l'Église de Dieu[x]», de la même manière qu'il était aimé quand il souffrait pour elle persécutions[y] et tourments et se disait habité «du souci de toutes les Églises[z]»?

**26** Il serait long à présent d'introduire parmi ces ordres de la charité encore le sentiment de haine qui semble opposé à ce sentiment de charité. Car même le Seigneur dit : «Je serai un ennemi pour tes ennemis et un adversaire pour tes adversaires[aa].» Et encore : «Si tu aides un pécheur, tu es aussi un ami de celui qui hait le Seigneur[ab].» Paroles qui ont sûrement la même explication que celle-ci : «Honore ton père et ta mère[ac]», et encore : «Celui qui ne hait pas son père et sa mère[ad]», etc., où certainement la surabondance de la charité pour Dieu semble engendrer dans ceux qui s'opposent un sentiment contraire, puisque «aucun accord ne peut exister pour la lumière et les ténèbres, pour le Christ avec Bélial, ni la même part exister pour le fidèle et l'infidèle[ae]».

**27** His igitur, ut potuimus, de caritatis ordinibus expositis, patet ad intelligendum quid est quod poscat sponsa, id est ecclesia vel anima tendens ad perfectionem, praestari sibi ab amicis sponsi ; quoniamquidem *introduci* se poposcerat *in domum vini*[af], ubi sine dubio intellexerat in omnibus his quae viderat eminere et praecellere gratiam caritatis, et ipsam didicerat maiorem omnium solamque esse *caritatem,* quae *numquam cadit*[ag], ideo deposcit ut ordinem eius discat, ne forte aliquid inordinatum faciens vulnus ab ea aliquod accipiat, sicut in posterioribus dicit : *Vulnerata caritatis ego sum*[ah].

**28** Haec autem sive ad angelos dici accipiamus, a quibus se instrui postulat et muniri, nihil absurdum videbitur secundum hoc quod de populo Dei dicitur : *Laetamini,* 191 *gentes, cum populo eius, et confortent eos omnes* | *angeli Dei*[ai] et ut in aliis item dicitur : *Circumdat angelus Domini in circuitu timentium eum et eripiet eos*[aj], et item alibi : *Nolite contemnere unum ex minimis istis* qui in ecclesia sunt, *quia angeli eorum semper vident faciem Patris mei qui in caelis est*[ak]. Sed et in Apocalypsi Iohannis *angelo Thyatirensi* testimonium dat *Filius Dei* pro *caritate* quam *ordinavit angelus* ipse in *ecclesia* sibi commissa[al] ; sic enim scriptum est : *Scio opera tua et caritatem tuam et fidem et ministerium et patientiam, et opera tua novissima maiora quam priora*[am].

**29** Sed et si ad prophetas haec referamus qui ministraverunt Verbum Dei ante adventum sponsi, ut per ipsorum

af. Cf. Cant. 2,4 || ag. Cf. I Cor. 13,8 || ah. Cant. 2,5 || ai. Deut. 32,43 || aj. Ps. 33,8 || ak. Cf. Matth. 18,10 || al. Cf. Apoc. 2,18-19 || am. Apoc. 2,19.

---

1. Cf. *supra*, Prol. 2,45, avec la note.
2. La comparaison est inversée et porte sur le mot blessure : elle contient implicitement une opposition entre la blessure que causerait

**L'Église ou l'âme**

**27** Après nous être expliqué de notre mieux sur les ordres de la charité, il est aisé de comprendre ce que l'Épouse, c'est-à-dire l'Église ou l'âme tendant à la perfection, demande aux amis de l'Époux de lui accorder. Elle les avait déjà priés «de l'introduire dans la maison du vin[af]», où sans nul doute elle avait compris que dans tout ce qu'elle avait vu la grâce de la charité était éminente et supérieure, et elle avait appris que la charité est plus grande que toutes et la seule[1] qui «ne tombe jamais[ag]»; c'est pourquoi elle demande avec instance qu'on lui apprenne son ordre, de peur que, faisant quelque chose de désordonné, elle n'en reçoive quelque blessure[2], comme elle dit dans la suite : «Je suis blessée de charité[ah].»

**Les amis de l'Époux**

**28** Or que nous comprenions que cela est dit aux anges par qui l'Épouse demande à être instruite et protégée ne semblera en rien absurde, eu égard à ce qui est dit au sujet du peuple de Dieu : «Réjouissez-vous, nations, avec son peuple, et que tous les anges de Dieu les réconfortent[ai]», et comme il est dit de même en d'autres passages : «L'Ange du Seigneur campe autour de ceux qui le craignent et il les délivrera[aj]». Et de même ailleurs : «Ne méprisez pas un seul de ces petits» qui sont dans l'Église, «car leurs anges voient sans cesse la face de mon Père qui est aux cieux[ak]». De plus, dans l'Apocalypse de Jean «à l'ange de Thyatire», «le Fils de Dieu» rend témoignage de la charité de cet ange qu'il avait mise en ordre dans «l'Église» à lui confiée[al]. Voici en effet ce qui est écrit : «Je sais tes œuvres, ta charité, ta foi, ton service, ta patience et tes dernières œuvres plus grandes que les anciennes[am].»

**29** De plus, rapporter cela aux prophètes qui furent au service de la Parole de Dieu avant la venue de l'Époux,

à l'Épouse une charité désordonnée (qui est péché), et la blessure de charité que l'Épouse va reconnaître en elle.

doctrinam videatur ecclesia velle ordinem discere caritatis, id est propheticis instrui voluminibus, non videtur absurdum.

**30** Sed et omnes sancti qui de hac vita discesserunt, habentes adhuc caritatem erga eos qui in hoc mundo sunt, si dicantur curam gerere salutis eorum et iuvare eos precibus atque interventu suo apud Deum, non erit inconveniens. Scriptum namque est in Machabaeorum libris ita : *Hic est Hieremias propheta Dei, qui semper orat pro populo*[an].

**31** Sed et ad Apostolos haec dici, ut supra iam diximus, non videbitur alienum ; per hos enim omnis ecclesia Dei vel anima quaerens Deum *introducitur in domum vini*, ut supra diximus, et aromatibus atque odoribus repletur et *componitur in melis*[ao], sicut in posterioribus legimus, et edocetur omnem ordinem rationemque caritatis.

an. II Macc. 15, 14 || ao. Cf. Cant. 2, 4-5.

---

1. Que les croyants défunts prient pour leurs frères encore sur terre est une affirmation fréquente : avant la lettre, le dogme de la commu-

afin que grâce à leur doctrine l'Église semble vouloir apprendre l'ordre de la charité, c'est-à-dire être instruite par les livres prophétiques, ne semble pas absurde.

**30** En outre, dire que tous les saints qui ont quitté cette vie en ayant encore de la charité pour ceux qui sont dans ce monde, prennent soin de leur salut, et les aident de leurs prières et de leur intercession auprès de Dieu ne sera pas sans convenance [1]. Car il est écrit dans les livres des Maccabées : «Celui-ci est Jérémie, le prophète de Dieu, qui prie sans cesse pour le peuple [an].»

**31** De plus, que cette demande soit adressée aux apôtres, comme nous l'avons déjà dit plus haut [2], ne semblera pas étrange. C'est par eux que toute l'Église de Dieu ou l'âme qui recherche Dieu «est introduite dans la maison du vin», comme nous avons dit plus haut, comblée d'aromates et de parfums et «placée parmi les pommes [ao]», comme nous lisons plus loin, et renseignée sur l'ordre entier et la raison de la charité.

nion des saints. Voir surtout *ComJn* XIII, 403 avec la note *ad loc.* (*SC* 222, p. 256).

2. Cf. *supra*, § 1.

# Chapitre 8

## La blessure de l'Épouse

*Cant.* 2,5 : *Fortifiez-moi avec des parfums,*
*entourez-moi de pommes,*
*car je suis blessée de charité*

1-2 : selon la lettre ; intelligence spirituelle : 3-9 : *parfums et fruits* ; l'amyron est un arbre à l'odeur suave, mais sans fruit ; le pommier porte un fruit très doux et très suave ; or tous les hommes sont des arbres, les uns sans fruit, les autres avec fruit, mauvais ou bon ; l'Église veut être fortifiée par des arbres aux bons fruits ; pourquoi parler d'amyron, arbres à la bonne odeur mais sans fruit, sinon pour désigner ceux qui invoquent le nom du Seigneur, mais ne produisent aucun des fruits de la foi, les catéchumènes ? 10-12 : en ces *pommes* on peut voir ces âmes qui chaque jour se renouvellent à l'image de celui qui les a créées ; restaurant en elles l'image du Fils de Dieu, elles peuvent être appelées pommiers, titre que prend l'Époux, parmi bien d'autres, désignant ce que le Verbe devient pour chacun au gré de son aptitude ou de son désir : pain aux affamés, vin aux assoiffés, il s'offre à ceux qui veulent goûter des délices comme un fruit parfumé ; 13-15 : l'âme, consumée par l'amour fidèle du Verbe de Dieu, déclare avec raison : «*Je suis blessée* de charité» ; elle dirait aussi bien : Je suis blessée de sagesse, de force, de justice ; la blessure de la charité est le genre de toutes ces blessures ; 16-18 : il y a aussi des blessures du diable pour l'âme qui n'est pas protégée par le bouclier de la foi ; mais les traits démoniaques sont tous éteints par une foi complète.

## 8

★ **1** *Confirmate me in unguentis, stipate me in malis, quia vulnerata caritatis ego sum*[a]. In graeco quidem habet : *Confirmate me in amoyris,* amoyrum genus quoddam
192 arboris nominans, quod Latini putantes | myrrha dictum unguenta interpretati sunt.

**2** Igitur ordo sermonis huiusmodi est : posteaquam sponsa et verba ex ore ipsius sponsi audivit et *cubiculum regis*[b] ingressa est et *domum vini*[c] locumque convivii ac sapientiae, <*et*> in eo victimas et craterem mixtum[d] sacramentis eius adspexit, quasi in horum omnium admiratione stupens et *saucia* postulat ab ipsis nihilominus amicis et sodalibus sponsi ut confirmetur et quasi deficiens sustentetur incumbens paululum super arborem amoyren vel melin. Amoris etenim vulnere percussa arborum solacia silvarumque sectatur. Haec secundum litteram.

**3** Sed ex his ut exsequi possimus intelligentiam spiritalem, indigemus illa gratia quam consequi a Deo meruit ipse Solomon, *scire* omnium quae sunt *radicumque et arborum et virgultorum naturas*[e], ut sciamus et nos quae vis

a. Cant. 2,5 || b. Cf. Cant. 1,4 || c. Cf. Cant. 2,4 || d. Cf. Prov. 9,1-2 || e. Cf. Sag. 7,20.

1. Cette explication de Rufin correspond à une remarque d'Origène conservée par Procope : « Certains des manuscrits ont : ' Réconfortez-moi avec des amyra ' (ἐν ἀμύροις) » ; ἄμυρον signifie « sans parfum », ce qui semble contredire « le seul renseignement » parvenu à Rufin : ces arbres n'ont pas de fruit, mais un parfum. Qu'est-ce que ces amyra ? Peut-être l'arbre à myrrhe : ἐν μύροις, a noté Origène dans les

# 8

★ **1** «Fortifiez-moi avec des parfums, entourez-moi de pommes, car je suis blessée de charité[a].» Il y a en grec : «Fortifiez-moi avec des amyra», avec le nom d'amyron, une espèce d'arbre, ce que les Latins, le prenant pour de la myrrhe, ont traduit : parfums[1].

**Selon la lettre**

**2** Voici donc l'ordre du récit : après que l'Épouse eut entendu encore des paroles de la bouche de l'Époux lui-même, et qu'elle fut entrée dans «la chambre du Roi[b]», dans «la maison du vin[c]» et le lieu du festin et de la Sagesse, et qu'elle y vit les victimes et le cratère du vin mêlé à ses mystères[d], comme stupéfaite et blessée par l'étonnement de tout cela, elle demande également aux amis eux-mêmes et aux compagnons de l'Époux de la fortifier et, comme si elle défaillait, de la soutenir en l'appuyant un peu contre un arbre, un amyron ou un pommier. Car frappée de la blessure de charité, elle recherche les consolations des arbres et des forêts. Voilà selon la lettre.

**L'intelligence spirituelle**

**3** Mais pour que nous puissions en dégager l'intelligence spirituelle, nous avons besoin de cette grâce que Salomon lui-même mérita d'obtenir de Dieu ; de «savoir», nous aussi, les natures de tout ce qui existe, «des racines, des arbres et des arbustes[e]» ; afin de savoir nous aussi quelle est la propriété

*Hexaples* (cf. Field, p. 414), *amyris kafal*, d'après la dénomination attribuée à Forskal (cf. H. E. Littré, éd. de l'*Histoire naturelle* de Pline, Paris, 1860, ad *nat.* 12,33).

et quae natura sit arboris amoyrae, quo competenter ex hac spiritalis aptari possit expositio.

**4** Hoc est tamen solum quod pervenire ad nos de huius arboris notitia potuit, quia odorem solum habeat suavem, nullum tamen afferat fructum. Meli vero arbor notum cunctis est quod non solum ferat fructum, sed et dulcissimum ac suavissimum ferat. (1

**5** Omnes ergo homines arbores dicuntur sive bonae sive malae et fructuosae aut infructuosae, sicut et Dominus in Evangelio dicit : *Aut facite arborem bonam et fructum eius bonum, aut facite arborem malam et fructum eius malum*[f] et : *Omnis arbor quae non affert fructum bonum excidetur et in ignem mittetur*[g].

**6** Tres ergo differentiae in hominibus videntur esse : quidam, qui omnino nullum afferant fructum, et esse alii, qui afferant ; sed in his, qui afferunt, aut mali sunt fructus aut boni.

**7** Hic ergo sponsa, id est ecclesia Christi, confirmari se postulat et reclinari super unam quidem arborem melin afferentem fructus | bonos, et recte ac competenter. Super his enim confirmatur et stipatur ecclesia qui in bonis operibus fructifiant et crescunt. 193

**8** Quid autem est quod in amoyris, infructuosis scilicet arboribus, confirmari vult odore solo gaudentibus ? Ego puto quod istos qui solo odore gaudent et necdum fructus fidei afferunt, illos dicat quos Paulus ad Corinthios scribens dicit : *Qui invocant nomen Domini nostri Iesu Christi in omni loco ipsorum et nostrum*[h]. Pro eo ergo quod *invocant nomen Domini nostri Iesu Christi*, habent in semet

f. Matth. 12,33 || g. Matth. 3,10 || h. I Cor. 1,2.

et quelle est la nature de l'arbre «amyron», ce qui permettra d'en tirer convenablement une explication spirituelle.

**Amyron et pommier**

**4** Voici du moins le seul point qui a pu nous parvenir de la connaissance de cet arbre : il n'a qu'une odeur suave mais ne produit aucun fruit. Du pommier, par contre, tout le monde sait que non seulement il porte un fruit, mais encore qu'il porte un fruit très doux et très suave.

**5** Or, dit-on, tous les hommes sont des arbres, soit bons, soit mauvais, et portent du fruit ou n'en portent pas, comme le Seigneur aussi le dit dans l'Évangile : «Supposez qu'un arbre soit bon, son fruit sera bon ; supposez qu'un arbre soit mauvais, son fruit sera mauvais[f].» Et : «Tout arbre qui ne porte pas de bon fruit va être coupé et jeté au feu[g].»

**6** Il semble donc y avoir trois espèces parmi les hommes : les uns, qui ne produisent absolument aucun fruit ; les autres, qui en produisent ; mais parmi ceux qui en produisent, les fruits sont ou mauvais, ou bons.

**L'Épouse et ces arbres**

**7** Ici donc l'Épouse, c'est-à-dire l'Église du Christ, demande à être fortifiée et à être appuyée contre un arbre, un pommier qui produit de bons fruits, et à juste titre et avec raison. En effet, l'Église est fortifiée et entourée par ceux qui produisent des fruits et grandissent par leurs bonnes œuvres.

**8** Mais pourquoi désire-t-elle être fortifiée par des amyra, ces arbres qui ne portent pas de fruit, se plaisant à leur seule odeur ? Je pense que par ceux qui se plaisent à leur seule odeur sans produire encore les fruits de la foi, elle veut dire ceux dont parle Paul en écrivant aux Corinthiens : «Ceux qui invoquent le nom de notre Seigneur Jésus-Christ, en tout lieu où ils sont et où nous sommes[h]». Dès lors qu'ils «invoquent le nom de notre Seigneur Jésus-Christ», ils ont en eux-mêmes une certaine suavité de

ipsis odoris quandam ex ipsa invocatione nominis suavitatem ; pro eo vero quod non cum omni fiducia et libertate accedunt ad fidem, nullos fidei afferunt fructus.

**9** In quo loco possumus nos catechumenos ecclesiae intelligere, super quos ex parte aliqua confirmatur ecclesia. Habet enim et in ipsis non parum fiduciae et spei plurimum quod et ipsi fiant aliquando arbores fructiferae, ut plantentur in paradiso Dei ab ipso *agricola Patre*[i]. Ipse enim est qui plantat huiusmodi arbores in ecclesia Christi, quae est *paradisus deliciarum*[j], sicut et Dominus dicit : *Omnis plantatio quam non plantavit Pater meus caelestis eradicabitur*[k].

**10** Stipatur ergo ecclesia et in melis et super ipsa requiescit. Quae mela illae animae putandae sunt quae cotidie *innovantur ad imaginem eius qui creavit eas*[l]. Quia enim per innovationem sui imaginem in se reparant Filii Dei, merito et ipsae arbores meli appellantur, quia et ipse sponsus earum in superioribus dictus est *sicut arbor meli esse in lignis silvae*[m].

**11** Et ne mireris si idem ipse et *arbor meli* et *arbor vitae*[n] et diversa alia dicatur, cum idem et *panis verus*[o] et *vitis vera*[p] et *agnus Dei*[q] et multa alia nominetur. Omnia namque haec Verbum Dei unicuique efficitur, prout mensura vel desiderium participantis exposcit ; secundum

i. Cf. Jn 15,1 || j. Cf. Gen. 2,8 || k. Matth. 15,13 || l. Cf. Col. 3,10 || m. Cf. Cant. 2,3 || n. Cf. Apoc., 2,7 || o. Cf. Jn 6,32 || p. Cf. Jn 15,1 || q. Cf. Jn 1,29.

---

1. Dans l'adresse initiale de *I Cor.* 1,2, seraient indiquées deux catégories de croyants : «L'Église de Dieu», les vrais croyants ; et «ceux qui invoquent le nom de Jésus-Christ, notre Seigneur», des croyants dont la vie ne correspond pas encore à la foi. Voir *ComJn* VI, 302 ; *Fragm I Cor.* I, *JThS* 9, 1907-1908, p. 232 ; *HomLc* XVII, 11 (et n. 2 *ad loc.*, *SC* 87, p. 263).

2. Sur les «arbres de vertus», cf. *HomLév.* XVI, 4. — Voir BERNARD, *SSC* 23,4 : «On y trouve des hommes vertueux semblables à

l'odeur grâce à l'invocation même du nom ; mais dès lors qu'ils ne viennent pas à la foi en toute assurance et liberté, ils ne produisent aucun des fruits de la foi[1].

**9** A ce passage, nous pouvons reconnaître les catéchumènes de l'Église ; par eux est en partie fortifiée l'Église. Car elle a en eux assez d'assurance et beaucoup de confiance qu'eux aussi deviennent un jour des arbres fruitiers[2] pour être plantés dans le Paradis de Dieu par «le Père arboriculteur[i]» lui-même. Car c'est lui qui plante de tels arbres dans l'Église du Christ, laquelle est un «Paradis de délices[j]», comme le déclare aussi le Seigneur : «Tout plant que n'a pas planté mon Père céleste sera déraciné[k]».

**Les pommiers et le Pommier**

**10** L'Église est donc entourée de pommes et elle y trouve son repos. En ces pommes on peut voir ces âmes qui chaque jour «se renouvellent à l'image de celui qui les a créées[l]». En effet, comme par le renouvellement d'elles-mêmes, elles restaurent en elles l'image du Fils de Dieu, on les appelle à bon droit elles aussi des pommiers[3], puisque leur Époux lui aussi est dit plus haut «comme un Pommier parmi les arbres de la forêt[m].»

**11** Et ne t'étonne pas si le même en personne est dit «Pommier», et «Arbre de vie[n]» et différentes autres choses, puisque le même est encore appelé «Pain véritable[o]», «Vigne véritable[p]», «Agneau de Dieu[q]», et par bien d'autres titres[4]. Car le Verbe de Dieu se fait tout cela pour chacun, selon l'aptitude ou le désir de celui qui a part

des arbres fruitiers dans le jardin de l'Époux et le Paradis de Dieu ... Qui douterait qu'un homme soit la plantation de Dieu ?».

3. Noter l'emploi tantôt de *melum* (la pomme), tantôt d'*arbor meli* (le pommier).

4. Encore la doctrine «des dénominations» du Verbe, selon «les aspects» qu'il prend pour nous, s'adaptant aux capacités de chacun comme l'illustre le thème des «nourritures spirituelles», cf. *supra*, III, 5, 7, la note *ad loc.*

quod et *manna*[r], qui cum unus esset cibus, unicuique
194 tamen desiderii sui red|debat saporem.

**12** Praebet ergo semet ipsum non solum esurientibus panem et sitientibus vinum, sed et deliciari volentibus semet ipsum fraglantia exhibet poma. Propterea ergo et sponsa velut refecta iam et bene pasta fulciri se poscit in melis sciens in Verbo esse sibi non solum omnem cibum, sed et omnes delicias ; et per haec maxime discurrit, cum se *vulneratam* sentit esse iaculis *caritatis*[s].

**13** Si quis usquam est qui fideli hoc amore Verbi Dei arsit aliquando, si quis est, ut propheta dicit, qui *electi iaculi*[t] eius dulce vulnus accepit, si quis est qui scientiae eius amabili confixus est telo, ita ut diurnis eum desideriis nocturnisque suspiret, aliud quid loqui non possit, audire aliud nolit, cogitare aliud nesciat, desiderare praeter ipsum aut cupere aliud vel sperare non libeat, ista anima merito dicit : *Vulnerata caritatis ego sum*[u] et ab illo vulnus accepit, de quo dicit Isaias : *Et posuit me sicut iaculum electum, et in pharetra sua abscondit me*[v].

**14** Tali vulnere decet Deum percutere animas, talibus telis iaculisque configere ac salutaribus eas vulneribus sauciare, ut, *quia Deus caritas est*[w], dicant et ipsae : *Quia vulnerata caritatis ego sum*[x].

**15** Et quidem in hoc quasi amatorio dramate sponsa caritatis se dicit vulnera suscepisse. Potest autem similiter fervens anima erga sapientiam Dei dicere quia vulnerata sapientiae ego sum, illa scilicet quae sapientiae eius

r. Cf. Ex. 16, 31 ; cf. Sag. 16, 20 || s. Cf. Cant. 2, 5 || t. Cf. Is. 49, 2 || u. Cant. 2, 5 || v. Is. 49, 2 || w. I Jn 4, 8 || x. Cant. 2, 5.

1. Cf. Apulée, *met.* 4, 31 : *dulcia vulnera.*
2. Voir la note complémentaire 21 : « Le trait et la blessure de charité ».

avec lui : tout comme aussi «la manne[r]», bien qu'elle fût un aliment unique, prenait toutefois pour chacun la saveur qu'il désirait.

**12** L'Époux offre donc lui-même, non seulement comme un pain aux affamés, et un vin aux assoiffés, mais encore, à tous ceux qui veulent goûter des délices, il se présente lui-même comme des pommes à l'odeur agréable. Voilà donc pourquoi l'Épouse encore, maintenant restaurée et bien rassasiée, demande à être fortifiée par des pommes, sachant qu'il y a pour elle dans le Verbe non seulement toute la nourriture, mais encore tous les délices ; aussi passe-t-elle cela en revue, surtout quand elle se sent «blessée» des traits «de la charité[s]».

**La blessure de charité**

**13** S'il est quelqu'un quelque part qui a été parfois consumé par cet amour fidèle du Verbe de Dieu, s'il est quelqu'un, comme dit le prophète, qui a reçu la douce blessure[1] de sa «flèche de choix[t]», s'il est quelqu'un qui a été percé par l'aimable trait de sa science au point de soupirer de désir vers lui jour et nuit, de ne pouvoir parler de rien d'autre, de ne vouloir entendre rien d'autre, de ne savoir penser à rien d'autre, de ne prendre plaisir à désirer, souhaiter, espérer rien d'autre que lui, cette âme dit avec raison : «Je suis blessée de charité[u]» : elle a reçu la blessure dont parle Isaïe : «Il a fait de moi comme une flèche de choix, et il m'a caché dans son carquois[v]».

**14** Il convient que Dieu frappe les âmes d'une telle blessure, les perce de telles flèches et tels traits, les meurtrisse par des blessures salutaires, afin, «puisque Dieu est charité[w]», qu'elles disent elles aussi : «Je suis blessée de charité[x]».

**15** En cette sorte de drame d'amour, l'Épouse dit qu'elle a reçu les blessures de charité[2]. Or de la même manière, une âme brûlant d'amour pour la Sagesse de Dieu peut dire : Je suis blessée de sagesse — cette âme, bien

pulchritudinem potuit intueri. Potest et alia anima virtutis eius magnificentiam contuens et admirata potentiam Verbi Dei dicere quia vulnerata virtutis ego sum, talis, credo, aliqua sicut erat illa quae dicebat : *Dominus illuminatio mea et salvator meus, quem timebo? Dominus protector vitae meae, a quo trepidabo*[y]? Sed et alia anima
195 erga amorem iusti|tiae eius fervens et dispensationum ac providentiae eius iustitiam contuens dicit sine dubio : vulnerata iustitiae ego sum. Et alia bonitatis eius ac pietatis immensitatem perspiciens similia loquitur. Sed et horum omnium generale est istud caritatis vulnus, quo se vulneratam praedicat sponsa.

**16** Sciendum tamen est quod, sicut sunt ista Dei iacula quae animae habenti desiderium bonorum salutis vulnus infligunt, ita sunt et *iacula maligni ignita*[z], quibus anima quae non est scuto fidei protecta vulneratur in mortem. De ipsis dicit propheta : *Ecce peccatores tetenderunt arcum, paraverunt sagittas suas in pharetra, ut sagittent in obscuro rectos corde*[aa].

**17** Hic peccatores de occulto sagittantes daemones invisibiles dicit et ipsi sunt habentes quaedam iacula fornicationis, alia cupiditatis et avaritiae, quibus quamplurimi vulnerantur. Habent etiam spicula iactantiae et vanae gloriae. Sed ista valde subtilia sunt, ita ut confixam

y. Ps. 26, 1 || z. Cf. Éphés. 6, 16 || aa. Ps. 10, 2.

---

1. Justice : justice salvifique de Dieu, comme chez Paul, *Rom.* 1, 17 (cf. *TOB*) ; ou comme souvent au sens grec d'une des quatre vertus cardinales traditionnelles ? Même les païens leur ajoutaient, comme plus excellente, la piété : ainsi Platon, Cicéron. A plus forte raison les croyants : Philon, Grégoire le Thaumaturge. Origène va beaucoup plus loin. Il dépasse l'ordre moral par sa doctrine de l'identification des vertus à la personne du Christ, et par conséquent d'une participation au Christ ou au Verbe proportionnelle à la pratique authentique de ces vertus, cf. *supra*, I, 6, 12-13 et note *ad loc.* ; voir plus en détail *HomLév.* XVI, 4, et la note 1 *ad loc.* (*SC* 287, p. 278 s.) ; mieux encore, *CCels.* VIII, 17, et la note 3 *ad loc.* (*SC* 150, p. 210 s.).

entendu, qui a pu contempler la beauté de Sa Sagesse divine. Une autre âme encore, observant la splendeur de Sa force et admirant la puissance du Verbe de Dieu peut dire : Je suis blessée de force — une âme telle, je crois, qu'était celle qui disait : «Le Seigneur est ma lumière et mon Sauveur, qui craindrai-je? Le Seigneur est le protecteur de ma vie, devant qui tremblerai-je[y]?» De plus, une autre âme, brûlant d'amour pour sa justice[1] et observant la justice de Ses économies et de Sa providence, dit sans nul doute : Je suis blessée de justice. Et une autre, percevant l'immensité de Sa bonté et de Sa tendresse, dit des choses semblables. De plus, leur genre à toutes[2] est cette blessure de charité dont l'Épouse s'avoue blessée.

**Blessures du diable**

**16** Toutefois il faut le savoir : comme il y a ces traits de Dieu qui infligent une blessure à l'âme qui a le désir des biens du salut, il y a aussi des «traits enflammés du Malin[z]», par lesquels l'âme qui n'est pas protégée par le bouclier de la foi est blessée à mort. De ces traits le prophète dit : «Voici, les pécheurs ont bandé leur arc, ils ont préparé leurs flèches dans leur carquois pour percer de flèches dans l'ombre les justes de cœur[aa].»

**17** Il appelle ici «pécheurs, qui de l'ombre percent de flèches», les démons invisibles : ce sont ceux qui ont des traits de fornication, d'autres, de convoitise et d'avarice, par lesquels un très grand nombre est blessé. Ils ont aussi les fléchettes de la vantardise et de la vaine gloire. Mais

Et il enrichit, on le voit, l'énumération des vertus. Il conclut : «La blessure de charité... est le genre *(generale)*» de toutes les autres. (M.B.)

2. C'est-à-dire : la charité est le genre dont les autres vertus sont les espèces. C'est déjà, dans la dépendance de *I Cor.* 13, 1-3, la doctrine scolastique de la charité forme des vertus. La même relation de genre-espèce par rapport aux autres vertus est affirmée de la bonté, dans *PArch.* II, 5, 4, 197 s. Mais charité, bonté (et piété) se recouvrent.

se anima ab iis sauciatamque vix sentiat, nisi si *induta est armis Dei*[ab] *et stat* vigilans et immobilis *adversus astutias diaboli, scuto* semet ipsam *fidei*[ac] per omnia contegens et nullam prorsus corporis partem fide nudam relinquens.

**18** Quantacumque autem daemones fecerint *tela*, si inveniant mentem hominis fide munitam, etiamsi *ignita* sint, etiamsi cupiditatum flammis et incendiis ardeant vitiorum, fides plena cuncta restinguit.

ab. Cf. Éphés. 6, 11 || ac. Cf. Éphés. 6, 16.

celles-là sont très fines, au point que l'âme sent à peine qu'elle en est percée et blessée, si elle ne s'est revêtue des armes de Dieu [ab] et ne se tient vigilante et inébranlable « en face des manœuvres du diable », se couvrant elle-même entièrement du bouclier de la foi [ac] et ne laissant absolument aucune partie du corps dénudée de foi.

**18** Mais quelques traits que fabriquent les démons, s'ils trouvent la pensée de l'homme abritée par la foi, leurs traits seraient-ils « enflammés », brûleraient-ils des flammes des convoitises et des feux des vices, une foi complète les éteint tous.

# Chapitre 9

## Entre les mains de l'Époux

*Cant.* 2,6 : *Sa main gauche sera sous ma tête et sa droite m'enlacera*

1-5 : expression d'un drame amoureux ; mais tourne-toi vers l'Esprit vivifiant, *refusant les appellations corporelles*, et toute pensée charnelle, la distinction des genres masculin, neutre ou féminin au sujet du Verbe de Dieu et de l'Église ou l'âme parfaite, même si la divine Écriture use de cette manière humaine de parler ; 6-8 : *la main gauche* est celle où la Sagesse « contient les richesses et la gloire » ; reçues par l'Église à l'Incarnation et même avant, et à la Passion ; 8-9 : mais « dans *sa droite* est longueur de vie » indique l'éternité, avant le temps et au temps de l'économie ; les expressions sont complémentaires.

## 9

**1** *Laeva eius sub capite meo, et dextera eius complectetur me*[a]. Descriptio est quidem amatorii dramatis sponsae festinantis ad conubium sponsi — verbis tamen paulo apertioribus currit. Sed converte te velocius ad *Spiritum vivificantem*[b] et refugiens appellationes corporeas intuere perspicaciter quae sit Verbi Dei *laeva*, quae sit *dextera*, quod etiam *caput* sponsae eius, animae scilicet perfectae vel ecclesiae, et non te rapiat carnalis et passibilis sensus.

**2** Ipsa est enim hic sponsi dextera et laeva, quae in Proverbiis de sapientia dicitur, ubi ait : *Longitudo enim vitae in dextera eius, in sinistra vero eius divitiae et gloria*[c]. Et sicut hic sapientiam non ideo aliquam feminam dici putabis, quia femineo nomine appellari videtur, ita ne in 196 hoc quidem, | quoniam masculino genere sponsus Verbum Dei dicitur, corporaliter intelligere debes laevam eius aut dextram vel amplexus sponsae pro feminini generis declinatione percipere.

**3** Sed Verbum Dei quamvis apud Graecos masculino, apud nos neutro genere proferatur, super masculinum tamen et neutrum ac femininum genus et super omne omnino quod ad haec respicit esse cogitanda sunt ista de quibus sermo est, et non solum Verbum Dei, sed et ecclesia eius atque anima perfecta, quae et sponsa nominatur.

a. Cant. 2, 6 || b. Cf. I Cor. 15, 45 || c. Prov. 3, 16.

---

1. « Il ne faut pas croire, d'après le genre féminin de leurs noms, que la vertu et la justice sont également féminines en leur essence ; selon nous, elles sont le Fils de Dieu ... », *CCels*. V, 39 ; cf. *I Cor*. 1, 30, cité peu après.

## 9

**Pas de sens corporel**

**1** «Sa main gauche sera sous ma tête, et sa main droite m'enlacera [a].» La description est bien celle d'un drame d'amour d'une Épouse qui se hâte vers l'union de son Époux, et même, en termes plus clairs, elle y court. Mais tourne-toi plus vite vers «l'Esprit vivifiant [b]» et, refusant les appellations corporelles, considère avec attention ce qu'est «la gauche» du Verbe de Dieu, ce qu'est sa «droite», ce qu'est aussi «la tête» de son Épouse, c'est-à-dire de l'âme parfaite ou de l'Église, et que le sens charnel et passionnel ne t'entraîne pas.

**2** En effet, ici main droite et main gauche de l'Époux sont celles que dans les Proverbes on dit de la Sagesse : «Longueur de vie est dans sa droite, mais dans sa gauche richesses et gloire [c].» Et de même qu'ici tu ne penseras pas que la Sagesse est une femme parce qu'elle paraît appelée d'un nom féminin, ainsi en ce passage non plus, parce que le Verbe de Dieu est dit Époux au genre masculin, tu ne dois pas entendre sa main gauche ou sa droite, ni comprendre les étreintes dont il enlace l'Épouse dans un sens corporel à cause de la déclinaison du genre féminin [1].

**3** Mais bien que le Verbe de Dieu soit du genre masculin chez les Grecs et chez nous du neutre, c'est au-dessus de tout genre, masculin, neutre et féminin, et au-dessus d'absolument tout ce qui s'y rapporte qu'il faut envisager ces réalités dont on parle, et non seulement le Verbe de Dieu, mais encore son Église et l'âme parfaite que l'on nomme aussi l'Épouse.

**4** Sic enim et Apostolus dicit : *In Christo enim neque masculus neque femina, sed omnes in ipso unum sumus*[d]. Haec autem propter homines qui aliter audire non possunt nisi his verbis quae in usu habentur a Scriptura divina humani more referuntur eloquii, ut verbis quidem notis ea et solitis audiamus, sensu tamen illo quo dignum est de divinis rebus et incorporeis sentiamus.

**5** Nam sicut is qui amatorem se dicit esse pulchritudinis sapientiae hoc ostendit quod naturalem qui in se est caritatis affectum ad studia transtulerit sapientiae, ita et hic sponsa deposcit ecclesia ut sponsus suus, qui est Verbum Dei, *laeva* quidem sua *caput* eius sustentet, *dextera* vero omne eius reliquum complectatur et constringat corpus.

**6** Est autem *laeva*, in qua *sapientia divitias* continere *et gloriam*[e] dicitur. Quas autem habet *divitias* ecclesia et quam *gloriam*, nisi illas quas accepit ab eo qui *cum dives esset, pauper factus est, ut illius paupertate* ecclesia *fieret dives*[f] ? Quae autem est *gloria*? Illa sine dubio de qua dicit : *Pater, clarifica Filium tuum*[g], passionis sine dubio *gloriam* designans. Fides ergo passionis Christi *gloria et divitiae* sunt ecclesiae, quae in laeva eius continentur.

**7** *Laevam* autem puto Verbi Dei hoc modo debere intelligi, quoniamquidem sunt in eo quaedam dispensationes ante incarnationem gestae, sunt vero aliquae et per incarnationem. Illa pars Verbi Dei quae ante assumptio-

d. Gal. 3, 28 || e. Prov. 3, 16 || f. II Cor. 8, 9 || g. Jn 17, 1.

1. Explication des anthropomorphismes, par réaction contre des chrétiens (les anthropomorphites) qui les prenaient à la lettre. Le Père ne peut se faire connaître qu'en se faisant représenter en homme, car nous sommes incapables d'user de représentations qui dépassent notre expérience humaine. Il y a même là une des raisons de l'incarnation du Fils. Voir entre autres textes nombreux, à propos de l'hébraïsme

**4** C'est ainsi que l'Apôtre aussi déclare : «Car dans le Christ, il n'y a ni homme ni femme, mais nous sommes tous un en lui[d].» Or ces réalités, à cause des hommes qui ne peuvent comprendre autrement que par les mots qui sont en usage, la divine Écriture les rapporte de la manière humaine de parler, pour que nous les entendions certes grâce aux termes connus et familiers, que nous comprenions toutefois au sens digne d'elles les réalités divines et incorporelles[1].

**5** Car, tout comme celui qui se dit amoureux de la beauté de la Sagesse montre qu'il a reporté la disposition naturelle de charité qui est en lui sur l'ardeur pour la Sagesse, de même ici l'Épouse Église demande avec instance que son Époux, le Verbe de Dieu, de «sa main gauche» lui soutienne la tête, et de «sa main droite» enlace et étreigne tout le reste de son corps.

**Les mains gauche et droite**

**6** Mais c'est «la main gauche» dans laquelle, est-il dit, «la Sagesse» contient «les richesses et la gloire[e]». Or quelles «richesses» et quelle «gloire» l'Église a-t-elle, sinon celles qu'elle a reçues de celui qui «de riche qu'il était s'est fait pauvre pour enrichir l'Église de sa pauvreté[f]»? Et de quelle gloire s'agit-il? Sans nul doute de celle dont il dit : «Père, glorifie ton Fils[g]», visant à coup sûr la gloire de la Passion. La foi en la passion du Christ, voilà donc «la gloire et les richesses» de l'Église, contenues dans «la main gauche» de l'Époux.

**7** Or je pense que «la main gauche» du Verbe de Dieu doit être comprise de cette façon, puisqu'il y a pour lui des œuvres du dessein divin accomplies avant l'Incarnation, mais qu'il y en a qui sont dues aussi à l'Incarnation. Ce rôle du Verbe de Dieu exercé dans les œuvres du dessein

de *Matth.* 22, 1 : «Le royaume des cieux est comparé à un homme roi», *ComMatth.* XVII, 17-21.

nem carnis in dispensationibus peracta est *dextera* potest videri, haec vero quae per incarnationem *sinistra* appellari.

**8** Unde et *in sinistra divitias et gloriam* habere dicitur; per incarnationem namque *divitias et gloriam* quaesivit, omnium scilicet gentium salutem. In *dextera* autem 197 *longi|tudo vitae*[h] esse dicitur, per quod sine dubio illa eius, qua *in principio apud Deum Deus erat Verbum*[i], sempiternitas indicatur.

**9** Hanc ergo *laevam ecclesia*, cuius *Christus est caput*[j], optat habere sub capite suo, et fide incarnationis eius *caput suum* muniri, *dextra* vero eius amplecti, id est illa agnoscere et de illis instrui quae ante huius quoque per carnem gestae dispensationis tempus in arcanis habentur et reconditis.

**10** *Dextera* namque ibi putanda sunt esse omnia, ubi nihil de peccatorum miseriis, nihil de fragilitatis lapsu continetur, *sinistra* vero, ubi vulnera nostra curavit et *peccata nostra portavit*[k], *factus* etiam ipse *pro nobis* peccatum et *maledictum*[l]. Quae omnia quamvis caput et fidem sustentent ecclesiae, merito tamen *sinistra* Verbi Dei appellabuntur. In quibus aliqua etiam praeter illam naturam quae tota *dextera* est et tota *lux*[m] ac *splendor et gloria*[n] pertulisse memoratur.

h. Prov. 3, 16 || i. Jn 1, 1 || j. Cf. Éphés. 5, 23 || k. Cf. I Pierre 2, 24 || l. Cf. Gal. 3, 13 || m. Cf. Jn 12, 46 || n. Cf. Hébr. 1, 3.

1. *Dispensatio* traduit habituellement οἰκονομία, qui désigne dans le langage patristique les plans de Dieu sur le monde, dans la Création comme dans l'Incarnation, et même l'Histoire sainte. «Ce mot évoque l'idée d'administration et de plan, mais connote aussi celle d'adaptation, de condescendance, d'exception aux règles strictes», P. Nautin, éd. des *HomJér.*, *SC* 238, p. 199, n. 3.

2. Pour les commentateurs, les mains gauche et droite de l'Époux représentent souvent, d'une part, les biens présents, et de l'autre, les biens éternels (Grégoire de Nysse, Nil, Ambroise, Grégoire le Grand, suivis par Bède, Angélome, la «Glose ordinaire», Guillaume de Saint-

divin[1] accomplies avant l'assomption de la chair peut être considéré comme «main droite», mais celui qui est exercé grâce à l'Incarnation peut être appelé «main gauche».

**8** C'est pourquoi on dit qu'il a «dans sa gauche les richesses et la gloire»; par l'Incarnation en effet il a gagné «les richesses et la gloire», c'est-à-dire le salut de toutes les nations. Mais on dit qu'il possède «dans sa droite, longueur de vie[h]»; par quoi on indique à n'en pas douter son éternité[2], selon laquelle «au commencement, près de Dieu, le Verbe était Dieu[i]».

**9** C'est donc cette «main gauche» que l'Église, «dont le Christ est la tête[j]», souhaite avoir sous sa tête; et avoir sa tête protégée par la foi en son incarnation, mais être enlacée de sa «droite», c'est-à-dire avoir instruction et connaissance des réalités qui, avant le temps de cette économie accomplie aussi grâce à la chair, sont tenues dans le mystère et le secret.

**10** Car «la droite», doit-on penser, représente tout ce qui ne contient rien des misères des péchés, rien d'une faute de faiblesse, mais «la gauche», le fait qu'il a guéri nos blessures, et «a porté nos péchés[k]», «devenu» aussi lui-même «pour nous» péché et «malédiction[l]». Tout cela, bien que soutenant «la tête» et la foi de l'Église, sera quand même nommé avec raison «la gauche» du Verbe de Dieu. Par quoi on rappelle qu'il a pris sur lui encore quelques réalités en dehors de cette nature qui est tout entière «droite» et tout entière «lumière[m]», «splendeur et gloire[n]».

Thierry), ou encore, d'une part, l'Ancien Testament, de l'autre, le Nouveau (Grégoire d'Elvire, Cyrille d'Alexandrie, suivis aussi par Angélome) : semble être le seul à avoir retenu l'explication d'Origène — il la donne même deux fois — BERNARD, *Traité de l'amour de Dieu* 10 et 12. — Faut-il le rappeler? Dans un tout autre contexte que celui du *Cantique*, mais à propos de l'action créatrice de Dieu, Irénée parle des deux mains, non pas du Verbe, mais du Père : le Fils et l'Esprit. Voir J. LEBRETON, *Histoire du dogme de la Trinité*, t. II, Paris 1928, p. 578-581, et la dizaines de textes cités en notes. (M.B.)

# Chapitre 10

## Éveiller la charité

*Cant.* 2,7 : *Je vous en conjure, filles de Jérusalem,*
*par les puissances et par les forces des champs,*
*n'éveillez pas, ne réveillez pas la charité*
*avant qu'il ne le veuille*

1-2 : le drame historique ; le mystère : 3-9 ; 3-6 : il y a un champ pour chaque âme et un champ pour toutes ensemble ; 7-9 : grâce aux puissances et aux forces du champ, la charité du Christ est éveillée par les jeunes filles et celles qui ont les débuts de la foi ; qu'elles le fassent dans la mesure où le veut « le Fils de la charité », ou mieux, celui qui est « la Charité qui est de Dieu » ; la seule mesure de la charité envers Dieu est qu'il soit aimé autant qu'il veut, et sa volonté reste immuable ; l'Épouse imite Paul réveillant la charité qui dormait dans les disciples : « Lève-toi, ô toi qui dors ».

# 10

**1** *Adiuravi vos, filiae Hierusalem, in virtutibus et in viribus agri, si levaveritis et suscitaveritis caritatem quoadusque velit*[a]. Sponsa adhuc ad adulescentulas loquitur provocans eas et cohortans, immo et adiurans per ea quae iis cara esse novit et amabilia, ut, si forte elevare coeperint caritatem, iacentem quippe in iis, et excitare eam, utpote adhuc dormientem apud eas, in tantum elevent eam et in tantum suscitent, in quantum voluerit sponsus nec minus aliquid in ea agant quam voluntas ipsius patitur.

**2** Haec est enim amantis sponsae perfectio, ut a nullo velit contra animos et voluntatem fieri eius quem diligit. Et ut hoc non negligenter aut segniter agant, per *virtutes agri*, id est per plantaria et virgulta quae in agro sunt, et per *vires* eius, sine dubio per ea quae in eo sata sunt, *adiurantur*.

**3** Tali ordine talique verborum compositione textus nobis historici dramatis dirigatur. Nunc iam quid arcani intrinsecus contegat, requiramus.

**4** Omnis anima, praecipue quae *filia* est *Hierusalem*, habet aliquem *agrum* proprium, qui ei sacrata quadam per Iesum meritorum sorte delatus est. Sicut fuit et ille ager
198 Iacob, cuius suavitate permotus Isaac patriarcha my|sticis

a. Cant. 2, 7.

# 10

**Le drame historique**

**1** «Je vous en conjure, filles de Jérusalem, par les puissances et par les forces du champ, n'éveillez pas, ne réveillez pas la charité avant qu'il ne le veuille[a].» L'Épouse parle encore aux jeunes filles ; elle les invite et les exhorte, bien plus, elle les conjure par ce qu'elle sait leur être aimable et cher : que si d'aventure elles ont commencé à éveiller la charité qui sûrement repose en elles, et à la réveiller alors qu'elle dort encore en elles, qu'elles l'éveillent, qu'elles la réveillent dans la mesure où le voudra l'Époux et ne fassent pour elle rien de moins que sa volonté ne permette.

**2** Car telle est bien la perfection d'une Épouse aimante : vouloir que personne n'agisse contre les désirs et la volonté de Celui qu'elle aime. Et pour que ses compagnes s'en acquittent sans nonchalance ou laisser-aller, elle les «conjure par les puissances du champ», c'est-à-dire par les jeunes plantes et les jeunes pousses qui sont dans ce champ, et «par ses forces», sans nul doute, par ce qui y a été semé.

**Le mystère**

**3** Dans un tel ordre et un tel arrangement des mots interprétons le texte du drame historique. Alors cherchons ici ce qu'à l'intérieur il cache de sens mystérieux.

**Un champ pour chacun, un champ pour tous**

**4** Toute âme, surtout celle qui est «fille de Jérusalem», a un champ propre qui lui fut attribué par Jésus, selon une participation due à ses mérites. Ainsi Jacob fut-il ce champ dont le patriarche Isaac, ému par la suave odeur,

aiebat eloquiis : *Ecce odor filii mei sicut odor agri pleni, quem benedixit Dominus*[b].

**5** Habet ergo unaquaeque anima, ut diximus, *agrum* suum ; vita namque et conversatio eius ager eius est. In hoc agro anima, quae diligens et studiosa est, satis agit et studet plantare omnes bonos sensus et omnes excolere *virtutes* animi, non solum autem virtutes animi, sed et *vires* operum, quibus videlicet impleri possunt ministeria mandatorum.

**6** Est ergo, ut diximus, unicuique animae suus ager, quem colit et plantat ac seminat secundum haec quae diximus. Est autem et omnium simul *filiarum Hierusalem* unus quidam et communis *ager*, de quo Paulus dicit : *Dei agricultura estis*[c]. Quem agrum commune exercitium ecclesiasticae fidei et conversationis accipiamus, in quo certum est *virtutes* inesse caelestes et *vires spiritalium gratiarum*[d]. Unaquaeque anima, quae nunc *filia Hierusalem*[e] appellatur, sciens quod *matrem* habeat *Hierusalem caelestem*[f], conferat aliquid necesse est ad agrum hunc excolendum et caelesti eum possessione dignum cupiat effici.

**7** In istius ergo *agri virtutibus viribusque* elevari caritatem Christi et excitari ab adulescentulis et initia fidei habentibus protestatur ecclesia et dicit ad eas : *Si levaveritis et excitaveritis caritatem, quoad usque velit*[g], hoc est, si iam in hoc veneritis, ut incipiatis *non* agi *spiritu*

b. Gen. 27, 27 || c. I Cor. 3, 9 || d. Cf. Rom. 1, 11 || e. Cf. Cant. 2, 7 || f. Cf. Gal. 4, 26 || g. Cant. 2, 7.

1. « Ce monde est ' un champ ' (qui) ne représente pas seulement la terre, mais aussi les cœurs des hommes ; les anges de Dieu l'ont reçu à cultiver ... Or, le champ des anges, ce sont nos cœurs », *HomNombr.* XI, 3.5.

2. « Veille à la manière dont tu sèmes et au lieu où tu sèmes afin de pouvoir récolter des fruits qui plaisent à Dieu », *HomNombr.* XXIII, 8.

déclarait en expressions à sens mystique : « Voici, l'odeur de mon fils est comme l'odeur d'un champ fertile que le Seigneur a béni[b]. »

**5** Chaque âme, donc, a, comme on a dit, son « champ » : sa vie et sa conduite, voilà son champ[1]. Dans ce champ, l'âme qui est attentive et zélée s'empresse et s'efforce de planter toutes les bonnes pensées, et de cultiver « les puissances » de l'intelligence ; et non seulement « les puissances » de l'intelligence, mais encore « les forces » des œuvres, à savoir celles qui permettent d'accomplir les services commandés[2].

**6** Il y a donc pour chaque âme, comme on a dit, son champ qu'elle cultive, plante et sème, d'après ce que nous avons dit. Mais il y a aussi pour toutes « les filles de Jérusalem » ensemble un champ unique et commun, dont Paul dit : « Vous êtes le champ de Dieu[c]. » Comprenons ce champ comme l'exercice commun de la foi ecclésiastique et de la conduite, champ qui recèle sûrement des « puissances » célestes et « des forces » de « grâces spirituelles[d] ». Chaque âme, nommée ici « fille de Jérusalem[e] », sachant qu'elle a pour « mère[3] la Jérusalem céleste[f] », doit apporter une contribution à la culture de ce champ et désirer qu'il devienne digne du domaine céleste.

**La mesure de la charité**

**7** Que dès lors, grâce aux puissances et aux forces de ce champ, est éveillée la charité du Christ et qu'elle est réveillée par les jeunes filles et celles qui ont les commencements de la foi, l'Église le déclare avec force et leur dit : « N'éveillez pas, ne réveillez pas la charité avant qu'il ne le veuille[g] », c'est-à-dire : si maintenant vous en êtes arrivées à commencer à être mues, « non par un esprit de crainte,

3. Sur la Jérusalem céleste, cf. *supra*, II, 3, 5, note *ad loc.*

*timoris, sed spiritu adoptionis*[h], et in hoc profeceritis ut *perfecta* in vobis *dilectio foras mittat timorem*[i] et ut elevetis atque exaltetis in vobis caritatem et excitetis eam, tamdiu elevate eam et tamdiu extollite, *quamdiu* ipse *velit Filius caritatis*[j], immo ipse qui *ex Deo est caritas*[k], ne forte putantes sufficere humanae caritatis mensuras in caritate Dei minus aliquid, quam Deo dignum est, agatis.

**8** Mensura enim Dei caritatis haec sola est, ut tantum quantum ipse vult diligatur ; voluntas autem Dei eadem semper est nec umquam mutatur. Numquam ergo immutatio aliqua aut finis ullus in Dei caritate recipitur.

**9** Notandum sane est quod non dixit : Si acceperitis 199 caritatem, sed : *Si levaveritis*[l], quasi quae | est quidem in vobis, sed iacet et nondum erecta est. Et rursum non dixit : Si inveneritis, sed : *Si excitaveritis caritatem*, quasi quae sit intrinsecus quidem, sed iaceat et dormiat in iis, donec inveniat suscitantem. Ipsam credo et Paulus suscitabat tunc adhuc in discipulis dormientem, cum dicebat : *Exsurge qui dormis, et continges Christum*[m].

h. Cf. Rom. 8, 15 || i. Cf. I Jn 4, 18 || j. Cf. Col. 1, 13 || k. Cf. I Jn 4, 7 || l. Cf. Cant. 2, 7 || m. Éphés. 5, 14.

1. Cf. *supra*, III, 7, 4.
2. « Le Créateur de toutes choses, lorsqu'il vous créa, inséra dans vos cœurs des semences de charité », *HomCant.* II, 9.

mais par un esprit d'adoption[h] », si vous avez progressé au point qu'en vous « l'amour parfait bannit la crainte[i] », et si vous éveillez et exaltez en vous la charité et la réveillez, éveillez-la aussi longtemps, exaltez-la aussi longtemps « que le veut » en personne « le Fils de la charité[j] », bien plus celui en personne qui « est la Charité qui est de Dieu[k] », de peur qu'estimant peut-être suffisantes les mesures de la charité humaine, vous ne fassiez pour la charité envers Dieu quelque chose d'inférieur à ce qui est digne de Dieu.

**8** Car la seule mesure de la charité envers Dieu, c'est qu'il soit aimé autant qu'il le veut lui-même. Or la volonté de Dieu est toujours la même et ne change jamais. Jamais donc un changement quelconque ni aucune limite ne sont admis dans la charité de Dieu[1].

**« Ô toi qui dors »**

**9** Il est certes à noter que l'Épouse n'a pas dit : Ne recevez pas la charité, mais : « Ne l'éveillez pas[l] », comme pour dire : elle est bien en vous[2], mais elle est couchée et ne s'est pas encore redressée. De nouveau, elle n'a pas dit : Ne découvrez pas, mais : « Ne réveillez pas la charité », comme pour dire : elle est bien à l'intérieur, mais elle est couchée et dort en elles jusqu'à ce qu'elle trouve qui la réveille. Je crois que Paul réveillait cette charité qui alors dormait encore dans ses disciples, quand il disait : « Lève-toi, ô toi qui dors, et tu toucheras le Christ[m]. »

# Chapitre 11

# Voici l'Époux

## *Cant.* 2, 8 a : *La voix de mon Bien-Aimé*

1-9 : anticipation de l'ordre historique ; 10-14 : par sa voix seule, le Christ est d'abord reconnu par l'Église, grâce à l'intermédiaire des prophètes ; l'Église rassemblée depuis le commencement du siècle entend sa voix avant de le voir : l'Époux bondissait par-dessus les montagnes, les prophètes, sautait par-dessus les collines, les saints, et aussi les apôtres ; et chaque âme qu'étreint l'amour du Verbe de Dieu, aux prises avec les difficultés de la recherche du sens des textes, peut faire une expérience analogue ; 15-20 : mais l'Époux est tantôt présent, tantôt absent ; il est présent et il enseigne ; il est absent et on le désire ; et l'alternance vaut pour l'Église, pour l'âme qui s'applique ; et aussi pour nous-mêmes, écoutons d'abord sa voix, ensuite nous le verrons comme le vit l'Épouse ; 21-23 : peut-être auparavant l'avait-elle vu par intermittence durant l'hiver ; mais la vision présente suggère la puissance des grâces spirituelles, la lumière offerte aux sens de l'âme, la fin du temps des tentations, les signes du printemps et de l'été.

## 11

★ **1** *Vox fraterni mei*[a]. Frequenter nos admonere convenit, quod libellus hic in modum dramatis texitur. Praesens enim versiculus quem proposuimus, tale aliquid indicat quod, cum sponsae sermo esset ad adulescentulas filias Hierusalem, subito quasi eminus senserit vocem sponsi cum aliquibus loquentis, interrupto sermone quem faciebat ad adulescentulas, sponsa aurem converterit ad auditum qui ad eam pervenerat et dixerit : *Vox fraterni mei*. (1[illegible]

**2** Sponsum vero intellige primo quidem, antequam appareret oculis sponsae, voce[b] ei sola agnitum, post haec vero etiam conspectibus eius apparuisse super montes quosdam vicinos illi loco, in quo sponsa morabatur, salientem, et magnis quibusdam non tam passibus quam saltibus colles montesque[b] in modum cervi vel capreae transcendentem et ita ad sponsam suam omni cum properatione venientem.

**3** Ubi vero ad domum intra quam sponsa commorabatur advenit, stetisse eum paululum intellige post domum, ita ut sentiretur quidem adesse, nondum tamen domum palam vellet et evidenter intrare, sed prius quasi sub amatoris specie per fenestras adspicere velle sponsam.

**4** Intellige autem retia quaedam prope domum sponsae et laqueos esse positos, ut, si forte ipsa vel aliqua sodalium eius ex *filiabus Hierusalem* exisset aliquando, caperetur.

a. Cant. 2,8 || b. Cf. Cant. 2,8.

# 11

★ **1** « La voix de mon Bien-Aimé [a]. » Il convient que nous le rappelions souvent : ce petit livre est composé à la manière d'un drame. De fait, ce petit verset présent que nous exposons donne une indication de ce genre : alors que la parole de l'Épouse s'adressait aux jeunes filles de Jérusalem, soudain comme de loin elle perçut la voix de l'Époux parlant à certaines personnes ; interrompant le propos qu'elle tenait aux jeunes filles, l'Épouse prêta l'oreille au son qui lui parvenait et dit : « La voix de mon Bien-Aimé ».

**L'ordre historique**

**2** Comprends-le bien : l'Époux, avant d'apparaître aux yeux de l'Épouse est d'abord reconnu à sa seule « voix [b] », mais ensuite il apparut aussi à ses regards, sautant par-dessus certaines montagnes proches du lieu où demeurait l'Épouse, et franchissant collines et montagnes [b], moins à grands pas qu'à grands sauts, à la manière d'un cerf ou d'un chevreuil, et venant ainsi en toute hâte vers son Épouse.

**3** Mais dès qu'il arriva près de la maison où demeurait l'Épouse, comprends qu'il s'est arrêté un peu derrière la maison : en sorte qu'on percevait sa présence, sans qu'il veuille encore toutefois entrer dans la maison à découvert et au grand jour, mais il veut auparavant, à la manière d'un amoureux, observer son Épouse par les fenêtres.

**4** En outre, comprends que près de la demeure de l'Épouse sont placés des filets et des pièges afin que, si d'aventure elle, ou telle ou telle de ses compagnes parmi les « filles de Jérusalem » venait à sortir, elle soit prise.

Ad ista retia venisse sponsum, certum quia capi ab iis
200 non posset, sed fortior eorum | effectus diruperit ipsa retia, diruptisque iis super ipsa incedens etiam per ipsa prospexerit.

**5** Et postquam hoc opus fecerit, dicat ad sponsam : *Exsurge, veni proxima mea, sponsa mea, columba mea*[c], hoc autem dicat, ut ipso opere ostendat ei quomodo cum fiducia debeat contemnere iam retia quae ei tetenderat inimicus nec timeat laqueos quos ab se iam videat esse diruptos ; et adhuc ut amplius ad se sponsam provocet festinare, dicat ei quia omne iam tempus, quod videbatur grave, transivit et hiems, quae ei causa exorta videbatur, abscessit pluviaeque inutiles abierunt et tempus iam floridum venit, nihil moreris iter aggredi veniendi ad me.

**6** Ecce enim et agricolae, quia veris iam tempus arrisit, vineas colunt ; vox enim cum et aliarum avium tum etiam sonora et grata turturis vernantis auditur. Sed et ficus de veris certa temperie germen suum secura producit, vites vero in tantum de temporis tranquillitate non dubitant, ut flores iam suos audeant odoresque proferre.

**7** Haec quidem de tranquillitate temporis indicat sponsae, ut maiore cum fiducia arripere iter audeat pergendi ad sponsum.

**8** Sed et locum ei describit, in quo vult eam secum requiescere, et dicit velamento cuiusdam saxi, quod muro ipsi vel loco promurali contiguum sit, opacissimum quendam effici locum ; ad quem venire eam vult et ablato velamine ibi eius revelatam faciem contueri, ut facie ad faciem innotescat sponso suo et non solum faciem eius revelatam videat sponsus et liberam, sed et vocem eius ibi

c. Cant. 2, 10.

L'Époux est venu à ces filets, certain de ne pouvoir être capturé par eux ; mais devenu plus fort qu'eux, il mit en pièces les filets eux-mêmes, et ceux-ci mis en pièces, marchant sur eux, il observa aussi à travers eux.

**5** Puis, après avoir accompli cette action qu'il dise à l'Épouse : «Lève-toi, viens, ma compagne, mon Épouse, ma colombe[c].» Et qu'il le dise pour lui montrer par son action même comment elle doit mépriser avec assurance à présent les filets que l'ennemi lui avait tendus, et ne pas craindre les pièges qu'elle voit à présent mis en pièces par lui. Et pour inviter encore l'Épouse à se hâter davantage vers lui, qu'il lui dise : voilà que tout ce temps qui semblait pesant est passé, et l'hiver qui semblait en avoir été pour elle une excuse s'est éloigné ; les pluies nuisibles s'en sont allées, et voici venu le temps des fleurs, ne tarde plus à te mettre en route pour venir à moi.

**6** En effet, voici que les paysans aussi, parce que déjà le temps du printemps a offert ses sourires, sont au travail dans leurs vignes ; car, mêlée à celle d'autres oiseaux, se fait entendre, sonore et agréable, la voix de la tourterelle printanière. De plus, le figuier, assuré de la tiédeur du printemps, produit sans crainte son bourgeon ; et les vignes doutent si peu de la sérénité du temps qu'alors elles osent présenter leurs fleurs et leurs parfums.

**7** Voilà ce que l'Époux révèle à l'Épouse de la sérénité du temps, pour qu'elle ose avec plus d'assurance, prendre la route pour se hâter vers lui.

**8** De plus il lui décrit l'endroit où il veut qu'avec lui elle se repose ; il dit que par le voile d'un rocher contigu au mur même ou à l'avant-mur, une place est rendue très ombragée. Il veut qu'elle y vienne, et que, le voile enlevé, il contemple là son visage dévoilé, pour qu'elle se fasse connaître à son Époux face à face, et que l'Époux, non seulement voie son visage dévoilé et libre, mais aussi que

audiat, certus iam quod et facies eius pulchra sit et vox
201 eius | suavis ac delectabilis[d].

★ **9** Haec autem praevenientes coniunximus, ne ordinem dramatis et historiae textum videremur irrumpere. Sed praevenientes paululum usque ad eum locum fabulae ordinem prosecuti sumus ubi ait : *Quoniam vox tua suavis, facies tua speciosa*[e]. Nunc ergo repetentes videamus primo quid est quod ait : *Vox fraterni mei*[f].

**10** Ex voce sola ab ecclesia sua primo Christus agnoscitur. Primo enim vocem suam praemisit per prophetas et, cum non videretur, audiebatur tamen. Audiebatur autem per ea quae annuntiabantur de eo ; et tamdiu sponsa, id est ecclesia, quae ab initio saeculi congregabatur, solam vocem eius audivit, usque quo oculis suis eum videret et diceret : *Ecce hic venit saliens super montes, transiliens super colles*[g].

★ **11** Saliebat enim super propheticos montes et sanctos colles, illos scilicet qui in hoc mundo imaginem eius formamque gesserunt.

**12** Sed et si in Apostolis eum ponas quasi in montibus salientem et eminentem cunctis et in collibus nihilominus, his dumtaxat qui secundo loco electi ab eo et missi sunt, non erit inconveniens. In his enim *similis* efficitur *capreae et hinnulo cervorum*[h]. Capreae, quod omnem visum visus eius praecellit, et cervo, quod ad interitum serpentis advenit.

d. Cf. Cant. 2, 10-14 || e. Cant. 2, 14 || f. Cant. 2, 8 || g. Cant. 2, 8 || h. Cf. Cant. 2, 9.

1. L'Église qui était rassemblée depuis le commencement du monde : cf. *supra*, la note *ad* II, 8, 4.

2. Comme les anges, les prophètes et Moïse, les apôtres sont des montagnes lumineuses, *HomJér.* XII, 12.

3. « Les cerfs combattent les serpents ; ils recherchent leurs trous, et par le souffle de leurs narines, les forcent à en sortir », Pline, *nat.* 8, 118 : texte repris en *HomCant.* II, 11.

là il entende sa voix, certain déjà que son visage est beau, et sa voix douce et agréable[d].

★ **9** Prenant les devants, nous avons joint ces passages pour ne pas sembler rompre l'ordre du drame et le texte de l'histoire. Mais à prendre un peu les devants, nous avons exposé l'ordre de la pièce jusqu'au passage où il dit : « Car ta voix est douce et ton visage est beau[e]. » Maintenant donc, revenant en arrière, voyons d'abord ce que signifie cette parole de l'Épouse : « La voix de mon Bien-Aimé[f] ».

**La voix du Bien-Aimé**

**10** C'est par sa voix seule que le Christ est d'abord reconnu par l'Église. Car il a d'abord envoyé devant lui sa voix par l'intermédiaire des prophètes et, alors qu'on ne le voyait pas, toutefois on l'entendait. Mais on l'entendait par ce qui était annoncé à son sujet ; et pendant tout ce temps l'Épouse, l'Église qui était rassemblée depuis le commencement du siècle[1], a entendu sa voix seule, jusqu'à ce qu'elle le voie de ses propres yeux et dise : « Le voici qui vient, sautant par-dessus les montagnes, bondissant par-dessus les collines[g]. »

★

**L'approche de l'Époux**

**11** Car il sautait par-dessus les montagnes prophétiques et les saintes collines, c'est-à-dire ceux qui ont porté en ce monde son image et sa figure.

**12** De plus, si tu le présentes par rapport aux apôtres comme sautant sur les montagnes et les dépassant toutes[2], et de la même façon sur les collines, à savoir ceux qui en second lieu ont été choisis et envoyés par lui, ce ne sera point déplacé. Car en eux il se fait « semblable au chevreuil et au faon des cerfs[h] ». Au chevreuil, parce que sa vue surpasse toute vue ; au cerf, parce qu'il est venu pour faire périr le serpent[3].

202 | **13** Sed et unaquaeque anima — si qua tamen est quae Verbi Dei amore constringitur —, si quando in disputatione sermonis est posita — ut novit omnis qui expertus est quomodo cum in arctum venitur et angustiis propositionum quaestionumque concluditur —, si quando eam legis aut prophetarum vel aenigmata vel obscura quaeque dicta concludunt, si forte adesse eum sentiat anima et eminus sonitum vocis eius accipiat, sublevatur statim.

**14** Et ubi magis ac magis propiare sensibus eius coeperit et illuminare quae obscura sunt, tunc eum videt salientem supra montes et colles, altae scilicet et excelsae sensus sibi intelligentiae suggerentem, ita ut merito dicat haec anima : *Ecce hic venit saliens super montes, transiliens super colles*[i].

**15** Haec autem dicimus non immemores quod iam et in superioribus coram positus praesenti collocutus sit sponsae; sed quoniam, ut saepe diximus, dramatis speciem libellus hic continet, nunc in praesenti dicuntur aliqua, nunc etiam in absenti; et sic agitur immutatio personarum, ut uterque ordo competenter dirigi videatur.

**16** Quamvis enim promittat sponsus et dicat ad sponsam suam, qui sunt electi discipuli eius, quia : *Ecce, ego vobiscum sum omnibus diebus usque ad consummationem saeculi*[j], tamen iterum per parabolas dicit quia paterfamilias *vocavit servos suos et* unicuique *distribuit* pecuniam negotiandi gratia *et profectus est*[k] et iterum dicit quia *abiit petere sibi regnum*[l] et iterum quasi de absente sponso

i. Cant. 2,8 || j. Matth. 28,20 || k. Cf. Matth. 25,14-15 || l. Cf. Lc 19,12.

1. Origène anticipe, traitant déjà des autres stiques du verset 8, qui feront l'objet du chapitre suivant, comme si la visite de l'Époux dans l'Écriture en particulier (cf. 11,18-20, et 12,4s.) et la double visite du Verbe dans l'épreuve et dans la joie (11,21-23) lui tenaient à cœur.

**13** De plus, chaque âme — celle du moins qu'étreint l'amour du Verbe de Dieu —, si parfois elle se trouve engagée dans l'examen d'un texte — comme le sait quiconque a fait l'expérience de la manière dont on arrive à un point embarrassant et se trouve enfermé dans les difficultés des sujets et des questions —, si parfois des énigmes, des paroles obscures de la Loi et des prophètes la mettent à l'étroit, l'âme, si d'aventure elle sent la présence de l'Époux et perçoit de loin le son de sa voix, est aussitôt soulagée.

**14** Et lorsqu'il commencera à s'approcher de plus en plus de ses pensées et à illuminer ce qui est obscur, alors elle le voit «sautant par-dessus montagnes et collines», c'est-à-dire lui suggérant les pensées d'une intelligence haute et sublime, si bien que cette âme dit avec raison[1] : «Le voici qui vient, sautant par-dessus les montagnes, bondissant par-dessus les collines[i].»

**Présent ou absent**

**15** Disant cela, on n'oublie pas que déjà aux versets qui précèdent, l'Époux, présent, s'est entretenu de vive voix avec l'Épouse présente. Mais parce que ce petit livre, comme nous l'avons dit souvent, comporte la forme d'un drame, certains propos sont tenus tantôt en présence d'un personnage, tantôt en son absence ; et ainsi, le changement de personnages s'effectue de telle manière que chacun des deux ordres paraît convenablement orienté.

**16** De fait, bien que l'Époux promette et dise à son Épouse, entendons à ses disciples choisis : «Voici, je suis avec vous tous les jours jusqu'à la consommation du siècle[j]», cependant il dit encore dans les paraboles que le père de famille «appela ses serviteurs et distribua» à chacun de l'argent pour négocier, «et il partit[k]». De nouveau il dit qu'il «s'en alla demander pour lui la royauté[l]». De nouveau encore, on parle de l'Époux comme d'un absent :

dicitur quia *media nocte clamor factus est* dicentium quia *venit sponsus*[m].

**17** Sic ergo nunc praesens est sponsus et docet, nunc absens dicitur et desideratur ; et utrumque vel ecclesiae vel animae studiosae conveniet. Cum enim pati persecutiones et tribulationes permittit ecclesiam, absens ei videtur ; et rursum cum in pace proficit et in fide ac bonis operibus floret, praesens ei esse intelligitur.

**18** Sic et animae, cum quaerit aliquem sensum et agnoscere obscura quaeque et arcana desiderat, donec invenire non potest, absens ei sine dubio est Verbum Dei. Ubi vero occurrerit et apparuerit quod requiritur, quis 203 dubitat | adesse Verbum Dei et illuminare mentem ac scientiae ei lumen praebere ?

**19** Et iterum subduci nobis eum atque iterum adesse sentimus per singula quae aut aperiuntur aut clauduntur in sensibus nostris. Et hoc eo usque patimur donec tales efficiamur ut non solum frequenter revisere nos, sed et manere dignetur apud nos, secundum quod interrogatus a quodam discipulo dicente : *Domine, quid est factum, quod incipis nobis manifestare temet ipsum, et non huic mundo*[n] ?, respondit Salvator : *Si quis diligit me, verbum meum custodit, et Pater meus diligit eum, et ad ipsum veniemus, et mansionem apud eum faciemus*[o].

**20** Si ergo et nos volumus videre Verbum Dei atque animae sponsum *salientem supra montes et exsultantem super colles*[p], primo audiamus vocem eius et, cum audierimus eum in omnibus, tunc etiam eum videre poterimus secundum ea quae in praesenti loco vidisse describitur sponsa. Nam et ipsa quamvis et prius eum viderit, non

m. Cf. Matth. 25,6 || n. Jn 14,22 || o. Jn 14,23 || p. Cf. Cant. 2,8.

1. Voir une confidence semblable en *HomCant.* I, 7 (avec les notes 2 et 3 *ad loc.*, *SC* 37 *bis*, p. 95).

« Au milieu de la nuit, un cri se fit entendre : Voici l'Époux qui vient[m]. »

**17** Ainsi donc, l'Époux, tantôt est présent et il enseigne, tantôt il est dit absent et on le désire. Et l'un et l'autre cas s'appliquent soit à l'Église, soit à l'âme ardente. Car lorsqu'il permet que l'Église souffre épreuves et persécutions, l'Époux lui semble être absent. Mais quand elle progresse dans la paix et fleurit dans la foi et les bonnes œuvres, on comprend qu'il lui est présent.

**18** De même aussi pour l'âme : quand elle cherche un sens et désire comprendre des sujets obscurs et secrets, tant qu'elle ne peut trouver, nul doute, pour elle le Verbe de Dieu est absent. Mais quand apparaît et se présente ce qu'elle cherche, qui doute que le Verbe de Dieu est présent, illumine son intelligence et lui offre la lumière de la science ?

**19** Et nous éprouvons que de nouveau il se dérobe à nous et de nouveau se présente à chaque point qui est ou bien fermé ou bien ouvert à nos pensées. Et nous subissons cet état jusqu'à ce que nous devenions tels que l'Époux daigne non seulement venir souvent nous visiter, mais encore rester chez nous[1] ; ainsi, interrogé par un disciple disant : « Seigneur, comment se fait-il que tu commences par te manifester toi-même à nous et non à ce monde[n] ? », le Sauveur répondit : « Si quelqu'un m'aime, il garde ma parole et mon Père l'aime, et nous viendrons à lui et nous ferons chez lui notre demeure[o]. »

**20** Si donc, nous aussi, nous voulons voir le Verbe de Dieu, l'Époux de l'âme, « sautant par-dessus les montagnes, s'élançant par-dessus les collines[p] », écoutons d'abord sa voix ; et après l'avoir écouté en tout, alors aussi nous pourrons le voir de la manière dont est décrit dans le présent passage ce que vit l'Épouse. Car elle aussi, bien

eum tamen ita vidit ut nunc, *salientem super montes et exsultantem super colles* neque *per fenestras suas procumbentem* neque *per retia prospicientem*[q], sed magis videtur quod prius hiemis tempore eum viderit.

**21** Nunc enim primum dicit ei : *Quia hiems transiit*[r]. Igitur, ut res indicat, etiam per hiemem sponsae suae apparet, id est tribulationum et tentationum tempore. Sed alia est illa visitatio, in qua visitatur paululum et iterum deseritur, ut probetur, ac rursus requiritur, ut *caput* eius sustentetur et ut tota *complectatur*[s], ne forte aut in fide titubet aut corpus eius tentationum pondere praegravetur. Et ideo videtur mihi hiems fuisse illud tempus, cum caput suum, fidei scilicet summitatem, *laeva* sponsi contineri poscebat et *dextera* eius omne corpus amplecti.

**22** Nunc autem ista visio, quae de montibus apparet et collibus, *gratiarum* puto *spiritalium*[t] altitudines potentiasque designet. Sed et *per fenestras* quod *prospicere*[u] dicitur, sensibus mihi animae videtur lumen praebere. Et 204 *retia*, quae dirumpit et conterit, laqueos indicari diabo|licos[v] puto, utpote tentationum tempore tamquam hieme iam peracto[w].

**23** Ostenduntur etiam signa veris et aestatis, sicut in Psalmis dictum est : *Aestatem et ver, tu fecisti ea*[x]. Inde denique et flores profectuum protulit ecclesia, tentationibus superatis et putationis dispensatione transacta, sicut suis in locis, cum ad haec disserenda ventum fuerit, ostendetur.

q. Cf. Cant. 2, 9 || r. Cant. 2, 11 || s. Cf. Cant. 2, 6 || t. Cf. Rom. 1, 11 || u. Cf. Cant. 2, 9 || v. Cf. I Tim. 3, 7 ; II Tim. 2, 26 || w. Cf. Cant. 2, 11 || x. Ps. 73, 17.

1. Cf. *ExhMart.* 32.
2. Cf. *infra* IV, 1, 6 s.

qu'elle l'ait également vu auparavant, ne l'a pourtant pas vu comme maintenant «sautant par-dessus les montagnes, s'élançant par-dessus les collines», ni aperçu «se penchant par ses fenêtres ni observant à travers les filets[q]», mais il semble plutôt qu'auparavant elle l'a vu durant l'hiver.

**Double visite de l'Époux**

**21** C'est en effet maintenant la première fois qu'il dit à l'Épouse : «Car l'hiver est passé[r].» Dès lors, comme l'action l'indique, il apparaît à son Épouse aussi durant l'hiver, c'est-à-dire au temps des épreuves et des tentations. Mais différente est cette visite-là, où l'Épouse est visitée pour un peu de temps puis de nouveau délaissée pour être éprouvée, et encore une fois recherchée pour que sa tête soit soutenue et pour qu'elle-même tout entière «soit enlacée[s]», de peur que peut-être ou elle ne vacille dans la foi ou que son corps ne soit accablé sous le poids des tentations[1]. C'est pourquoi, me semble-t-il, ce fut bien l'hiver ce temps où l'Épouse demandait que sa tête, c'est-à-dire le sommet de sa foi, soit soutenue par «la main gauche» de l'Époux, et que de sa «main droite» son corps tout entier soit enlacé.

**22** D'autre part, cette vision qui apparaît maintenant du haut des montagnes et des collines indique, je crois, les hauteurs et les puissances «des grâces spirituelles[t]». De plus, dire : «Il observe par les fenêtres[u]» signifie, me semble-t-il : il offre la lumière aux sens de l'âme. Et «les filets» qu'il met en pièces et foule aux pieds désignent, je pense, les pièges diaboliques[v], attendu que le temps des tentations de même que l'hiver est désormais passé[w].

**23** Sont encore présentés les signes du printemps et de l'été, comme il est dit dans les Psaumes : «L'été et le printemps, c'est toi qui les formas[x].» C'est ainsi qu'enfin l'Église a fait éclore aussi les fleurs des progrès, une fois les tentations surmontées et l'opération de la taille effectuée, comme on le montrera en son lieu, quand on en viendra à en traiter[2].

# Chapitre 12

## Par-dessus montagnes et collines

*Cant.* 2, 8 b : *Le voici qui vient,*
*sautant par-dessus les montagnes,*
*bondissant par-dessus les collines*

1-4 : l'ordre historique déjà suivi plus haut, il faut voir comment le Christ vient à l'Église ; Paul progressait en courant : « J'ai achevé ma course » ; notre Sauveur, l'Époux de l'Église, saute par-dessus montagnes et collines, les royaumes plus ou moins grands, par la grâce de sa prédication à l'Épouse, Église convertie à Dieu, une fois le voile de la lecture ôté, au-dessus des montagnes, à savoir les livres de la Loi, et des collines de l'Écriture prophétique, grâce à une manifestation claire ; 5-11 : en témoigne l'Écriture, haute montagne de la Transfiguration, saintes montagnes dans les Psaumes, montagnes et collines dans le Nouveau Testament et chez Jérémie interprété par des paroles évangéliques ; et peut être dit montagne ou colline quiconque croit en Dieu d'une foi parfaite ; notre Sauveur, « pierre détachée », devenue une grande montagne, au même titre que Roi des rois et Pontife des pontifes, peut être appelé Mont des monts ; 12 : on peut rapporter la parole à chaque âme : en ceux qui sont capables de recevoir le Verbe de Dieu et qui ont bu de l'eau que leur a donnée Jésus, le Verbe de Dieu bouillonne par des pensées en flots perpétuels ; pour ceux qui, par le mérite de la vie, de la science et de la doctrine, sont devenus des montagnes et des collines, il est dit que le Verbe de Dieu saute et surgit, devenu en eux par l'abondance de la doctrine « une source d'eau vive jaillissant en vie éternelle ».

## 12

**1** *Ecce hic venit saliens super montes, transiliens super colles*[a]. Historicum ordinem iam superius executi sumus. Nunc autem, quomodo Christus ad ecclesiam veniens saliat super montes et exiliat super colles, videndum est (exiliens enim magis quam transiliens propositi sermonis proprietas habet).

**2** *Isaac* enim ambulans et *progrediens maior fiebat, usque quo fieret magnus valde*[b]. Paulus autem non iam ambulando profecit, sed currendo, cum dicit : *Cursum consummavi*[c]. Salvator autem noster et ecclesiae sponsus neque ambulare neque currere, sed super haec salire dicitur et exilire.

**3** Si enim consideres quomodo parvi temporis spatio occupatum falsis superstitionibus mundum Sermo Dei percucurrit et ad agnitionem verae fidei revocavit, intelliges quomodo saliat super montes — magna quaeque videlicet regna saltibus suis superans et ad recipiendam cognitionem divinae religionis inclinans — et exiliat super colles, cum etiam minora regna velociter subiugat atque ad pietatem veri cultus adducit, et sic de loco ad locum, de regno ad regnum, de provinciis ad provincias praedicatio-

a. Cant. 2,8 || b. Cf. Gen. 26,13 || c. II Tim. 4,7.

---

1. On notera les modifications du texte par Rufin : au lieu de *transiliens*, on a plus haut *exsultans* (11,20), et ici *exiliens* (12,1-3).

2. Origène proclame souvent la rapide diffusion du christianisme. Il y voit une attestation divine de sa vérité, un argument apologétique contre juifs et païens. Il parle de «la naissance soudaine de la race des chrétiens qui paraît avoir été mise au monde d'un seul coup», *CCels*. VIII, 43,3s.; voir encore *PArch*. II, 7,2 et autres passages mentionnés dans la note 9 *ad loc*. (*SC* 253, p. 190); et aussi M. Bor-

## 12

**1** «Le voici qui vient, sautant par-dessus les montagnes, bondissant par-dessus les collines[a].» Nous avons déjà suivi plus haut l'ordre historique. Il faut donc voir ici comment le Christ, venant vers l'Église, saute par-dessus les montagnes, surgit par-dessus les collines» (car «surgissant», mieux que «bondissant», a le sens propre du terme proposé[1]).

**Le Verbe vient vers l'Église**

**2** En fait, «Isaac» marchant et «progressant devenait grand, jusqu'à devenir très grand[b]». Paul, lui, progressa non plus en marchant mais en courant, puisqu'il dit : «J'ai achevé ma course[c]». Mais pour notre Sauveur et l'Époux de l'Église, on ne dit ni qu'il marche ni qu'il court, mais qu'il saute et surgit par-dessus ces hauteurs.

**Par sa prédication**

**3** En effet, à considérer qu'en un bref espace de temps le Verbe de Dieu parcourut un monde adonné à de fausses superstitions et le rappela à la reconnaissance de la vraie foi, on comprendra dans quel sens il saute par-dessus les montagnes — c'est-à-dire, par ses sauts surpasse tous les grands royaumes et les incline à recevoir la connaissance de la divine religion — et il surgit par-dessus les collines, puisqu'il soumet avec rapidité encore les royaumes de moindre importance et les attire à la piété du culte véritable[2]; et ainsi, de lieu en lieu, de royaume en royaume, de provinces en provinces,

RET, Introd. au *CCels.*, *SC* 227, p. 208-214 («Les églises»). — Il ne peut toutefois s'agir que de «la terre habitée», cf. *HomGen.* X, 2, 40 (avec la note 1 *ad loc.*, *SC* 7 *bis*, p. 246-247). (M.B.)

nis illustratione transiliens per eum qui dicebat quia : *Ab Hierusalem in circuitu usque ad Illyricum repleverit evangelium Dei*[d], intelliges quomodo *super montes saliens* veniat et *exiliens super colles*.

**4** Sed et alio modo potest intelligi, sicut supra iam diximus, quoniamquidem Moyses de ipso scripsit[e] et prophetae nihilominus de ipso adnuntiaverunt. Sed et haec adnuntiatio *in lectione veteris testamenti velamen* habet superpositum ; ubi vero sponsae, ecclesiae scilicet ad Deum conversae, *ablatum est velamen*[f], subito videt eum in istis montibus, legis dumtaxat voluminibus, salientem et in collibus scripturae propheticae pro aperta et evidenti 205 manifestatione non tam appa|rentem quam exilientem, verbi gratia, quasi si revolvens singulas propheticae lectionis paginas inveniat de ipsis exilientem Christum et per loca singula lectionum ablato nunc demum quo prius tegebatur velamine ebullire eum cernat et emergere atque evidenti iam manifestatione prorumpere.

**5** Ob hoc credo et ipse Iesus, cum ad transformandum venit, non in aliqua planitie aut in convalle fuit, sed montem adscendit et ibi transformatus est[g], ut scias eum semper in *montibus* aut in *collibus* apparere, ut et te doceat

d. Rom. 15, 19 || e. Cf. Jn 5, 46 || f. Cf. II Cor. 3, 14.16 || g. Cf. Matth. 17, 1-2.

---

1. Cf. par exemple *supra*, I, 2, 22.

2. Ce thème de la Transfiguration appliqué à la fois au corps humain du Christ et à la lettre de l'Écriture, autre corps du Verbe, apparaît dans les dernières œuvres : *Commentaire sur Matthieu* et *Contre Celse*. La divinité transparaît à travers l'humanité revêtue par le Verbe, pour ceux qui ont fait l'effort de gravir la montagne. Cette première opération figure l'ascèse nécessaire pour que Jésus se manifeste à l'âme, et la Transfiguration représente la plus forte révélation du Verbe à travers son humanité que l'on puisse recevoir en cette vie.

bondissant par l'éclat de la prédication grâce à celui qui disait «avoir partout répandu l'Évangile de Dieu, depuis Jérusalem et ses alentours jusqu'à l'Illyricum[d]», on comprendra comment il vient «sautant par-dessus les montagnes et surgissant par-dessus les collines».

**Par l'Écriture**

4 De plus, on peut comprendre le passage d'une autre façon, comme nous l'avons déjà dit plus haut. Car Moïse a écrit[e] de lui et les prophètes également en ont fait l'annonce[1]. Or cette annonce, «à la lecture de l'Ancien Testament», est recouverte «d'un voile»; mais quand «le voile est ôté[f]» pour l'Épouse, c'est-à-dire l'Église convertie à Dieu, elle le voit soudain sautant au-dessus de ces montagnes, à savoir les livres de la Loi ; et au-dessus des collines de l'Écriture prophétique, grâce à une manifestation claire et évidente, moins apparaître que surgir : par exemple, comme si, feuilletant chaque page du texte prophétique, elle trouvait le Christ surgissant hors d'elle et, en chaque passage des textes, maintenant seulement qu'est ôté le voile qui le couvrait auparavant, elle le voyait bouillonner, émerger et jaillir avec force dans une manifestation à présent évidente.

**Montagnes et collines**

5 C'est pour cela, je crois, que Jésus lui-même, quand il vint pour être transfiguré, ce ne fut pas dans quelque plaine ou dans une vallée, mais il monta sur une montagne[2] et y fut transfiguré[g]; c'est pour que tu saches qu'il apparaît toujours sur «les montagnes» et sur «les collines» et pour qu'il t'en-

D'autre part, si la divinité de Jésus apparaît aux apôtres qui ont gravi la montagne, ceux qui sont restés dans la plaine le voient «sans grâce ni beauté (*Is.* 53, 2)» : ils voient en lui un simple homme, ils ne voient pas la divinité, même s'ils croient en elle. Jésus est alors le Médecin qui les guérit.

ne usquam eum nisi in legis et prophetarum *montibus* quaeras.

**6** Quod autem *sancti* quique *montes* appellantur, multis Scripturae locis invenies indicari, sicut ait in psalmis : *Fundamenta eius in montibus sanctis*[h] et iterum : *Levavi oculos meos in montes, unde veniet auxilium mihi*[i]. Auxilium namque in tribulationibus ex scripturarum divinarum sensibus capimus.

**7** Possumus adhuc et *montes*, in quibus *salire* Verbum Dei dicitur et quasi liberius efferri, novum accipere testamentum, *colles* vero, de quibus quasi diu compressus et occultatus exiliit, veteris testamenti sentire volumina.

**8** Sed et apud Hieremiam venatores et piscatores, qui mittuntur capere homines ad salutem, in montibus et collibus eos capere dicuntur ; sic enim ait : *Ecce, mitto multos piscatores et multos venatores, et capient eos super omnem montem et super omnem collem*[j]. Quod ego magis ad futurum tempus in consummatione saeculi implendum puto, ut, cum missi fuerint angeli secundum evangelicam parabolam messis tempore, ut separent *frumenta a zizaniis*[k], qui excelsioris vitae et eminentioris fuerit conversa-

h. Ps 86, 1 || i. Ps. 120, 1 || j. Jér. 16, 16 || k. Cf. Matth. 13, 24-30.

1. Le thème de la montagne et de la plaine est constant. Toute montée évoque l'ascension spirituelle, toute descente, le relâchement. Il y a un symbolisme naturel qu'offrent d'elles mêmes les formes du relief et la configuration de la surface terrestre, et qu'exploitent au sens figuré toutes les langues. L'originalité de notre auteur est qu'il en ajoute un autre. Tel relief local, ayant servi de cadre à une scène de l'histoire sainte, participe à sa signification providentielle. Par l'autorité de l'Écriture, au symbolisme «naturel» d'un lieu du cosmos se superpose un symbolisme «historique» d'un temps de l'action divine révélatrice ; et le tout est une figuration visible d'états, d'actions, d'événements du monde spirituel. Au-delà de l'ordre de «la lettre» et de «l'histoire» se manifeste l'ordre de «l'esprit». Et cette interprétation se développe parfois avec grandeur, notamment pour les scènes

seigne à toi aussi à ne le chercher nulle part ailleurs que sur «les montagnes» de la Loi et des prophètes[1].

**6** Du reste, que soient appelées saintes toutes les montagnes, tu le trouveras mentionné en maints passages de l'Écriture, comme il est écrit dans les Psaumes[2] : «Ses fondations sont sur les montagnes saintes[h]», et encore : «J'ai levé les yeux vers les montagnes, d'où me viendra le secours[i].» En effet, le secours dans nos épreuves, nous le tirons des sens des divines Écritures.

**7** Nous pouvons encore regarder le Nouveau Testament aussi comme «des montagnes» sur lesquelles, dit-on, le Verbe de Dieu «saute», et pour ainsi dire se dégage plus librement, mais tenir les livres de l'Ancien Testament pour «des collines» hors desquelles il surgit, comme après avoir été longtemps tenu enfermé et caché.

**8** De plus, chez Jérémie, les chasseurs et les pêcheurs qui sont envoyés prendre des hommes pour les sauver, les capturent, dit-on, sur les montagnes et sur les collines. Il dit en effet : «Voici : j'envoie de nombreux pêcheurs, de nombreux chasseurs, et ils les attraperont sur toute montagne et sur toute colline[j].» A mon avis, cela doit plutôt s'accomplir au temps futur, à la consommation du siècle ; en sorte que, selon la parabole évangélique, quand les anges seront envoyés au temps de la moisson pour séparer «le bon grain de l'ivraie[k]», celui dont la vie et la conduite auront été d'une qualité supérieure et éminente soit trouvé

du Sinaï et du Thabor. Voir éd. des *HomEx.*, *SC* 321, p. 419-423, ma note complém. 11 : «Géographie symbolique». (M.B.)

2. Cf. «la montagne sainte de Yahvé», *Ps.* 2,6 ; 15,1 ; 24,3 ; 43,3. Le même *Ps.* 86,1 est cité dans *HomJér.* 12,12, et *HomNombr.* XV, 1 (voir la note 1 *ad loc.*, *SC* 29, p. 299). — A ces montagnes «lumineuses», s'opposent les montagnes «ténébreuses», cf. *Jér.* 13,16, figurant ceux qui «élèvent des hauteurs contre la connaissance de Dieu (*II Cor.* 10,5)», c'est-à-dire le diable, les princes de ce monde (*I Cor.* 2,6), le démon lunatique (*Matth.* 17,18.20) ; voir encore *ComMatth.* XIII, 7.

tionis, iste in *montibus* inveniatur aut in *collibus*, non inveniatur in humilibus et deiectis locis nec ibi ubi mixtus videatur esse zizaniis, sed in excelsioribus sensibus et in eminentia fidei positus, *salienti in montibus* Verbo Dei et *exilienti in collibus* semper adhaerens.

206 **9** Quod per aliam nihilominus parabolam, | sub eodem tamen intellectu dicitur in Evangelio : *Si quis in tecto est, non descendat tollere aliquid de domo*[1].

**10** Potest adhuc et alium nobis sensum praedives iste praesentis versiculi sermo suggerere. Possibile namque est omnem qui plena fide credit in Deum vel *montem* vel *collem* appellari, pro qualitate scilicet vitae et magnitudine intelligentiae ; etiamsi fuit aliquando vallis, *proficiente* in eo *Iesu aetate et sapientia et gratia*[m] *omnis vallis replebitur*[n] (superbi autem quique et elati ut montes et colles humiliabuntur, quoniam *Qui se exaltat humiliabitur, et qui se humiliat exaltabitur*[o]). De ipsis enim dicitur : *Qui confidunt in Domino sicut mons Sion*[p] et de Hierusalem dicitur : *Montes in circuitu eius*[q].

**11** Unde puto quod merito etiam Salvator noster, quoniam et ipse dicitur *lapis de monte excisus sine manibus et factus esse mons magnus*[r], sicut *rex regum*[s] et *pontificum pontifex*[t], potest etiam *mons montium* appellari.

**12** Verum ut etiam tertia expositio habeat locum, ad unamquamque animam sermo revocetur. Si qui sunt

l. Matth. 24, 17 || m. Cf. Lc 2, 52 || n. Cf. Lc 3, 5 || o. Lc 18, 14 || p. Ps. 124, 1 || q. Ps. 124, 2 || r. Cf. Dan. 2, 34-35 || s. I Tim. 6, 15 || t. Cf. Hébr. 4, 14.

---

1. Voir l'interprétation d'ensemble, *HomNombr.* XVII, 5.
2. Sur la naissance et la croissance du Verbe dans l'âme, cf. Prol. 2, 46, et note *ad loc.*
3. Glose de Rufin ou d'un copiste ? Elle interrompt l'enchaînement de la phrase précédente et de la suivante : *de ipsis* renvoie à la phrase précédente.

sur « les montagnes » et sur « les collines », ne soit pas trouvé dans des plaines et des bas-fonds, ni là où il semblerait être mêlé à l'ivraie, mais établi dans des pensées très élevées et au sommet de la foi, toujours adhérant au Verbe de Dieu qui « saute sur les montagnes et surgit sur les collines ».

**9** Cela est également dit dans l'Évangile par une autre parabole[1], néanmoins de même sens ; « Si quelqu'un est sur la terrasse, qu'il ne descende pas prendre quelque chose dans sa maison[l]. »

**10** Cette parole si riche du présent verset peut encore nous suggérer un autre sens. Car il est possible d'appeler quiconque croit en Dieu d'une foi complète « une montagne » ou « une colline », en raison évidemment de la qualité de sa vie et de la grandeur de son intelligence ; même s'il fut jadis une vallée, quand « Jésus progresse » en lui[2] « en âge, en sagesse, et en grâce[m] », « toute vallée sera comblée[n] ». (Au contraire[3], tous les orgueilleux et gens hautains comme « les montagnes » et « les collines » seront abaissés, puisque « celui qui s'exalte sera humilié et celui qui s'humilie sera exalté[o] »). Car de ceux-là il est dit : « Ceux qui se fient au Seigneur seront comme le mont Sion[p] », et on dit de Jérusalem[4] : « Des montagnes l'entourent[q]. »

**11** C'est pourquoi je pense que notre Sauveur aussi, puisqu'on le dit lui-même « une pierre détachée d'une montagne sans l'aide des mains, et devenue une grande montagne[r] », peut encore, au même titre que « Roi des rois[s] » et « Pontife des pontifes[t] », être appelé « Mont des monts ».

**Une source d'eau vive**

**12** Mais pour donner encore place à une troisième explication, rapportons la parole à chaque âme. S'il en est qui sont plus capables

4. Cf. *HomNombr.* XV, 1, fin ; mais *Ps.* 124,2 se traduit : « Des montagnes l'entourent (Jérusalem) », et non pas « sont dans son enceinte » (*SC* 29, p. 299).

capaciores Verbi Dei, *qui* ab Jesu *aquam sibi datam biberunt*, et haec *facta est in iis fons aquae vivae salientis in vitam aeternam*[u], in his scilicet in quibus Verbum Dei crebris sensibus et copiosis velut perennibus ebullit fluentis, in his vitae ac scientiae et doctrinae merito *montibus* et *collibus* effectis dignissime *salire* Verbum Dei dicitur et exilire factus in iis per affluentiam doctrinae *fons aquae vivae salientis in vitam aeternam*[u].

u. Cf. Jn 4, 14.

du Verbe de Dieu, «qui ont bu l'eau qui leur a été donnée» par Jésus, laquelle «s'est faite en eux une source d'eau vive jaillissant en vie éternelle[u]», c'est-à-dire ceux en qui le Verbe de Dieu, par des pensées nombreuses et abondantes, bouillonne pour ainsi dire en flots perpétuels, en ceux qui sont devenus, par le mérite de la vie, de la science et de la doctrine «des montagnes» et «des collines», le Verbe de Dieu, est-il dit très justement, saute et surgit, devenu en eux par l'abondance de la doctrine «une source d'eau vive jaillissant en vie éternelle[u]».

# Chapitre 13

## Le chevreuil et le faon des cerfs

*Cant.* 2, 9 a : *Mon Bien-Aimé est semblable au chevreuil et au faon des cerfs sur les montagnes de Béthel*

1-7 : dans l'Écriture, chevreuil et cerf sont au nombre des animaux purs, d'après le Deutéronome, le psaume vingt-huit, Job, les Proverbes ; 8 : invoquons Dieu pour saisir l'intention du Saint Esprit ; 9-26 : l'Apôtre enseigne que les réalités invisibles de Dieu sont comprises à partir des choses visibles ; est donné l'exemple du grain de sénevé ; la pensée de l'écrivain sacré s'exprime dans la Sagesse : elle parle de l'expérience humaine, mais en vue des réalités sacrées ; 27-30 : tout peut être transposé du visible à l'invisible ; 31-39 : les cerfs et la mise bas des biches ; 40-43 : le faon des cerfs ; 44-48 : le chevreuil ; 49-50 : comparaison du chevreuil et du cerf ; 51 : sur les montagnes de Béthel.

## 13

**1** *Similis est fraternus meus capreae, vel hinnulo cervorum in montibus Bethel*[a]. Caprea vel cervus, quod inter munda habeantur animalia, manifeste ex his quae in Deuteronomio scripta sunt indicatur ; est enim hoc modo scriptum : *Haec autem sunt animalia quae manducabitis : vitulum et agnum ex pecoribus, et hircum ex capris, cervum et capream et bubalum et tragelaphum et ibicem, et camelopardalum*[b]. (1

207 | **2** Sed et quod sanctus cervo comparetur, in multis scripturae divinae locis refertur, ut in psalmo ubi dicit : *Sicut cervus desiderat ad fontes aquarum, ita desiderat anima mea ad te, Deus*[c].

**3** Verumtamen in sermonibus quos ex Deuteronomio assumpsimus etiam hoc non negligenter considerandum videtur quam dignum in animalibus mundis enumerandis ordinem tenuit, ut primo *vitulum*, secundo *agnum*, tertio *hircum* scriberet. In his vero quae secundum eundem Moysen non offeruntur ad altare, primo *cervum*, secundo *capream* ponit, et ita post haec reliqua per ordinem scribit animantia. Quorum ratio his quibus abundantior *gratia*

a. Cant. 2, 9 || b. Deut. 14, 4.5 || c. Ps. 41, 2.

1. « Le bubale est un animal d'Afrique qui a quelque vague similitude avec le veau, ou plutôt avec le cerf », Pline, *nat.* 8, 38.

2. « Est de la même espèce que le cerf l'animal que l'on appelle tragélaphe ; il n'en diffère que par la barbe et la touffe de poils des épaules », Pline, *nat.* 8, 120. A propos du tragélaphe, c'est-à-dire du cerf (ἔλαφος) à barbe de bouc (τράγος), cf. *PArch.* IV, 3, 2, 49 et 62, et le commentaire *ad loc.* (*SC* 269, p. 196, n. 10).

# 13

**Dans l'Écriture**

**1** «Mon Bien-Aimé est semblable au chevreuil et au faon des cerfs sur les montagnes de Béthel[a].» Que le chevreuil ou le cerf soient comptés parmi les animaux purs, cela ressort à l'évidence de ce qui est écrit dans le Deutéronome ; car c'est écrit de cette manière : «Voici les animaux que vous mangerez : le veau et l'agneau parmi les bêtes des troupeaux, le bouc parmi les caprins, le cerf, le chevreuil, le bubale[1], le tragélaphe[2], le chamois, la girafe[3 b].»

**2** De plus, que le saint soit comparé au cerf, on le rapporte en bien des passages de l'Écriture divine, comme dans le psaume où il est dit : «Comme le cerf soupire après les sources d'eau, ainsi mon âme soupire après toi, ô Dieu[c].»

**3** Toutefois, dans les paroles que nous avons tirées du Deutéronome, il semble aussi que l'on ne doit pas considérer avec négligence combien il a gardé un ordre convenable dans l'énumération des animaux purs, pour inscrire en premier «le veau», en second «l'agneau», en troisième «le bouc». Mais parmi les animaux qui, selon le même Moïse, ne sont pas offerts à l'autel, il place en premier «le cerf», en second «le chevreuil», et ensuite après eux il inscrit dans l'ordre le reste des animaux. La raison en deviendra manifeste et évidente pour ceux à qui fut accordée par l'Esprit

3. *Camelopardalum* : «Cet animal a l'encolure du cheval, les pieds et les jarrets du bœuf, la tête du chameau, et des taches blanches semées sur un fond de couleur fauve, ce qui lui a fait donner le nom de *camelopardis* (chameau-léopard)», Pline, *nat.* 8, 69.

*spiritalis*[d] in dono scientiae concessa est per Spiritum sanctum manifesta et evidens fiet.

**4** Nobis interim, quoniam de cervo et caprea dicere nunc in expositione praesentis versiculi incumbit, conveniens videtur ex scripturis divinis congregare pro viribus quae de his animalibus referuntur, de quibus idem Moyses, cum de carnibus loqueretur quae in omni desiderio animae comederentur non oblatae ad altare, *sicut caprea*, inquit, *et cervus*[e].

**5** Egregium vero quid duodetricesimus psalmus, ubi de virtutibus et efficacia vocis Dei per ordinem scribit, de cervo hoc modo dicit : *Vox Domini perficientis cervos* — id est perfectos facientis cervos — *et revelabit condensa*[f]. Sicut enim *vox Domini intercidere* dicitur *flammam ignis* et *concutere desertum*[g], ita et *perficere cervos* ac *revelare condensa* memoratur.

**6** Sed et in Iob de cervo ita invenimus referri, ubi *Dominus ad Iob per turbinem loquitur et nubem*[h], ait ergo : *Aut observasti partus cervorum, aut numerasti menses eorum plenos ad partum, dolores autem eorum solvisti, aut nutristi eorum natos, aut sine doloribus partus eorum emittes? Abrumpent filii eorum, et multiplicabuntur in nativitate; exibunt, et non revertentur*[i].

**7** His adiungenda sunt etiam illa quae in Proverbiis legimus hoc modo : *Cervus amicitiarum et pullus gratiarum*

d. Cf. Rom. 1,11 || e. Cf. Deut. 12,21-22 || f. Ps. 28,9 || g. Cf. Ps. 28,7-8 || h. Cf. Job 38,1 || i. Cf. Job 39,1-4.

---

1. Cerf et chevreuil sont toujours nommés ensemble dans les Écritures, note Origène, *HomCant.* II, 11. Il cherche les passages bibliques nommant le cerf, pour trouver une signification spirituelle.

2. Dans la citation de *Job* 39,1-4, plusieurs mots de la Septante

Saint «une grâce spirituelle[d]» plus abondante dans le don de science.

**4** Pour nous cependant, puisqu'il nous incombe ici dans l'explication du présent verset de parler du cerf et du chevreuil[1], il semble opportun de rassembler selon nos forces à partir des divines Écritures les passages qui se rapportent à ces animaux à propos desquels le même Moïse, quand il parle de chairs qui, bien que non offertes à l'autel, «pourraient être mangées ... suivant tout le désir de l'âme», dit : «Comme le chevreuil et le cerf[e]».

**5** Le psaume vingt-huit dit quelque chose de remarquable sur le cerf, quand il écrit dans l'ordre au sujet des puissances et de l'efficacité de la voix de Dieu, et dit à propos du cerf : «Voix du Seigneur qui perfectionne les cerfs» — c'est-à-dire qui rend parfaits les cerfs — «et qui mettra à découvert les épais fourrés[f].» En effet, comme on dit : «la voix du Seigneur coupe par le milieu la flamme de feu» et «elle ébranle le désert[g]», ainsi on rapporte aussi : «elle perfectionne les cerfs et met à découvert les épais fourrés».

**6** De plus, dans Job nous trouvons une référence au cerf, quand «le Seigneur parle à Job au milieu de la tempête et de la nuée[h]»; il dit donc[2] : «As-tu observé les mises bas des biches, ou compté leurs mois de gestation jusqu'à la mise bas, as-tu supprimé leurs douleurs, ou nourri leurs nouveaux-nés, ou feras-tu naître leurs petits sans douleurs? Leurs petits se détacheront violemment, et ils se multiplieront à la naissance; ils s'en iront et ne reviendront plus[i].»

**7** A cela il faut ajouter encore ce que nous lisons dans les Proverbes : «Que le cerf ami, petit animal plein de

sont omis ou changés. En *Prov.* 5, 19, au paragraphe qui suit, le possessif a pu être omis (*pullus gratiarum tuarum*).

*loquatur tibi*[j]. Haec interim ad praesens de cervo nobis scripta occurrere potuerunt.

**8** Quae ob hoc assumpsimus, ut *loquamur non in doctrina humanae sapientiae, sed in doctrina Spiritus,* 208 *spirita|libus spiritalia comparantes*[k]. Et ideo invocemus Deum Patrem Verbi, quo nobis Verbi sui manifestet arcana sensumque nostrum removeat a *doctrina humanae sapientiae* et exaltet atque elevet ad doctrinam Spiritus, ut non ea quae sentit carnalis auditus, sed ea quae continet voluntas sancti Spiritus, proloquamur.

**9** Paulus nos Apostolus docet quod invisibilia Dei ex visibilibus intelligantur et ea quae non videntur ex eorum quae videntur[l] ratione et similitudine contemplentur, ostendens per haec quod visibilis hoc mundus de invisibili (1 doceat et *exemplaria* quaedam *caelestium*[m] contineat positio ista terrena, ut ab his quae deorsum sunt ad ea quae sursum sunt possimus adscendere atque ex his quae videmus in terris sentire et intelligere ea quae habentur in caelis. Ad quorum similitudinem quandam, quo facilius

j. Prov. 5, 19 || k. I Cor. 2, 13 || l. Cf. Rom. 1, 20; II Cor. 4, 18 || m. Cf. Hébr. 9, 23.

1. Un quatrième texte viendra à la mémoire de l'auteur au cours de son explication (§ 42).

2. *Ratio*, en grec λόγος, au sens probable, ici, de λόγος σπερματικός, principe spermatique ou germinal, « raison séminale ». Ainsi, en ces paragraphes, se mêleraient, également transposés et christianisés, ce thème stoïcien et celui de l'exemplarisme platonicien (cf. note suivante). « Les raisons séminales » pour le stoïcisme, sont reçues du *Logos* cosmique pour l'ordonnance de l'univers ; pour Origène, elles sont reçues du *Verbe* divin pour l'ordonnance du monde créé, avec ses deux ordres, sensible et intelligible. D'où l'insertion d'un thème origénien, celui de « l'image et de la ressemblance » : d'une part, entre le monde

grâces, s'entretienne avec toi[j].» Voilà pour le moment les textes qui ont pu se présenter à nous[1] concernant le cerf.

**Le visible et l'invisible**

**8** Nous avons choisi ces passages pour que «nous parlions, non avec une doctrine de l'humaine sagesse, mais avec une doctrine de l'Esprit, comparant les réalités spirituelles avec les réalités spirituelles[k]». Et c'est pourquoi, invoquons Dieu, le Père du Verbe, pour qu'il nous dévoile les secrets de son Verbe, pour qu'il éloigne notre pensée d'une «doctrine d'humaine sagesse», et l'élève et la hausse à «la doctrine de l'Esprit», afin que nous exposions, non ce que perçoit l'ouïe charnelle, mais ce que contient l'intention de l'Esprit Saint.

**9** L'apôtre Paul nous enseigne que les réalités invisibles de Dieu sont comprises à partir des choses visibles, et «les réalités qui ne se voient pas», contemplées à partir de «la raison séminale[2]» et de la ressemblance avec les choses qui se voient[l]. Il montre par là que ce monde visible instruit de l'invisible, et que ces choses terrestres contiennent certaines «copies des réalités célestes[m]», afin que nous puissions, de ces choses d'en-bas nous élever jusqu'aux réalités d'en-haut, et à partir de ce que nous voyons sur la terre percevoir et comprendre ce qui est dans les cieux. A une certaine ressemblance de ces réalités, afin que grâce à elles, puissent plus facilement être perçues et comprises les

et Dieu (ou le Verbe) qu'il rappelle (§ 10) ; de l'autre, entre les deux ordres du monde, qu'il développe (§§ 10-14). Voir la note complémentaire 22 : «Les raisons séminales». — L'auteur va mêler la vue platonicienne, selon laquelle le monde qui tombe sous les sens est le reflet du monde des Idées, à une donnée conforme à la Révélation : «Dans cet être subsistant de la Sagesse était virtuellement présente et formée toute la création future», *PArch.* I, 2, 2 (voir le commentaire *ad loc.*, *SC* 253, p. 35, n. 11).

colligi per haec ac sentiri possent diversitates creaturarum quae in terris sunt, similitudinem conditor dedit.

**10** Et fortassis, sicut *hominem* Deus *ad imaginem et similitudinem suam fecit*[n], ita etiam ceteras creaturas ad alias quasdam caelestes imagines per similitudinem condidit ; et fortasse in tantum singula quaeque quae in terris sunt habent aliquid imaginis et similitudinis in caelestibus, ut etiam *granum sinapis, quod minimum est in omnibus seminibus*[o], habeat aliquid imaginis et similitudinis in caelis.

**11** Et hoc quod talis ei quaedam composita est ratio naturae, ut, cum *minimum sit omnium seminum, maius fiat omnibus oleribus, ita ut possint venire aves caeli et habitare in ramis eius*[o], similitudinem ferat non solum alicuius caelestis imaginis, sed ipsius *regni caelorum*.

**12** Sic ergo possibile est etiam cetera semina quae sunt in terris ut habeant aliquid in caelestibus similitudinis ac rationis. Quod si semina, sine dubio et virgulta ; et si virgulta, sine dubio et animantia vel alitum vel repentium et quadrupedum.

209 **13** Sed et illud adhuc potest intelligi | quod sicut granum sinapis non unam similitudinem tenet regni caelorum ex habitatione avium in ramis suis, sed habet et aliam imaginem, perfectionis scilicet fidei, ita ut, si quis habeat fidem sicut granum sinapis, dicat monti transferre

n. Cf. Gen. 1, 26 || o. Cf. Matth. 13, 31-32.

---

1. Voilà donc une excellente expression de l'exemplarisme qui sous-tend toute la vision origénienne du monde (cf. *supra*, Prol. 1, 1, n. 2). De même que pour Platon le monde sensible est la projection des Idées sur la χώρα, de même pour Origène le monde des mystères est le modèle selon lequel est fait le monde sensible, qui est donc une image de ce monde supérieur. Et le péché consiste à s'arrêter à l'image, au reflet du mystère qu'elle porte, sans continuer sa route vers le mystère lui-même. Il est idolâtrie : il consiste à briser en quel-

variétés des créatures qui sont sur la terre, le Créateur a donné une ressemblance[1].

**Le grain de sénevé**

**10** Et peut-être Dieu, comme «il a fait l'homme à son image et à sa ressemblance[n]», a-t-il aussi créé toutes les autres créatures à la ressemblance de certaines autres images célestes. Et peut-être chacune des créatures qui sont sur terre a-t-elle quelque chose d'une image et d'une ressemblance dans les réalités célestes, au point que même «le grain de sénevé, qui est la plus petite parmi les semences[o]», a quelque chose d'une image et d'une ressemblance dans les cieux.

**11** Et le fait que pour elle est formée une telle «raison» de sa nature que, bien qu'elle soit «la plus petite de toutes les semences, elle devient plus grande que toutes les plantes potagères, au point que les oiseaux du ciel peuvent venir habiter dans ses branches[o]», porte une ressemblance, non seulement de quelque image céleste, mais «du royaume des cieux» lui-même.

**12** Ainsi donc, il est possible que les autres semences qui sont sur la terre aussi aient dans les réalités célestes quelque chose de leur ressemblance et de leur «raison[2]». Et si cela est vrai pour les semences, sans nul doute l'est-ce pour les plantes ; et si cela est vrai pour les plantes, sans nul doute l'est-ce pour les animaux : oiseaux, reptiles, quadrupèdes.

**13** De plus, on peut encore l'entendre de cette manière : de même que le grain de sénevé ne renferme pas une seule ressemblance du royaume des cieux, du fait que les oiseaux habitent dans ses branches, mais contient encore une autre image, à savoir celle de la perfection de la foi, en sorte que si on a de la foi comme un grain de sénevé, qu'on dise à

que sorte sur le sensible, qui est image et n'est qu'image, l'élan de l'âme.

2. Cf. *supra*, § 9, et note *ad loc.*

se, et transferet[p], ita possibile est ut etiam cetera non in uno aliquo, sed in pluribus speciem et imaginem caelestium ferant.

**14** Et cum plures sint, verbi gratia, in grano sinapis virtutes quae rerum caelestium imagines teneant, ultimus et extremus eius usus est iste qui habetur apud homines in ministerio corporali. Ita etiam in reliquis vel seminibus vel virgultis vel herbarum radicibus vel etiam in animantibus intelligi potest, ut usum quidem et ministerium hominibus praebeant corporale, habeant autem incorporalium rerum formas et imagines, quibus doceri anima possit et instrui ad contemplanda etiam ea quae sunt invisibilia et caelestia.

**15** Et hoc fortassis est quod ille scriptor divinae sapientiae dicit : *Ipse enim mihi dedit eorum quae sunt scientiam veram, ut sciam substantiam mundi et virtutes elementorum, initium et finem et medietatem temporum, vicissitudinum permutationes et conversiones temporum, anni circulos et stellarum positiones, naturas animalium et iras bestiarum, spirituum violentias et cogitationes hominum, differentias virgultorum et virtutes radicum ; sed et quaecumque sunt occulta et manifesta cognovi*[q].

**16** Vide ergo si possumus ex his Scripturae sermonibus ea quae discutere proposuimus lucidius evidentiusque (1 colligere. Etenim scriptor iste sapientiae divinae, cum singula quaeque enumerasset, ad ultimum dicit quia *occultorum et manifestorum* acceperit *scientiam*, ostendens sine dubio quod unumquodque eorum quae in manifesto

p. Cf. Matth. 17, 20 || q. Sag. 7, 17-21.

1. Cette science de la nature reste religieuse, puisque c'est la Sagesse divine qui l'enseigne. Elle n'est pas à concevoir selon le mode profane de la science actuelle. Origène exposait la φυσιολογία pour montrer l'action de Dieu sur la création, cf. Grégoire le Thaumaturge, *RemOr.* VIII.

une montagne de se déplacer, et elle se déplacera[p], de même il est possible que les autres choses aussi portent non sur un seul plan mais sur plusieurs, « la figure et l'image de réalités célestes ».

**14** Et comme, par exemple dans le grain de sénevé, il y a plusieurs propriétés qui contiennent des images de réalités célestes, la dernière et la plus infime est cet usage qu'on en fait chez les hommes pour un service corporel. De même aussi pour le reste des semences, des arbustes, des racines de plantes ou même pour les animaux, on peut comprendre qu'elles offrent bien aux hommes un usage et un service corporel, mais aussi qu'elles présentent des figures et des images de réalités incorporelles, par lesquelles l'âme peut être enseignée et formée pour contempler aussi les réalités invisibles et célestes.

**La pensée de l'écrivain sacré**

**15** Et c'est peut-être là ce que dit le scribe de la divine Sagesse : « Lui-même en effet m'a donné la véritable science[1] de ce qui existe, pour me faire connaître la substance du monde et les propriétés des éléments, le commencement, la fin et le milieu des temps, les retours des diverses phases, les rondes des saisons, les cycles de l'année et les positions des étoiles, les natures des animaux et les colères des bêtes, les puissances des vents et les pensées des hommes, les variétés des jeunes pousses et les vertus des racines ; de plus, tout ce qui est caché et manifeste, je l'ai appris[q]. »

**16** Vois donc si, à l'aide de ces paroles de l'Écriture, nous pouvons comprendre d'une manière plus claire et plus évidente ce que nous nous proposons d'expliquer. En effet, ce scribe de la Sagesse divine, après avoir énuméré chacune de ces connaissances, dit à la fin qu'il a reçu « la science de ce qui est caché et de ce qui est manifeste » : il montre sans nul doute que chacune des choses qui sont manifestes se

sunt referatur ad aliquid eorum quae in occulto sunt, id est singula quaeque visibilia habere aliquid similitudinis et rationis ad invisibilia.

**17** Quia ergo impossibile est homini in carne viventi agnoscere aliquid de occultis et invisibilibus, nisi imaginem aliquam et similitudinem conceperit de visibilibus, ob hoc arbitror quod ille qui *omnia in sapientia fecit*[r] ita creaverit unamquamque visibilium speciem in terris, ut
210 in his doctrinam quandam et | agnitionem rerum invisibilium et caelestium poneret, quo per haec adscenderet mens humana ad spiritalem intelligentiam et rerum causas in caelestibus quaereret, ut posset edocta per sapientiam Dei etiam ipsa dicere : *Quae in occulto sunt et quae in manifesto, cognovi*[s].

**18** Secundum haec quoque agnoscit et *substantiam mundi*, non solum hanc visibilem corporeamque, quae palam est, sed et illam incorpoream invisibilemque, quae in occulto est. Agnoscit etiam *elementa mundi* non solum visibilia, sed et invisibilia et utrorumque virtutes.

**19** Sed et *initium* quod ait et *finem*, ac *medietatem temporum*, initium ait visibilis quidem mundi, quod ante sex milia non integros annos initium designat Moyses, medietatem quoque secundum temporum rationem finemque illum qui speratur cum *caelum et terra transibit*[t].

**20** Secundum occultorum vero scientiam, initium illud quod intelligit is quem sapientia Dei docuerit, quod nulla possunt tempora, nulla saecula comprehendere, medieta-

r. Cf. Ps. 103, 24 || s. Sag. 7, 21 || t. Matth. 24, 35.

---

1. Cf. *supra*, § 9, et note *ad loc.*
2. A propos de cette date, voir Lawson, p. 351-352, n. 158 : références aux spéculations de l'ancienne patristique sur la durée du monde écoulée et ses époques, l'attente du second avènement du

rapporte à l'une des réalités qui sont cachées, c'est-à-dire que toutes les choses visibles ont un rapport de ressemblance et de «raison[1]» avec les réalités invisibles.

**17** Dès lors, parce qu'il est impossible à l'homme qui vit dans la chair de connaître quelque chose des réalités cachées et invisibles, s'il n'en a conçu quelque image et ressemblance à partir des choses visibles, pour ce motif, je pense que Celui qui «a tout fait avec sagesse[r]» a créé chaque espèce des choses visibles sur la terre de manière à présenter en elles une certaine doctrine et connaissance des réalités invisibles et célestes, afin que par elles la pensée humaine s'élève jusqu'à l'intelligence spirituelle et cherche les principes des choses dans les réalités célestes, de sorte que, instruite par la Sagesse de Dieu, elle aussi puisse dire : «Ce qui est caché et ce qui est manifeste, je l'ai appris[s].»

**18** D'après ce passage aussi il reconnaît également «la substance du monde», non seulement celle-ci, visible et corporelle, qui est à découvert, mais encore celle-là, incorporelle et invisible, qui est cachée. Il reconnaît aussi «les éléments du monde», non seulement les visibles mais encore les invisibles, et les propriétés des uns et des autres.

**19** De plus, quand il parle «du commencement, de la fin et du milieu des temps», il parle, certes, du commencement du monde visible, que Moïse situe il n'y a pas six mille ans complets[2], et aussi du milieu, d'après le calcul des temps, et de cette fin qui est espérée lorsque «passeront le ciel et la terre[t]».

**20** Mais d'après la science des réalités cachées, il s'agit de ce commencement que comprend celui qu'a instruit la Sagesse de Dieu, et qu'aucun temps, aucun siècle ne

Christ ou parousie, le millénarisme, etc., avec renvoi à «l'excellente étude» de J. Daniélou, «La typologie millénariste de la semaine dans le christianisme primitif», *VigChrist.* 2 (1948), p. 1-16. (M.B.)

tem vero haec quae nunc sunt, finem vero ea quae futura sunt, id est perfectionem consummationemque universitatis, quae tamen ex his visibilibus intellegi possunt et conici.

**21** Sed et *vicissitudinum permutationes et temporum conversiones et anni circulos* ex his *quae videntur*[u] refert ad invisibiles rerum incorporalium permutationes ac vicissitudines. *Circulos* quoque *annorum* temporalium et praesentium refert ad antiquiores aliquos ac sempiternos annos secundum eum qui dicebat : *Et annos aeternos in mente habui*[v].

**22** Sed et *stellarum positiones*[w] non dubitabit ab his quae palam videntur referre ad illa quae in occultis sunt, qui *occultorum manifestorumque scientiam* meruit, et dicet esse aliquod sanctorum genus quod de Abraham praecipue stirpe descendit, *sicut stellas caeli*[x]. Sed et resurrectionis futurae gloriam stellas esse secundum *occultorum scientiam* pronuntiabit sequens eum qui dixit : *Alia gloria solis, alia gloria lunae et alia gloria stellarum; stella enim a stella*
211 *differt in gloria. Ita | et resurrectio mortuorum*[y].

**23** Secundum haec intellige mihi etiam illud quod ait : *Naturas animalium irasque bestiarum*[z]; nisi enim bene (1 scisset *naturas animalium*, numquam dixisset in evangeliis Salvator : *Dicite vulpi huic*[aa], neque Iohannes de quibusdam dixisset : *Serpentes generatio viperarum*[ab], sed neque propheta diceret de nonnullis quod : *Equi admissarii facti sunt*[ac], et item alius : *Homo cum in honore esset, non*

u. Cf. II Cor. 4,18 || v. Ps. 76,6-7 || w. Cf. Sag. 7,19 || x. Cf. Gen. 22,17 || y. I Cor. 15,41-42 || z. Sag. 7,20 || aa. Lc 13,32 || ab. Matth. 3,7 || ac. Jér. 5,8.

1. Cf. la note complémentaire 23 : «Les astres».
2. Pour l'interprétation de *Lév.* 26,6 : «Je chasserai de votre terre les bêtes mauvaises», voir *HomLév.* XVI, 6.

peuvent contenir; le milieu est ce qui existe maintenant; la fin est ce qui sera, c'est-à-dire la perfection et la consommation de l'univers; choses qui cependant peuvent être comprises et devinées à partir de ces réalités visibles.

**21** De plus «les retours périodiques, les rondes des saisons et les cycles de l'année», l'auteur les reporte «des choses qui se voient[u]» aux périodes et aux retours invisibles des réalités incorporelles. «Les cycles des années» temporelles et actuelles, il les reporte à des années plus anciennes et éternelles, d'après celui qui disait : «Et j'ai eu dans ma pensée les années éternelles[v].»

**22** Pour les «positions des étoiles[w]»[1], il n'hésitera point à renvoyer de ces étoiles qui se voient à découvert à celles qui sont cachées, lui qui a mérité «la science de ce qui est caché et de ce qui est manifeste» : il dira qu'elles sont une certaine race de saints qui descend en priorité de la souche d'Abraham, «comme les étoiles du ciel[x]». En outre, d'après «la science des réalités cachées», il déclarera que les étoiles sont l'éclat de la résurrection future, à la suite de celui qui a dit : «Autre est l'éclat du soleil, autre l'éclat de la lune, et autre l'éclat des étoiles; car une étoile diffère en éclat d'une autre étoile. Ainsi en est-il pour la résurrection des morts[y].»

**23** D'après cela comprends avec moi encore ce qu'il mentionne : «les natures des animaux et les colères des bêtes[2] sauvages[z]». En effet, s'il n'avait pas connu à fond «les natures des animaux», jamais le Sauveur n'aurait dit dans les Évangiles : «Dites à ce renard[aa].» Ni Jean n'aurait dit de certains : «Serpents, race de vipères[ab].» Ni le prophète non plus ne dirait de quelques-uns : «Ils sont devenus des étalons en rut[ac]»; et un autre pareillement : «L'homme, alors qu'il était bien considéré, n'a pas

*intellexit; comparatus est iumentis insipientibus et similis factus est illis*[ad].

**24** Sed et ille diligenter agnoverat *iras bestiarum*[ae], qui dicebat : *Furor illis secundum similitudinem serpentis, sicut aspidis surdae et obturantis aures suas*[af]. Haec erit ratio etiam de eo quod ait : *spirituum violentias*[ag], visibiliter quidem de ventis et flatibus aeris, invisibiliter vero de violentiis immundorum spirituum loquens, quos et Paulus *ventos doctrinae*[ah] nominavit.

**25** Post haec iam sequitur ut et *cogitationes hominum sciat*[ai] corporaliter quidem, quae *de humano corde procedunt*[aj], invisibiliter autem intelligat eos qui iniciunt hominibus malas et pessimas cogitationes, sicut in Evangelio scriptum est : *Cum diabolus misisset in cor Iudae Scariotis, ut traderet* Dominum[ak], et ut in Proverbiis dicitur : *Si spiritus potestatem habentis adscenderit super te, locum tuum non derelinquas, quia sanitas compescit peccata magna*[al].

**26** Sed et bonarum cogitationum est aliquis auctor; propter quod et in psalmis puto scriptum : *Beatus homo cuius est auxilium abs te, Domine; ascensus in corde eius disposuit*[am], et iterum : *Cogitatio hominis confitebitur tibi, et reliquiae cogitationum diem festum agent tibi*[an].

ad. Ps. 48, 13 || ae. Cf. Sag. 7, 20 || af. Ps. 57, 5 || ag. Sag. 7, 20 || ah. Éphés. 4, 14 || ai. Sag. 7, 20 || aj. Cf. Mc 7, 21 || ak. Jn 13, 2 || al. Eccl. 10, 4 || am. Ps. 83, 6 || an. Ps. 75, 11.

---

1. Ailleurs, chevaux et chars signifient les passions corporelles : impureté, sensualité, orgueil et inconstance, *HomJos.* XV, 3 (*SC* 71, p. 336-339). C'est le thème origénien des « images bestiales » que le péché met sur l'homme, cachant sa participation à l'image de Dieu. Images bestiales analogues aux images diaboliques, car les démons, par un libre choix de leur volonté, sont devenus, de λογικά, raisonnables, qu'ils étaient, ἄλογα, déraisonnables, des « bêtes » spirituelles, n'ayant plus la force d'adhérer au Verbe Raison.

compris ; il a été comparé aux bêtes de somme stupides [1] et il leur est devenu semblable [ad]. »

**24** De plus, il connaissait bien « les colères des bêtes sauvages [ae] » celui qui disait : « Leur fureur ressemble à celle du serpent, à celle de l'aspic sourd qui se bouche les oreilles [af]. » Telle sera aussi la manière de raisonner pour ce qu'il dit : « les pouvoirs des esprits [ag] », parlant des vents et des souffles de l'air dans le monde visible, mais dans l'invisible des esprits impurs que Paul appelle « des vents [2] de doctrine [ah] ».

**25** Il s'ensuit alors que dans l'ordre corporel « il sait » aussi « les pensées des hommes [ai], qui viennent du cœur humain [aj] », mais dans l'ordre invisible il entend ceux qui inspirent aux hommes des pensées mauvaises et perverses, comme il est écrit dans l'Évangile : « Alors que le diable [3] avait mis au cœur de Judas Iscariote le dessein de livrer » le Seigneur [ak], et comme il est dit dans les Proverbes : « Si l'esprit de celui qui détient le pouvoir s'élève contre toi, ne quitte pas ta place, car le bon sens arrête de grands péchés [al]. »

**26** De plus, il y a un inspirateur des bonnes pensées ; c'est pourquoi, je pense, il est écrit aussi dans les Psaumes : « Heureux l'homme dont le secours vient de toi, Seigneur ; il a disposé des montées dans son cœur [am]. » Et encore : « La pensée de l'homme te louera, et ce qui lui reste de pensées te célèbrera un jour de fête [an]. »

2. *Spiritus*, comme πνεῦμα, signifie souffle, vent, et, chez les Pères, esprit, en dépendance de la *ruah* hébraïque plutôt que du πνεῦμα stoïcien. La différence est que le premier est divin et immatériel, tandis que le second est d'une matérialité subtile et ténue.

3. A l'action des démons sur les hommes est consacré dans le *Peri Archôn* le septième des traités du second cycle (*PArch.* III, 2-4). La citation d'*Ecclésiaste* 10, 4 s'y trouve plusieurs fois. Il y est aussi traité du discernement des esprits.

**27** Ita igitur cuncta secundum ea quae praefati sumus ex visibilibus referri possunt ad invisibilia et a corporali-
212 bus ad incorporea et a manifestis ad oc|culta, ut ipsa creatura mundi tali quadam dispensatione condita intelligatur per divinam sapientiam, quae rebus ipsis et exemplis invisibilia nos de visibilibus doceat et a terrenis nos transferat ad caelestia.

**28** Haec autem rationes non solum in creaturis omnibus habentur, sed et ipsa scriptura divina tali quadam sapientiae arte conscripta est. Propter quaedam namque occulta et mystica visibiliter populus *educitur de Aegypto*[ao] ista terrena et iter agit per desertum, ubi serpens mordens et scorpius et sitis, ubi non erat aqua et cetera quae in his gesta referuntur[ap]. Quae omnia, ut diximus, occultorum quorundam formas et imagines tenent.

**29** Et hoc non in scripturis tantum veterum, sed et in gestis Domini et Salvatoris nostri, quae in evangeliis referuntur, invenies.

**30** Igitur si omnia quae in manifesto sunt, secundum ea quae superius approbavimus, ad aliqua referuntur quae in occulto sunt, consequens sine dubio est, ut *cervus* iste visibilis vel *caprea*[aq], quae in Cantico Canticorum scribitur, secundum rationem naturae suae, quam corporaliter gerunt, referantur ad aliquas rerum incorporalium causas, (1

ao. Cf. Ex. 3, 10 || ap. Cf. Deut. 8, 15 || aq. Cf. Cant. 2, 9.

1. «Le symbolisme de la sortie d'Égypte se comprend de deux manières, nos prédécesseurs l'ont dit et nous l'avons souvent répété. Quand des ténèbres de l'erreur on est conduit à la lumière de la connaissance, quand d'une vie terrestre on se convertit aux débuts de la vie spirituelle, on sort de l'Égypte et on vient au désert ... Mais la sortie d'Égypte figure aussi l'abandon par l'âme des ténèbres de ce monde ... et son voyage vers un autre monde», *HomNombr*. XXVI, 4; voir les notes *ad loc.*, *SC* 29, p. 501-502.

**L'interprétation spirituelle**

**27** Ainsi donc, selon ce que nous avons dit auparavant, tout peut être transposé du visible à l'invisible, du corporel à l'incorporel, de ce qui est manifeste à ce qui est caché ; c'est pour faire comprendre que la création du monde elle-même a été faite par la divine Sagesse selon une économie telle que, par les choses et les figures, à partir des choses visibles, elle nous enseigne les réalités invisibles, et des choses terrestres nous fait passer aux réalités célestes.

**28** Or, ces relations ne se trouvent pas seulement dans toutes les créatures, mais l'Écriture divine elle-même fut rédigée par un tel art de la sagesse. Car c'est en raison de réalités cachées et mystiques que, dans l'ordre visible, le peuple « est tiré de cette Égypte [ao] » terrestre, et chemine à travers le désert, où se trouvent le serpent qui mord, le scorpion et la soif, où il n'y avait pas d'eau, et tous les autres faits qu'on rapporte dans ces passages [ap]. Toutes ces choses, comme nous avons dit, contiennent des figures et des images de certaines réalités cachées [1].

**29** Et cela, tu le trouveras non seulement dans les Écritures des anciens, mais encore dans les faits et gestes de notre Seigneur et Sauveur rapportés dans les Évangiles.

**Application aux exemples cités**

**30** Par conséquent, si tout ce qui est manifeste, d'après ce que nous avons prouvé plus haut, se rapporte à des choses qui sont cachées, il s'ensuit à n'en pas douter que ce cerf et ce chevreuil visibles, dont on parle dans le Cantique des cantiques [aq], selon « la raison [2] » de leur nature, qu'ils font paraître dans l'ordre corporel, renvoient à certaines origines des réalités incorporelles ; en sorte qu'à

2. *Ratio* : cf. *supra* § 9, la note.

ut illis occultis et invisibilibus cervis videatur posse convenire quod dictum est : *Vox Domini perficientis cervos*[ar].

**31** Quae enim perfectio ex voce Domini fiat istis visibilibus cervis ? Aut quae ad eos doctrina umquam ex Domini voce descendit ? Si vero spiritales cervos quaeramus, quorum formam et imaginem tenet istud animal corporale, illos invenias ad summam perfectionis ex voce Domini posse perduci.

**32** Sed et quorum *cervorum* Dominum *servare* decuerit *partus*[as] et velut medendi officia praebentem parturientibus adstare convenerit, donec parerent filios tales, qui adversarentur et persequerentur serpentium genus, ut dignum est divina maiestate, debemus advertere ; qualium *cervorum* Deum decet *servare partus*, ne in aborsum
213 scilicet decidant, sed et | *menses eorum numerare plenos ad partum*[at], eorumque labores et dolores custodire, ut generationes eorum non cadant in vanum, sed ut perfecta sit eorum nativitas et tamdiu parturiant *donec formetur Christus in iis*[au].

**33** Huiusmodi igitur cervorum pullos ipse Dominus nutrit, eorum dumtaxat qui iactant in Domino cogitationem suam, ut ipse eos nutriat[av] et ipse servet dolores partus eorum[aw], cum *ex timore Dei in ventre conceperint et parturierint et spiritum salutis pepererint*[ax]. Huiusmodi partus dolores ipse Dominus servat et curat.

**34** Sed et emittit dolores eorum, ut *euntes eant et fleant*

ar. Ps. 28, 9 || as. Cf. Job 39, 1 || at. Job 39, 2 || au. Cf. Gal. 4, 19 || av. Cf. Ps. 54, 23 || aw. Cf. Job 39, 2 || ax. Cf. Is. 26, 18.

---

1. Sur ce thème origénien, cf. *supra*, Prol. 2, 46, et note *ad loc.*

ces cerfs cachés et invisibles semble pouvoir s'appliquer la parole : « Voix du Seigneur qui perfectionne les cerfs [ar]. »

**Les cerfs**

**31** En effet, quelle perfection viendrait-elle de la voix du Seigneur à ces cerfs visibles ? Ou quelle doctrine est-elle jamais descendue à eux de la voix du Seigneur ? Mais si nous cherchons des cerfs spirituels, dont cet animal corporel porte la figure et l'image, tu découvriras que ceux-ci peuvent être conduits au sommet de la perfection par la voix du Seigneur.

**32** En outre, de quelles biches aura-t-il fallu que le Seigneur surveille la mise bas [as] et, comme s'il offrait l'aide de ses soins, aura-t-il été opportun qu'il assiste les biches en travail jusqu'à ce qu'elles enfantent des petits capables de combattre et de harceler la race des serpents, comme il est digne de la majesté divine, nous devons le remarquer. De quelles biches sied-il à Dieu de surveiller la mise bas, de peur bien entendu qu'elles ne périssent au cours d'un avortement, et aussi « de compter leurs mois de gestation jusqu'à la mise bas [at] » et de veiller sur leurs travaux et douleurs pour que leurs générations ne périssent en vain, mais que leur naissance soit parfaite, et pour qu'elles les enfantent [1] assez longtemps « jusqu'à ce que le Christ soit formé en elles [au] ».

**33** Le Seigneur lui-même nourrit donc les petits des biches de ce genre, c'est-à-dire de ceux qui jettent leur pensée dans le Seigneur pour qu'il les nourrisse [av], et que lui-même préserve des douleurs de leur accouchement [aw], quand « ils ont conçu de la crainte de Dieu, qu'ils ont enfanté et mis au monde l'Esprit du salut [ax] ». Un accouchement de ce genre, Dieu le préserve des douleurs et il en prend soin.

**34** De plus, il laisse libre cours à leurs douleurs, afin que « s'en allant ils s'en aillent en pleurant, portant leurs

*portantes semina sua*[ay] et *sint in doloribus hominum ac flagellentur cum hominibus, ne forte teneat eos superbia*[az].

**35** Isti quoque ipsi cervi *abrumpunt*, ut ait, *natos suos*[ba]. Quos enim *genuerint per Evangelium*[bb], abrumpunt eos a vinculis peccatorum et a *laqueis diaboli*[bc], ne ultra voluntati eius teneantur obstricti.

**36** Isti etiam *multiplicabuntur et*, ut ait, *non revertentur*[bd]. Non enim imitabuntur uxorem Lot[be], non redibunt retrorsum ; sciunt enim quia *qui mittit manum suam in aratrum, si retro respexerit, aptus non erit regno caelorum*[bf], sed semper, *quae retro sunt obliviscuntur, et in ea quae ante sunt se extendunt*[bg]. Tales ergo *cervos vox Domini facit perfectos*[bh].

**37** Quae *vox Domini*, nisi illa quae in lege et prophetis habetur et pervenit usque ad Iohannem, qui erat *vox clamantis in deserto*[bi]? Et ipsa enim *vox* Iohannis, qui dicebat : *Parate vias Domini, rectas facite semitas Dei nostri*[bi], *perfectos faciebat cervos*, ut essent *perfecti in eodem sensu et in eadem scientia*[bj]. Qui enim talis est, merito dicit : *Sicut cervus desiderat ad fontes aquarum, ita desiderat anima mea ad te, Deus*[bk].

**38** Cervus quoque *amicitiarum*[bl] quis alius videbitur nisi ille qui perimit *serpentem* illum qui *seduxerat Evam*[bm] et alloquii sui flatibus peccati in eam venena diffundens 214 omnem posteritatis eius | subolem contagio praevaricationis infecerat, et venit *solvere inimicitias in carne sua*[bn], quas inter Deum et hominem noxius mediator effecerat?

ay. Ps. 125, 6 || az. Cf. Ps. 72, 5-6 || ba. Cf. Job 39, 3 || bb. Cf. I. Cor. 4, 15 || bc. Cf. I Tim 3, 7 || bd. Cf. Job 39, 4 || be. Cf. Gen. 19, 26 || bf. Lc 9, 62 || bg. Cf. Phil. 3, 13 || bh. Cf. Ps. 28, 9 || bi. Matth. 3, 3 || bj. Cf. I Cor. 1, 10 || bk. Ps. 41, 2 || bl. Cf. Prov. 5, 19 || bm. Cf. II Cor. 11, 3 || bn. Cf. Éphés. 2, 14-15.

1. A propos de la femme de Lot est cité le même verset de Luc en *HomGen*. V, 2.

semences[ay]», et «qu'ils aient part aux douleurs propres aux humains et soient tourmentés avec les hommes, de crainte que d'aventure l'orgueil ne les tienne[az]».

**35** Ces gens aussi — ces biches —, dit-on, «détachent violemment leurs nouveaux-nés[ba]». Car ceux qu'ils «ont engendrés par l'Évangile[bb]», ils les détachent violemment des liens des péchés et des «filets du diable[bc]», pour qu'ils ne soient plus maintenus attachés à sa volonté.

**36** En outre, «ils se multiplieront et», comme il est dit, «ils ne reviendront plus[bd]». En effet, ils n'imiteront pas la femme de Lot[be], ils ne reviendront pas en arrière[1]; car ils savent que «celui qui a mis la main à la charrue, s'il regarde en arrière, sera inapte au royaume des cieux[bf]»; mais sans cesse «ils oublient ce qui est en arrière et se tendent vers ce qui est en avant[bg]». Ainsi donc tels sont «les cerfs» que «la voix du Seigneur rend parfaits[bh]».

**37** Qu'est «la voix du Seigneur» sinon celle qui retentit dans la Loi et les prophètes et parvint jusqu'à Jean[2], qui était «la voix criant dans le désert[bi]»? De fait la voix même de Jean, qui disait : «Préparez les voies du Seigneur, rendez droits les sentiers de notre Dieu[bi]», rendait parfaits les cerfs pour qu'ils soient «parfaits dans une même pensée et une même science[bj]». Qui est tel, en effet, pour dire avec raison : «Comme le cerf soupire après les sources d'eaux, ainsi mon âme soupire après toi, ô Dieu[bk].»

**38** Et aussi ce «cerf ami[bl]», quel autre semblera-t-il être sinon Celui qui mit à mort ce serpent qui avait séduit Ève[bm] et, versant en elle les venins du péché par l'haleine qui accompagnait sa parole, avait infecté de la souillure de la transgression toute la postérité qui allait sortir d'elle : Celui qui vint «abolir dans sa chair les inimitiés[bn]» que le nuisible médiateur avait tissées entre Dieu et les hommes?

2. Jean-Baptiste est en effet pour Origène le sommet et même le symbole de l'A.T.

**39** *Pullus* vero *gratiarum*[bo] potest accipi Spiritus sanctus, a quo sitientes et desiderantes Deum *spiritales gratias*[bp] et dona caelestia consequuntur.

**40** Haec autem omnia a nobis dicta sunt, ut manifestior fieret causa, qua sponsa comparare videtur *fraternum* suum *hinnulo cervorum*[bq]. Quod si etiam hoc requirendum est, cur non cervo, ut in aliis, sed *hinnulo cervorum* comparatur, illud adverte quod, *cum in forma Dei esset*[br], *Filius datus est nobis et puer natus est nobis, cuius potestas super humerum eius*[bs]. Ideo ergo *hinnulus cervorum* est, quia parvulus *puer natus est.*

**41** Et forte possunt *cervi* accipi sancti quique, ut Abraham et Isaac et Iacob et David et Solomon et omnes, ex quorum semine *Christus secundum carnem*[bt] descendit. Quos *cervos vox Domini perfectos fecit*[bu] et ipsorum est *hinnulus* iste qui *ex ipsis secundum carnem*[bv] *natus est puer*[bw].

**42** Movet me etiam illud quod in centesimo tertio psalmo scriptum est, ubi ait : *Montes excelsi cervis*[bx]. Et quidem de *cervis* iam superius diximus quod sancti quique accipiantur, qui ob hoc in hunc mundum venerint ut serpentis venena perimerent. Qui autem sunt *montes excelsi* videamus, qui quasi solis cervis sequestrati videntur et ad quos, nisi cervus sit aliquis, non possit adscendere. Ego puto quod scientiam Trinitatis *montes excelsos* appellaverit, ad cuius capacitatem nullus, nisi *cervus* efficiatur, adscendit.

bo. Cf. Prov. 5,19 || bp. Cf. Rom. 1,11 || bq. Cf. Cant. 2,9 || br. Cf. Phil. 2,6 || bs. Is. 9,5 || bt. Rom. 9,5 || bu. Cf. Ps. 28,9 || bv. Cf. Rom. 9,5 || bw. Is. 9,5 || bx. Ps. 103,18.

---

1. «L'Esprit Saint a fort heureusement comparé l'Époux non au cerf, mais au faon des cerfs. En cela tout à la fois il fait mention des Pères dont le Christ descend selon la chair, et il rappelle l'enfance du

**39** Quant au «petit animal plein de grâces[bo]», il peut être compris comme l'Esprit Saint, de qui ceux qui ont la soif et le désir de Dieu obtiennent «grâces spirituelles[bp]» et dons célestes.

**Le faon des cerfs**

**40** Or nous avons dit tout cela pour rendre plus évidente la raison pour laquelle l'Épouse semble comparer son «Bien-Aimé au faon des cerfs[bq]». S'il faut encore chercher pourquoi on le compare, non au cerf, comme en d'autres passages, mais «au faon des cerfs», note bien ce fait : «Alors qu'il était de condition divine[br]», «un Fils nous fut donné, un Enfant nous est né, dont l'empire est sur son épaule[bs].» Voilà pourquoi il est «un faon des cerfs» : «il est né» tout petit «enfant».

**41** Et peut-être que l'on peut voir dans «les cerfs» chacun des saints, tels Abraham, Isaac, Jacob, David, Salomon, et tous ceux de la semence desquels descendit «le Christ selon la chair[bt]». Ces «cerfs, la voix du Seigneur les rendit parfaits[bu]», et il est leur «faon[1]», cet «enfant» qui «est né[bw] d'eux selon la chair[bv]».

**42** M'impressionne encore ce qui est écrit dans le psaume cent-trois : «Aux cerfs, les hautes montagnes[bx]». Certes, par «les cerfs», nous avons déjà dit plus haut[2], qu'on entend tous les saints qui sont venus dans ce monde pour détruire les venins du serpent. Mais voyons quelles sont «les hautes montagnes» qui semblent pour ainsi dire réservées aux seuls cerfs et où, à moins d'être un cerf, on ne peut s'élever. Pour moi, je pense qu'on a nommé «hautes montagnes» la science de la Trinité à la capacité de laquelle, à moins d'être devenu «un cerf», nul ne s'élève.

Sauveur. C'est en effet comme un faon qu'apparaît le tout petit enfant qui nous est né», BERNARD, *SSC* 55, 2.

2. Sans doute au paragraphe précédent.

**43** Sed idem ipsi qui hic *montes excelsi* pluraliter appellantur, in aliis *mons excelsus* singulariter dicitur, sicut Esaias ait : *In montem excelsum ascende, qui evangelizas Syon; exalta in fortitudine vocem tuam, qui evangelizas Hierusalem*[by]. Idem namque ipse qui ibi Trinitas propter distinctionem personarum, hic unus Deus intelligitur pro unitate substantiae. Satis sint ista de *hinnulo cervorum*.

**44** Nunc videamus quomodo etiam *capreae* vel damulae comparetur *fraternus*. Hoc animal, quantum ad graeca vocabula, nomen a videndo atque acrius prospiciendo sortitum est. Et quis est qui ita videat ut videt Christus? |
215 Solus namque est qui *videt* vel agnoscit *Patrem*[bz].

**45** Nam et si dicantur *hi qui mundi sunt corde Deum visuri*[ca], videbunt ipso sine dubio revelante, quia et caprea habet in natura sua, ut non solum ipsa videat et perspiciat acerrime, sed et aliis visum praebeat. Asserunt namque hi quibus medicinae peritia est, inesse huic animali intra viscera humorem quendam, qui caliginem depellat oculorum et obtunsiores quosque visus exacuat. Merito igitur capreae vel damulae Christus comparatur, quia non solum ipse videt Patrem, sed et videri ab his facit quorum visus ipse curaverit.

**46** Observa autem ne audiens Patrem videri[cb] corporeum aliquid sentias et Deum visibilem putes. Visus, quo

by. Is. 40, 9 || bz. Cf. Jn 6, 46 || ca. Cf. Matth. 5, 8 || cb. Cf. Jn 14, 9.

---

1. Cette remarque est probablement de Rufin. Le terme grec de πρόσωπον qui aura pour équivalent latin *persona* n'a jamais ce sens chez Origène, et cette phrase traduit une vision ontologique de la Trinité, celle du concile de Nicée, alors qu'Origène se pose la question sous une forme non pas ontologique, mais dynamique. Cf. CROUZEL, *Origène*, p. 229 et 237 s.

2. Le terme grec δορκάς — de δέρχομαι, parfait δέδορχα, regarder — s'applique au chevreuil, à la gazelle, à l'antilope. Origène en donnera l'étymologie. « Nous disons que le δορκάς — c'est-à-dire le chevreuil —, selon la physiologie de ceux qui dissertent sur la nature de

**43** Mais ceux-là mêmes qu'on appelle ici au pluriel «hautes montagnes», on le dit ailleurs au singulier «haute montagne», comme déclare Isaïe : «Monte sur une haute montagne, toi qui annonces la bonne nouvelle à Sion. Hausse avec force ta voix, toi qui annonces la bonne nouvelle à Jérusalem [by].» Car celui-là même qui est compris là comme Trinité en raison de la distinction des personnes [1], l'est ici comme un Dieu unique à cause de l'unité de la substance. Voilà qui suffit au sujet «du faon des cerfs».

**Le chevreuil**

**44** Voyons maintenant comment «le Bien-Aimé» est aussi comparé «au chevreuil» ou au daim. Cet animal, en référence aux termes grecs, doit son nom à sa vue et à son regard très perçants [2]. Et quel est celui qui voit comme voit le Christ? Car il est le seul [3] qui «voit» ou reconnaît «le Père [bz]».

**45** Car si l'on dit que «ceux qui sont purs de cœur vont voir Dieu [ca]», ils le verront sans nul doute grâce au Christ révélateur, car le chevreuil aussi tient de sa nature, non seulement de voir lui-même et d'examiner avec une très grande acuité, mais encore de procurer la vue aux autres. En effet ceux qui ont l'expérience de la médecine l'assurent : il y a dans les entrailles de cet animal une certaine humeur qui chasse l'obscurité des yeux et rend aigus les regards les plus émoussés. C'est donc avec raison que le Christ est comparé au chevreuil ou au daim, car non seulement lui-même voit le Père, mais encore il fait en sorte que le voient ceux dont il aura guéri la vue.

**46** Mais veille, en entendant : «Voir le Père [cb]», à ne pas comprendre quelque chose de corporel, et croire Dieu

tous les animaux, a reçu son nom d'une faculté qui se trouve en lui. On l'appelle δορκάς en raison de sa grande acuité visuelle», *HomCant.* II, 11.

3. «Qui a le regard plus aigu que le Christ, lui qui voit le Père, celui que personne ne voit?», AMBROISE, *in psalm. 118*, 6, 12.

Deus videtur, non est corporis, sed mentis et spiritus. (1) Quod et ipse Salvator in Evangelio vocabulo proprio distinguens non dixit : Nemo vidit Patrem nisi Filius, sed : *Nemo novit Patrem nisi Filius*[cc]. Denique et his quos facit Deum videre dat *Spiritum scientiae* et *Spiritum sapientiae*[cd], ut per ipsum Spiritum[ce] videant Deum. Et ideo dicebat ad discipulos quia : *Qui me vidit, vidit et Patrem*[cf].

**47** Et utique non ita inepti erimus, ut putemus quod qui secundum corpus Iesum vidit, viderit etiam Patrem ; alioquin inveniuntur et *Scribae et Pharisaei, hypocritae*[cg], et *Pilatus*, qui eum *flagellis cecidit*[ch], et omnis ille populus, qui clamabat : *Crucifige, crucifige eum*[ci], videntes Iesum secundum carnem[cj] etiam Deum Patrem vidisse. Quod utique non solum absurdum videtur esse, sed et impium.

**48** Sicut enim, cum turbae eum comprimerent euntem cum discipulis, nullus eorum qui premebant et coarctabant eum tetigisse eum dicitur, nisi illa sola quae profluvium sanguinis[ck] passa venit et tetigit fimbriam vestimenti eius, et ipsi soli testimonium perhibet dicens quia : *Tetigit me aliquis ; ego enim sensi virtutem de me exisse*[cl], ita et cum plures essent qui eum videbant, nullus vidisse eum dicitur,

cc. Matth. 11,27 || cd. Cf. Is 11,2 || ce. Cf. Sag. 7,22 s. || cf. Jn 14,9 || cg. Cf. Matth. 23,13 || ch. Cf. Jn 19,1 || ci. Lc 23,21 || cj. Cf. II Cor. 5,16 || ck. Cf. Lc 8,43-44 || cl. Lc 8,46.

---

1. Origène fait plusieurs fois cette distinction de voir, au sens corporel, et de connaître, au sens spirituel. Il vise alors les anthropomorphites, qui prenaient à la lettre les anthropomorphismes bibliques et se représentaient Dieu en conséquence avec un corps, des membres et des passions. D'où son affirmation parfois que le Fils ne voit pas le Père, mais le connaît, *PArch.* I, 1,8 ; voir la n. 36 *ad loc.*, *SC* 253, p. 27-29. Le passage a scandalisé Épiphane et Jérôme. Ne voyant pas ceux que visait Origène, ils ont compris qu'il déclarait que le Fils « ne connaît pas » le Père, alors qu'il écartait la signification corporelle du mot « voir » ; mais il affirme souvent la connaissance que le Fils a du Père (§ 44, fin ; § 46). Épiphane et Jérôme ont vu dans le passage l'expression d'une infériorité du Fils vis-à-vis du Père.

visible. La vue par laquelle Dieu est vu n'est pas du corps, mais de l'intelligence et de l'esprit. A ce propos, le Sauveur lui-même dans l'Évangile, faisant la distinction au moyen d'un terme propre, n'a pas dit : Personne n'a vu le Père[1], sinon le Fils, mais : « Personne n'a connu le Père, sinon le Fils[cc]. » Et finalement, à ceux auxquels il fait voir Dieu, il donne « l'Esprit de science, l'Esprit de sagesse[cd] », pour que grâce à l'Esprit lui-même[ce] ils voient Dieu. Voilà pourquoi il disait à ses disciples : « Qui m'a vu a vu aussi le Père[cf]. »

**47** De toute façon, nous ne serons pas assez sots pour croire que celui qui a vu Jésus dans son corps ait aussi vu le Père. Sinon, on trouve que « les scribes et les pharisiens, hypocrites[cg] », et Pilate qui le fit flageller[ch], et tout ce peuple qui criait : « Crucifie-le, crucifie-le[ci] », en voyant Jésus selon la chair[cj], ont aussi vu le Père[2]. Ce qui paraît à coup sûr non seulement absurde, mais impie.

**48** En effet, tout comme, lorsque les foules pressaient Jésus qui marchait avec ses disciples, d'aucun de ceux qui le pressaient et l'écrasaient on ne dit qu'il l'a touché, sinon de celle-là seule qui, souffrant d'un écoulement de sang[ck], vint et toucha la frange de son manteau[3], à laquelle seule Jésus rend ce témoignage : « Quelqu'un m'a touché, car j'ai senti une force sortir de moi[cl] » ; de même aussi, lorsqu'étaient nombreux ceux qui le voyaient, personne, dit-on, ne

2. Pourquoi ne suffit-il pas de voir l'homme Jésus pour voir en lui le Verbe, et dans le Verbe le Père ? Parce que la connaissance de Dieu est la rencontre de deux libertés : la liberté divine qui se révèle, car toute connaissance de Dieu est grâce ; la liberté de l'homme qui doit accepter de recevoir cette grâce et s'y préparer en se détachant du péché, se purifiant par l'ascèse, se rendant capable et disponible par la prière : celui qui se laisse aller au mal ou à l'indifférence ne peut connaître le divin.

3. Tout charnel qu'il ait pu être, le toucher de l'hémorroïsse fut avant tout un toucher spirituel, cf. *HomLév.* III, 3, 29 s. Voir la note complémentaire 2 : « Le thème des sens spirituels de l'homme. »

nisi qui agnovit quod *Verbum Dei*[cm] et *Filius Dei*[cn] est;
216 in quo simul utique | agnosci et videri dicitur Pater.

**49** Sed et hoc nos non praetereat quod prius *capreae* et sic *hinnulo cervorum* comparatur[co], cum utique maius animal cervus quam caprea videatur.

**50** Sed animadverte ne illa potius in his habenda sit ratio, quia, cum dupliciter constet salus credentium, per agnitionem fidei et operum perfectionem, ratio fidei quae pro intuitu et inspectione contemplationis capreae, ut diximus, comparatur, primus habeatur salutis gradus, secundo vero in loco operum perfectio, quae cervi formam tenet vincentis et perimentis venena serpentium artesque diabolicas, memoretur.

**51** Sic ergo sponsa *similem* dicit esse *fraternum suum capreae vel hinnulo cervorum in montibus Bethel*[cp]. *Bethel* domus Dei interpretatur. *Montes* ergo, qui in domo Dei sunt, possunt legis et prophetarum, sed et evangelica atque apostolica accipi volumina, ex quibus et fides Dei perspicitur et contemplatur et operum perfectio discitur et adimpletur.

cm. Cf. Apoc. 19, 13 || cn. Cf. Jn 1, 34 || co. Cf. Cant. 2, 9 || cp. Cf. Cant. 2, 9.

---

1. Cf. *HomJug.* V, 3; *Lettre à Grégoire le Thaumaturge* 3.

l'a vu, sinon celui qui a reconnu qu'il est «le Verbe de Dieu[cm]» et «le Fils de Dieu[cn]». On dit évidemment qu'en Lui le Père est à la fois vu et reconnu.

**Chevreuil et cerf**

**49** En outre, n'omettons pas non plus que l'Époux est comparé d'abord «au chevreuil», et ensuite «au faon des cerfs[co]», bien qu'assurément le cerf semble un animal de plus grande taille que le chevreuil.

**50** Mais considère si la raison n'en serait pas plutôt celle-ci : puisque le salut des croyants s'opère de deux manières, par la connaissance de la foi et par la perfection des œuvres, c'est l'ordre de la foi qui, en raison de la vue et de l'examen de la contemplation, comme nous avons dit, est comparée au chevreuil, est tenu comme le premier degré du salut ; mais à la seconde place on mentionne la perfection des œuvres, figurée par le cerf qui vainc et détruit les venins des serpents et les artifices diaboliques.

**Les montagnes de Béthel**

**51** Ainsi donc l'Épouse dit que «son Bien-Aimé est semblable au chevreuil et au faon des cerfs sur les montagnes de Béthel[cp]». «Béthel» veut dire maison de Dieu[1]. Dès lors «les montagnes» qui sont dans la maison de Dieu peuvent être comprises comme les livres de la Loi et des prophètes, mais aussi les livres évangéliques et apostoliques, grâce auxquels, et la foi en Dieu est clairement reconnue et contemplée, et la perfection des œuvres est apprise et accomplie.

# Chapitre 14

## L'approche de l'Époux

*Cant.* 2, 9 b - 10 a : *Le voici. Il se tient debout derrière notre mur, s'appuyant sur les fenêtres, observant par les treillis. Mon Bien-Aimé répond et me dit*

1-2 : texte difficile, dont l'explication se dérobe ; 3-9 : retour en arrière pour en découvrir le sens ; 10-19 : l'explication du sens spirituel n'est pas si laborieuse : il s'agit de l'Époux, le Verbe de Dieu, et de son Épouse, l'Église ou l'âme dans l'Église ; par les fenêtres comprises comme les sens de notre corps, la mort ou la vie entrent dans l'âme ; observant par elles l'âme Épouse, le Verbe de Dieu l'invite à se lever et à venir à lui ; « par les treillis » veut dire que tant que l'âme se trouve dans la maison de ce corps, elle contemple, par l'intermédiaire des choses visibles, les réalités invisibles ; 20-26 : explication au sujet du Christ et de l'Église : par l'action du Christ se fait un passage de la Loi à l'Évangile ; en anticipation, on peut dire que l'hiver est passé au temps de Pâques ; les pluies prophétiques s'arrêtèrent à Jean-Baptiste, n'étant d'aucune utilité ensuite ; 27-28 : les treillis représentent les filets du diable ; 29-34 : le Sauveur les a brisés pour lui et pour les autres.

## 14

**1** *Ecce, hic stetit post parietem nostrum, incumbens super fenestras, prospiciens per retia. Respondit fraternus meus et dicit mihi*[a]. Cum considero difficultates investigandi sensus in his qui propositi sunt Scripturae sermonibus, simile mihi aliquid pati videor huic qui ad investigandam venationem odoratibus sagacis canis procedit ; ubi interdum moris est, ut, cum vestigiis intentus proximum se venator latentibus effectum putaverit esse cubilibus, subito vestigiorum deseratur indiciis et rursum fixius impressis odoratibus easdem quas explicuerat retrorsum redeat vias, donec inveniat locum in quo se altius (17 excutiens venatio latenter ad aliam transtulit viam, quam cum venator invenerit, alacrior exsequitur spe praedae certior et vestigii firmitate securior.

**2** Ita ergo et nos, ubi se propositae explanationis quodam modo substraxere vestigia, paululum repetentes et planiorem quam dudum videbatur expositionis ordinem persequentes speramus quod Dominus Deus noster tradat in manus nostras venationem, quam praeparantes et secundum scientiam matris Rachel[b] rationabilis verbi salibus[c] condientes benedictiones mereamur consequi a spiritali patre Iacob[d].

a. Cant. 2, 9-10 || b. Cf. Gen. 27, 14 || c. Cf. Col. 4, 6 || d. Cf. Gen. 27, 27-29.

---

1. « De même que le chasseur passionné aime à quêter, à fouiller, à pister, à lancer les chiens avant de prendre la bête, de même le vrai se révèle plein de douceur quand on l'a quêté et obtenu à grand travail », CLÉMENT D'ALEXANDRIE, *Strom.* I, 21.

## 14

**Texte difficile**

**1** « Le voici. Il se tient debout derrière notre mur, s'appuyant sur les fenêtres, observant par les treillis. Mon Bien-Aimé répond et me dit[a]. » Lorsque je considère comme il est difficile de chercher des sens dans ces paroles de l'Écriture que l'on a citées, je crois subir la même épreuve que l'homme qui, à la poursuite du gibier, s'avance grâce au flair subtil d'un chien. D'ordinaire, il arrive parfois au chasseur, alors qu'attentif aux traces de la bête il s'est cru arrivé tout près du gîte où elle se cache, d'être soudain écarté des empreintes de traces ; et de nouveau, le flair plus fixement affecté, il revient aux mêmes pistes qu'il avait longuement suivies, jusqu'à ce qu'il trouve l'endroit où, jaillissant d'un bond, le gibier a furtivement passé à une autre piste ; le chasseur, quand il l'a trouvé, le poursuit avec plus d'ardeur, mieux assuré dans l'espoir d'atteindre sa proie, plus certain par la consistance de la trace.

**2** Ainsi donc nous aussi, quand les traces de l'explication proposée se sont en quelque sorte effacées, revenant un peu en arrière et poursuivant un ordre d'explication plus clair qu'il ne semblait auparavant, nous espérons que le Seigneur notre Dieu livre le gibier entre nos mains[1] et que, selon l'art culinaire de Rachel la mère[b], en l'assaisonnant du sel de la parole spirituelle[c], nous méritons d'obtenir les bénédictions du père[2], le Jacob spirituel[d].

2. Jacob figure le Père céleste, comme Rachel, l'Église.

**3** Propter quod necessarium videtur, ut diximus, breviter repetentes explanationem | priorem retexere, ut, qui sit lucidior sensus, aperiatur.

217

**4** Intelligi igitur mihi videtur ex initio propositi dramatis sponsam foris stare in bivio et ob amorem sponsi hinc atque inde prospicere si forte veniat, si forte appareat, nec velle viam ingredi aliquam, dum ignorat unde magis veniat, nec domi sed foris stare et desiderio eius agitatam dicere : *Osculetur me ab osculis oris sui*. Ubi autem venit sponsus, dicat : *Bona sunt ubera tua super vinum*[e] et reliqua, usque ad eum locum ubi ait : *Post te curremus*[f].

**5** Post haec dilecta iam et vicem caritatis ab sponso recipiens introducatur in cubiculum eius et dicat : *Introduxit me rex in cubiculum suum*[f]. Sed et cetera, quae post haec scripta sunt, intus posita loquatur ad sponsum praesentibus et assistentibus sponsae quidem adulescentulis, sponso vero sodalibus.

**6** Verumtamen intelligatur sponsus utpote vir non semper esse in domo neque semper assidere sponsae intra domum positae, sed exeat frequenter et illa eum quasi amore eius sollicita requirat absentem ; sed et ipse interdum redeat ad eam. Propter quod et videtur per totum libellum aliquando quidem velut absens requiri sponsus, aliquando vero velut praesens colloqui cum sponsa.

**7** Ipsa autem sponsa cum multa et magnifica in sponsi *cubiculo* pervidisset, petit se etiam *in domum vini introduci*[g]. Quam cum ingressa perspexisset, sponsus utpote vir

e. Cant. 1,2 || f. Cant. 1,4 || g. Cant. 2,4.

**Retour en arrière**

**3** C'est pourquoi il semble nécessaire, comme nous avons dit, de revenir en arrière et de rappeler brièvement la première explication, pour découvrir quel est le sens le plus clair.

**4** On laisse donc entendre, me semble-t-il, que depuis le début du drame proposé, l'Épouse se tient dehors à la croisée de deux chemins et, par amour de l'Époux, elle observe çà et là si peut-être il vient, si peut-être il apparaît ; et elle ne veut ni s'engager sur une route tant qu'elle ignore d'où il vient de préférence, ni se tenir à la maison, mais dehors, et tourmentée de son désir elle dit : « Qu'il me baise des baisers de sa bouche. » Mais quand vient l'Époux, qu'elle dise : « Délectables sont tes seins plus que le vin[e] », etc., jusqu'au passage où elle dit : « A ta suite nous courrons[f]. »

**5** Puis, maintenant aimée et recevant de l'Époux l'échange de l'amour, qu'on l'introduise dans sa chambre et qu'elle dise : « Le Roi m'a introduite dans sa chambre[f]. » De plus, le reste écrit à la suite, que l'Épouse, placée à l'intérieur, l'adresse à l'Époux, en présence des jeunes filles qui se tiennent auprès d'elle et l'assistent, et des compagnons auprès de l'Époux.

**6** Qu'on entende toutefois que l'Époux, en homme qu'il est, n'est pas toujours dans la maison, ni ne demeure toujours auprès de l'Épouse qui reste à l'intérieur de la maison, mais qu'il sort fréquemment et qu'elle, comme sollicitée par son amour, le recherche quand il est absent ; tandis que lui revient vers elle de temps à autre. C'est pourquoi, tout au long du petit livre, l'Époux semble tantôt être cherché comme absent, tantôt comme présent s'entretenir avec l'Épouse.

**7** Mais l'Épouse elle-même, quand elle a contemplé à loisir les nombreuses et splendides richesses « dans la chambre » de l'Époux, demande encore « à être introduite dans la maison du vin[g] ». Quand, une fois entrée elle l'a attentivement examinée, l'Époux, en homme qu'il est, ne

non resederit in domo, ipsa vero rursus amore eius exagitata exierit foras et circumiens peragret circa domum ingrediens atque egrediens et omni ex parte prospiciat quando ad eam redeat sponsus ; et ecce subito videat eum vicinorum montium iuga immensis saltibus superantem descendere ad domum in qua amore eius sollicita aestuat sponsa.

**8** Perveniens vero sponsus ad parietem domus stet paululum post ipsum considerans, ut fieri solet, aliquid et animo retractans ; iam vero etiam ipse sentiens aliquid amoris erga sponsam, usus altitudine sua, quae attingit usque ad fenestras domus, quae fenestrae habeant partem 218 aliquam operis, ut aiunt, reticulati, et, | cum incumbat quidem per fenestras, eminentior autem sit etiam fenestris et attingat usque ad superiora earum quae reticulato, ut diximus, opere distinctae sunt, inde prospiciens alloquatur sponsam et dicat ei : *Exsurge, veni proxima mea, formosa mea, columba mea*[h] et reliqua.

**9** Haec sunt quae, ut superius designavimus, difficultatem plurimam dirigendi ordinis et aperiendae intelligentiae habere nobis visa sunt. Quae, ut puto, evidentiora fecerit repetita haec nunc indago sermonum.

**10** Spiritalis autem in his expositio non ita laboriosa ac difficilis habetur. Sponsa enim Verbi anima, quae in domo eius regali, hoc est in ecclesia, consistit, docetur a Verbo Dei, qui est sponsus suus, quaecumque sunt reposita et recondita intra aulam regiam et *cubiculum*[i] regis ; discit in

h. Cant. 2, 10 || i. Cant. 1, 4.

---

1. L'*opus reticulatum* était une manière d'ornementation murale avec de petites pierres carrées dressées sur une de leurs pointes et disposées en diagonale ; de *reticulum*, diminutif de *rete* : donc, filet ou grillage à petites mailles. *Retia* désigne soit des « filets » au sens propre ou figuré (§ 27 s.), soit des « treillis » (des fenêtres, etc.) (§ 14). — Sur les

serait pas resté dans la maison, mais l'Épouse, poussée de nouveau par son amour serait sortie dehors et parcourrait les alentours, tournant autour de la maison, entrant et sortant, et elle observerait de toute part le moment où l'Époux reviendrait à elle. Et voilà que soudain elle le verrait, franchissant par bonds géants les crêtes des montagnes voisines, descendre vers la maison où languissante elle brûle de son amour.

**8** Mais, arrivant au mur de la maison, que derrière lui l'Époux se tienne un instant, se livrant à quelque réflexion, comme on fait d'ordinaire, et la repassant dans son cœur; alors, éprouvant lui-même de l'amour pour l'Épouse, mettant à profit sa taille qui atteint jusqu'aux fenêtres de la maison — fenêtres qui ont une partie d'un assemblage qu'on appelle un treillis[1] —, et puisqu'il s'appuie sur les fenêtres, mais qu'il est encore plus grand que les fenêtres et qu'il atteint jusqu'à leur partie supérieure, qui, nous l'avons dit, est garnie d'un treillis, observant de là, qu'il s'adresse à l'Épouse et lui dise : «Lève-toi, viens ma compagne, ma belle, ma colombe[h]», etc.

**9** Voilà ce qui, comme nous l'avons signalé plus haut, nous a paru présenter une très grande difficulté pour régler l'ordre et en découvrir l'intelligence. Cet examen présent des paroles aura rendu plus claires, je pense, les actions rappelées.

**Le Verbe, l'Église, l'âme**

**10** Au reste, pour elles l'explication spirituelle n'est pas si laborieuse et difficile. Car l'âme, Épouse du Verbe, qui réside dans sa maison royale, c'est-à-dire dans l'Église, est informée par le Verbe de Dieu son Époux, de tout ce qui est entreposé et caché dans le palais royal et «la chambre[i]» du Roi. Elle apprend que dans cette maison,

fenêtres et les filets, cf. *HomCant.* II, 12 (et n. 4 *ad loc.*, *SC* 37 *bis*, p. 143, renvoyant à *PEuch.* 29, 9); *HomJos.* III, 5, fin.

hac domo, *quae est ecclesia Dei vivi*[j], etiam vini illius quod de sanctis torcularibus congregatum est cellam[k], vini non solum novi, sed et veteris ac suavis, quae est doctrina legis et prophetarum ; in quibus sufficienter exercitata recipiat in se ipsum qui *erat in principio apud Deum Deus Verbum*[l], sed non semper secum permanentem[m] — non enim possibile est hoc humanae naturae —, sed interdum quidem visitetur ab eo, interdum vero relinquatur, ut amplius desideret eum.

**11** Cum vero visitatur a Verbo Dei secundum propositi versiculi sensum, *per montes saliens*[n] venire dicitur ad eam, excelsos scilicet et elevatos revelans ei caelestis scientiae sensus, ita ut perveniat usque ad aedificationem *ecclesiae, quae est domus Dei vivi, columna et firmamentum veritatis*[o], et *stet iuxta parietem* vel *post parietem*[p], ut neque penitus abscondatur neque omnimodis in promptu sit.

**12** Verbum enim Dei et *sermo scientiae*[q] non in publico et palam positus neque conculcandus pedibus[r] apparet, sed, cum quaesitus fuerit, invenitur et invenitur non, ut diximus, in propatulo positus, sed obtectus et quasi *post parietem* latens.

**13** Anima autem, quae in ecclesia esse dicitur, non intra aedificia parietum collocata intelligitur, sed intra munimenta fidei et aedificia sapientiae posita celsisque fastigiis caritatis obtecta. Propositum ergo bonum et fides recto- 219 rum dogmatum esse animam in domo | ecclesiae facit ;

j. I Tim. 3, 15 || k. Cf. Ps. 8, 1 ; 80, 1 ; 83, 1 ; cf. Cant. 2, 4 || l. Cf. Jn 1, 1 || m. Cf. Matth. 26, 11 || n. Cf. Cant. 2, 8 || o. I Tim. 3, 15 || p. Cf. Cant. 2, 9 || q. Cf. I Cor. 12, 8 || r. Cf. Matth. 7, 6.

---

1. L'alternance de consolations et de désolations est une caractéristique de l'expérience spirituelle. Voir les confidences faites *supra*, III, 11, 19, et en *HomCant.* I, 7.

2. Les nombreux recours au texte de Matthieu ne sont point dictés par une tendance ésotérique à l'image de tel enseignement philoso-

«qui est l'Église du Dieu vivant[j]», il y a aussi le «cellier» de ce vin qui fut recueilli des «saints pressoirs»[k] : vin non seulement nouveau, mais encore vieux et doux, la doctrine de la Loi et des prophètes. Suffisamment formée par ces vins, qu'elle reçoive en elle «le Verbe» lui-même qui «était au commencement Dieu auprès de Dieu[l]»; mais il ne demeure pas toujours avec elle[m] — car cela n'est pas possible à la nature humaine — tantôt elle est visitée par lui, et tantôt délaissée, pour qu'elle le désire davantage[1].

**11** Mais quand elle est visitée par le Verbe de Dieu, selon le sens du verset en question, il est dit qu'il vient à elle «sautant à travers les montagnes[n]», c'est-à-dire lui révélant les pensées élevées et sublimes de la science céleste, en sorte qu'il arrive jusqu'à l'édifice de «l'Église, qui est la maison du Dieu vivant, colonne et support de la vérité[o]», et qu'il se tient à côté du mur ou «derrière le mur[p]» pour n'être ni totalement caché, ni tout à fait visible.

**12** Car la Parole de Dieu et «la parole de science[q]» n'est pas exposée en public et ouvertement, ni n'apparaît pour être foulée aux pieds[2][r], mais on la trouve au cours d'une recherche, et on la trouve non pas, comme nous avons dit, exposée au grand jour, mais cachée et comme à l'abri «derrière un mur».

**13** Or l'âme que l'on dit être dans l'Église n'est pas comprise comme établie dans des édifices circonscrits par des murs, mais placée à l'intérieur des remparts de la foi et des édifices de la sagesse, et couverte de la toiture élevée de la charité. C'est donc l'intention bonne et la foi aux droites doctrines qui font qu'une âme réside dans la maison de

phique ; mais par la crainte qu'on se serve contre le christianisme de vérités mal comprises — par ex. au sujet de l'eucharistie, prétexte aux calomnies païennes —, et par le désir de ne pas donner aux âmes une nourriture trop forte, qu'elles ne pourraient supporter.

cuius domus membra quaedam sunt quae vel *cubiculum*[s] vel *domus vini*[t] vel alia huiusmodi pro gratiarum scilicet gradibus et donorum spiritalium diversitatibus appellantur.

**14** Sic ergo et *paries* nunc pars quaedam domus huius est, quae potest indicare dogmatum firmitatem, sub qua stare dicitur sponsus et in quibus tam magnus et excelsus est ut emineat omne aedificium et prospiciat sponsam, id est animam ; et nondum quidem apertum se ei totumque manifestet, sed quasi *per retia prospiciens*[u] hortetur eam et provocet non sedere intrinsecus segnem, sed exire ad se foras et conari ut non iam *per fenestras* et *retia* neque *per speculum in aenigmate*, sed procedens foras *facie ad faciem*[v] videat eum. Nunc enim, quia nondum potest ita eum intueri, propterea non in ante, sed retro ei et post parietem stat.

**15** Incumbit autem et per fenestras, quae sine dubio patebant ad recipiendum lumen et illuminandam domum. Per has ergo Sermo Dei incumbens et prospiciens provocat exsurgere et ad se venire[w] animam.

★ **16** Possumus autem sensus corporeos fenestras intelligere, per quos aut vita aut mors intrat ad animam ; sic enim designat Hieremias propheta, cum de peccatoribus loquitur, dicens : *Adscendit mors per fenestras vestras*[x]. Quomodo mors adscendit per fenestras? Si oculi peccatoris *videant mulierem ad concupiscendum* ; et quoniam qui ita viderit mulierem, *moechatus est eam in corde suo*[y], sic mors ingressa est ad animam per fenestras oculorum. Sed et cum recipit quis auditum vanum et praecipue falsae scientiae

s. Cf. Cant. 1, 4 || t. Cf. Cant. 2, 4 || u. Cf. Cant. 2, 9 || v. Cf. I Cor. 13, 12 || w. Cf. Cant. 2, 10 || x. Jér. 9, 21 || y. Cf. Matth. 5, 28.

l'Église. De cette maison, il y a certains membres qu'on appelle « chambre [s] » ou « maison du vin [t] », ou d'autres noms de ce genre, évidemment en raison des degrés de grâce et des variétés de dons spirituels.

**14** Ainsi donc « le mur » ici est une certaine partie de cette maison, qui peut indiquer la solidité des doctrines : on dit qu'au-dessous de lui se tient l'Époux, et parmi elles il est si grand, de si haute taille qu'il domine tout l'édifice et observe l'Épouse, c'est-à-dire l'âme. Et certes, il ne se manifeste pas encore à elle à découvert et en entier, mais, pour ainsi dire, « l'observant par les treillis [u] », il l'encourage et l'invite à ne pas rester oisive à l'intérieur de la maison, mais à sortir au-dehors à sa rencontre et à s'efforcer de le voir, non plus « par les fenêtres » et « les filets », ni « dans un miroir en énigme », mais s'avançant au dehors, de le voir « face à face [v] ». Car pour l'instant, parce qu'elle ne peut encore le contempler de cette manière, l'Époux se tient non pas en avant du mur, mais en arrière d'elle et derrière le mur.

**Par les fenêtres**

**15** Or il se penche aussi par les fenêtres, qui sans nul doute étaient ouvertes pour recevoir la lumière et illuminer la maison. Donc en se penchant et en observant par elles, le Verbe de Dieu invite l'âme à se lever et à venir à lui [w].

**16** Mais nous pouvons comprendre ces fenêtres comme les sens corporels, par lesquels ou la vie ou la mort entrent dans l'âme. Le prophète Jérémie leur donne cette signification quand il parle des pécheurs : « La mort est montée par vos fenêtres [x]. » Comment la mort est-elle montée par des fenêtres ? Si les yeux du pécheur « regardent une femme pour la convoiter » ; et puisque celui qui regarde une femme de cette manière « a commis l'adultère avec elle dans son cœur [y] », la mort est ainsi entrée dans son âme par les fenêtres de ses yeux. De plus, s'il accueille une parole vaine, et surtout en matière des doctrines perverses d'une

dogmatum perversorum, tunc mors per aurium fenestras intrat ad animam.

**17** Si vero anima intuens ornamentum mundi et ex pulchritudine creaturarum conditorem omnium intelligat Deum et opera eius miretur laudetque operum creatorem, ad hanc animam vita per fenestras ingreditur oculorum. Sed et cum auditum inclinat ad Verbum Dei et rationibus sapientiae eius ac scientiae delectatur, huic per aurium
220 fenestras ad animam sapientiae lumen | ingreditur.

**18** Per has ergo fenestras prospiciens Verbum Dei et prospectum suum ad sponsam animam dirigens assurgere eam hortatur et venire ad se, id est relinquere corporea et visibilia et ad incorporea ac spiritalia properare, quoniam *quae videntur temporalia sunt, quae autem non videntur aeterna sunt*[z]. Sic et Spiritus Dei circuire dicitur et quaerere dignas animas, quae aptae fieri possint ad habitaculum sapientiae[aa].

**19** Quod autem per retia prospicere dicitur fenestrarum, illud sine dubio indicat quod, donec in domo huius corporis posita est anima, non potest nudam et apertam capere Dei sapientiam, sed per exempla quaedam et indicia atque imagines rerum visibilium illa quae sunt invisibilia et incorporea contemplatur ; et hoc est prospicere ad eam sponsum per retia fenestrarum.

**20** Si vero de Christo haec et ecclesia exponamus, domus in qua habitabat ecclesia scripturae sunt legis et prophetarum ; ibi enim et *cubiculum regis*[ab] est *omnibus*

z. II Cor. 4, 18 || aa. Cf. Sag. 6, 16 || ab. Cf. Cant. 1, 4.

fausse science, la mort entre alors dans l'âme par les fenêtres des oreilles.

**17** Par contre, si l'âme contemple la splendeur du monde et, à partir de la beauté des créatures comprend Dieu, Auteur de tout, admire ses œuvres et loue le Créateur des œuvres, la vie pénètre dans cette âme par les fenêtres des yeux. De plus, quand elle incline l'oreille vers le Verbe de Dieu, et qu'elle se plaît aux raisons de Sa Sagesse et de Sa Science, alors, la lumière de la Sagesse entre dans l'âme par les fenêtres des oreilles.

**18** Observant donc par ces fenêtres, et dirigeant vers l'âme Épouse son regard, le Verbe de Dieu l'invite à se lever et à venir vers lui, c'est-à-dire à laisser les choses corporelles et visibles pour se hâter vers les réalités incorporelles et spirituelles, car «ce qui se voit est temporel, mais ce qui ne se voit pas est éternel[z]». Ainsi encore l'Esprit de Dieu, est-il dit, va d'un lieu à l'autre et cherche des âmes dignes de pouvoir devenir aptes à être une demeure de la Sagesse[aa].

**Par les treillis**

**19** Mais dire que l'Époux observe par les treillis des fenêtres signifie sans nul doute que l'âme, tant qu'elle se trouve dans la maison de ce corps, ne peut saisir la Sagesse de Dieu à nu et à découvert ; mais par l'intermédiaire de ces sortes de figures, de signes et d'images des choses visibles, elle contemple ces réalités qui sont invisibles et incorporelles ; voilà ce que veut dire : l'Époux observe l'Épouse par les treillis des fenêtres.

**De la Loi à l'Évangile**

**20** Mais si nous l'expliquons au sujet du Christ et de l'Église, la maison où habitait l'Église, ce sont les écrits de la Loi et des prophètes ; car là aussi est «une chambre du Roi[ab]» remplie «de toutes les richesses de la sagesse et de la

*divitiis sapientiae ac scientiae*[ac] repletum ; ibi et *domus vini*[ad], doctrina scilicet vel mystica vel moralis quae *laetificat cor hominum*[ae].

**21** Adveniens ergo Christus *stetit* paululum *post parietem* domus veteris testamenti. Stabat enim *post parietem*, cum nondum manifestaretur ad populum ; ubi vero affuit tempus et coepit per fenestras legis ac prophetarum, per ea scilicet quae de eo praedicata fuerant, apparere et ostendere se ecclesiae intra domum, hoc est intra litteram legis, sedenti, provocat eam inde exire et venire foras ad se[af].

**22** Nisi enim exeat, nisi procedat et progrediatur a littera ad spiritum, non potest sponso coniungi neque ★ Christo sociari. Vocat ergo eam et invitat a carnalibus ad spiritalia, a visibilibus ad invisibilia, a lege venire ad evangelium. Et ideo dicit ei : *Surge, veni proxima mea, formosa mea, columba mea*[ag].

**23** Et, ut aliqua etiam de his quae postmodum dicenda sunt praeveniamus nolentes sensum perdere qui occurrit in loco, propterea fortassis et illud dicit ad eam quia : *Ecce* 221 *hiems transiit, pluvia abiit*[ah], simul et | tempus Paschae indicans, quod transacta hieme et digestis imbribus passus est, simul et illud per spiritalem designans intelligentiam quod, usque ad illud tempus quo Dominus passus est, imbres fuerunt super terram.

**24** Mandabat enim adhuc Dominus imbribus, prophetis, ut pluerent Verbi pluviam super terram[ai]. Sed quia *usque*

ac. Cf. Col. 2, 3 || ad. Cf. Cant. 2, 4 || ae. Cf. Ps. 103, 15 || af. Cf. Cant. 2, 9 || ag. Cant. 2, 10 || ah. Cant. 2, 11 || ai. Cf. Is. 45, 8 ; Éz. 34, 26 ; Zach. 10, 1.

---

1. « Chacun des saints est un nuage » : Moïse, Isaïe, Josué, Jérémie, Baruch, Paul et Sylvain, *HomJér.* VIII, 3-5 ; cf. *HomLév.* XVI, 2, 41 s. ; « les prophètes », *HomPs. 36* III, 10.

science[ac] » ; là aussi est « une maison du vin[ad] », c'est-à-dire la doctrine soit mystique, soit morale, qui « réjouit le cœur de l'homme[ae] ».

**21** A son arrivée donc, le Christ « se tint » quelque temps « debout, derrière le mur » de la maison de l'Ancien Testament. En effet il se tenait « derrière le mur », puisqu'il n'était pas encore manifesté au peuple. Mais quand est venu le temps, et qu'il commence, « par les fenêtres » de la Loi et des prophètes, c'est-à-dire par ce qui avait été annoncé d'avance à son sujet, à se montrer et se manifester à l'Église assise à l'intérieur de la maison, à savoir, à l'intérieur de la lettre de la Loi, il l'invite à sortir de là et « à venir » dehors près de lui[af].

**22** Car si elle ne sort pas, si elle n'avance et ne progresse de la lettre à l'esprit, elle ne peut être en union avec l'Époux, ni en communion avec le Christ. Il l'appelle donc et l'invite à venir du charnel au spirituel, du visible à l'invisible, de la Loi à l'Évangile. Et c'est pourquoi il lui dit : « Lève-toi, viens ma compagne, ma belle, ma colombe[ag]. »

**« La pluie »**

**23** Et, pour anticiper encore un peu sur ce qu'on doit dire dans la suite, ne voulant pas laisser échapper un sens qui se présente au passage, c'est peut-être pourquoi il lui dit encore : « Voilà que l'hiver est passé, la pluie est partie[ah]. » D'une part il indique le temps de sa Pâque, puisqu'il a souffert une fois l'hiver passé et les pluies terminées, et de l'autre il montre, grâce à l'intelligence spirituelle, que les pluies tombèrent sur la terre jusqu'à ce temps où le Seigneur a souffert.

**24** Jusqu'alors en effet, le Seigneur commandait aux pluies, les prophètes[1], de faire pleuvoir sur la terre la pluie du Verbe[ai]. Mais comme les fonctions prophétiques ont

*ad Iohannem*[aj] baptistam prophetica finiuntur officia, merito imbres abisse et discessisse dicuntur.

**25** Cessarunt autem prophetici imbres non ad damnum credentium, sed ad maiora ecclesiae lucra. Quid enim imbribus opus est, ubi *flumen Dei laetificat civitatem*[ak], ubi in corde uniuscuiusque credentium *fons aquae vivae fit salientis in vitam aeternam*[al]? Quid opus est imbribus, ubi iam *flores apparuerunt in terra*[am] nostra et ex adventu Domini iam non exciditur *ficulnea*, quae prius non attulerat *fructum*[an]? Nunc enim iam *produxit grossos suos*. Sed et *vineae dederunt odorem suum*[ao]. Unde et unus quidam ex ista vinea dicebat : *Quia Christi bonus odor sumus Deo in omni loco in his qui salvi fiunt, et in his qui pereunt*[ap].

**26** Sed haec, sicut supra designavimus, antequam ad ipsa Scripturae loca veniremus, praesumpsimus, ne forte fugeret nos sensus qui occurrisse videbatur in tempore. Nunc ergo repetamus quomodo *per retia prospicere*[aq] dicatur.

**27** Scriptum est : *Non enim inique tenduntur retia avibus*[ar], et iterum iustus, si incurrerit in peccatum, effugere iubetur, *sicut damula ex laqueis et avis ex retibus*[as]. Plena est ergo vita mortalium laqueis offensionum, plena retibus deceptio|num, quas tendit adversum humanum genus ille qui *contra Dominum gigas venator Nembroth*[at] appellatur.

**28** Verus etenim gigas quis alius est nisi diabolus, qui etiam adversum Deum rebellat? Laquei ergo tentationum

aj. Cf. Lc 16, 16 || ak. Ps. 45, 5 || al. Cf. Jn 4, 14 || am. Cf. Cant. 2, 12 || an. Cf. Matth. 21, 19 || ao. Cf. Cant. 2, 13 || ap. II Cor. 2, 15 || aq. Cf. Cant. 2, 9 || ar. Prov. 1, 17 || as. Prov. 6, 5 || at. Cf. Gen. 10, 9.

1. « Géants dans l'Écriture, c'est tout ce qui résiste à Dieu », *Hom-Nombr.* VII, 5.

duré «jusqu'à Jean-Baptiste [aj]», c'est avec raison que l'on dit que les pluies sont parties et ont disparu.

**25** Or ces pluies prophétiques s'arrêtèrent non pas au préjudice des croyants, mais pour un plus grand profit de l'Église. En effet, qu'est-il besoin de pluies quand «un fleuve réjouit la cité de Dieu [ak]», quand au cœur de chacun des croyants «une source d'eau vive devient un flot jaillissant en vie éternelle [al]»? Qu'est-il besoin de pluies quand déjà «les fleurs ont apparu sur» notre «terre [am]», et que depuis la venue du Seigneur on n'arrache plus «le figuier» qui auparavant n'avait point porté de fruit [an]? Car maintenant déjà «il a produit ses figues». De plus, «les vignes ont donné leur odeur [ao]». C'est pourquoi un membre de cette vigne disait : «Car nous sommes pour Dieu la bonne odeur du Christ en tout lieu, parmi ceux qui sont sauvés et parmi ceux qui périssent [ap].»

**26** Mais cela, comme nous l'avons signalé plus haut, avant d'en venir aux passages mêmes de l'Écriture, nous l'avons pris d'avance, de peur que nous échappe un sens qui semblait s'être présenté à propos. Maintenant donc revenons au sens de l'expression : « Il observe par les treillis (filets) [aq]».

**Les filets du diable**

**27** Il est écrit : «Ce n'est pas à tort que l'on tend des filets aux oiseaux [ar].» Et de nouveau, le juste, s'il est tombé dans le péché, a l'ordre de s'en dégager «comme le daim du piège et l'oiseau du filet [as]». Ainsi donc la vie des mortels est remplie des pièges des scandales, remplie des filets des tromperies, que tend au genre humain celui qu'on appelait «Nemrod, chasseur géant contre le Seigneur [at]».

**28** En effet, le vrai géant, quel autre est-il sinon le diable qui se révolte même contre Dieu [1]? Donc, les pièges

et decipulae insidiarum diaboli retia appellantur. Et quoniam haec retia ubique tetenderat inimicus atque in ipsis paene omnes involverat, necessarium fuit adesse aliquem qui fortior et eminentior his fieret et contereret ea, ut sequentibus se viam posset aperire.

**29** Idcirco ergo et Salvator, priusquam in coniugium et in societatem veniret ecclesiae, tentatur a diabolo[au], ut vincens retia tentationum per ipsa prospiceret et per ipsa vocaret eam ad se docens sine dubio et ostendens ei quod non per otium et delicias, sed per multas tribulationes et tentationes veniendum sibi esset ad Christum.

**30** Nullus ergo alius fuit qui retia ista superare potuerit. *Omnes enim*, sicut scriptum est, *peccaverunt*[av]; et rursus, sicut Scriptura dicit : *Non est iustus super terram qui fecerit bonum et non peccaverit*[aw]; et iterum : *Nemo mundus a sorde, nec si unius diei fuerit vita eius*[ax]. Solus ergo est Dominus et Salvator noster Iesus qui *peccatum non fecit*[ay], sed *peccatum eum Pater fecit pro nobis*[az], ut *in similitudine carnis peccati de peccato damnaret peccatum*[ba].

**31** Venit ergo ad ista retia, sed involvi in iis solus ipse non potuit; quin immo diruptis iis et contritis dat ecclesiae suae fiduciam, ut audeat iam calcare laqueos et transire per retia et cum omni alacritate dicere : *Anima nostra sicut passer erepta est de laqueo venantium; laqueus contritus est, et nos liberati sumus*[bb].

au. Cf. Matth. 4, 1-11 || av. Rom. 3, 23 || aw. Eccl. 7, 20 || ax. Job 14, 4-5 || ay. Cf. I Pierre 2, 22 || az. II Cor. 5, 21 || ba. Rom. 8, 3 || bb. Ps. 123, 7.

---

1. Ce passage de Job « affirme l'impureté foncière de l'homme (déjà 4, 17 ; 9, 30 ; puis 15, 14-16 ; 25, 4-6 ; *Ps.* 51, 7). Mais cette impureté congénitale provient de sa nature ; la doctrine du péché originel n'a fait son entrée dans la pensée chrétienne qu'avec saint Paul, *Rom.* 5, 12-14 », Osty. Origène allègue aussi d'autres passage de l'Écriture, mais il voit ici le texte majeur qui enseigne le péché originel — conçu dans le cadre de son hypothèse de la préexistence des âmes — et la

des tentations et les lacets des embûches du diable sont appelés «filets». Et parce que l'ennemi avait partout tendu ses filets, et qu'il avait enveloppé presque tout le monde dans leurs mailles, il fut nécessaire que se présente quelqu'un qui soit plus fort et plus puissant qu'eux et qui les mette en pièces, afin de pouvoir ouvrir la route à ceux qui suivent.

**Le Christ vainqueur**

**29** Et c'est donc pourquoi le Sauveur aussi, avant de venir à l'union et à la compagnie de l'Église, est tenté par le diable[au] : en sorte que, triomphant des filets des tentations, il observe par eux, et par eux invite l'Épouse à venir vers lui, enseignant sans nul doute et lui montrant que ce n'est point par l'oisiveté et les délices, mais par bien des épreuves et tentations qu'elle devrait venir au Christ.

**30** Il n'est donc personne d'autre qui aurait pu venir à bout de ces filets. En effet, «tous ont péché[av]», comme il est écrit. Et de nouveau, au dire de l'Écriture : «Il n'y a pas de juste sur la terre qui ait fait le bien et qui n'ait pas péché[aw].» Et encore : «Personne[1] n'est pur de toute souillure, même si sa vie n'a duré qu'un seul jour[ax].» Notre Seigneur et Sauveur Jésus est donc le seul «qui n'ait pas commis de péché[ay]», mais «le Père l'a fait péché pour nous[az]», afin que «dans une chair semblable à la chair de péché, en vue du péché, il condamnât le péché[ba]».

**31** Il vint donc vers ces filets, mais lui seul put n'en être pas enveloppé ; bien plus, ceux-ci brisés et mis en pièces, il donne à son Église l'assurance pour qu'elle ose désormais fouler aux pieds les pièges, passer au milieu des filets et dire en toute allégresse : «Notre âme, comme un passereau, s'est échappée du piège des chasseurs ; le piège fut brisé et nous fûmes libérés[bb].»

nécessité du baptême, même pour les petits enfants, cf. *CCels.* VII, 50, et la n. 3 *ad loc.* (*SC* 150, p. 131).

**32** Quis autem contrivit laqueum, nisi ille qui solus in eo teneri non potuit? Quamvis enim et in morte fuerit, sed voluntarie et non, ut nos, necessitate peccati. Solus enim est qui fuit *inter mortuos liber*[bc]. Et quia liber inter mortuos fuit, idcirco devicto eo *qui habebat mortis imperium*[bd], *abstraxit captivitatem*[be] quae tenebatur in morte.

**33** Et non solum semet ipsum suscitavit a mortuis, sed et *eos qui tenebantur in morte simul excitavit, simulque* 223 *sedere fecit in caelestibus*[bf]. *Adscendens* enim *in* | *altum captivam duxit captivitatem*[be], non solum animas educens, sed et corpora eorum resuscitans, sicut testatur evangelium quia *multa corpora sanctorum resuscitata sunt, et apparuerunt multis, et introierunt in sanctam civitatem Dei viventis*[bg] *Hierusalem*[bh].

**34** Haec nobis expositio de retibus secundo in loco assumpta est. Sit sane legentis iudicium, quae earum mysticis dignius aptari possit eloquiis.

bc. Cf. Ps. 87,6 || bd. Cf. Hébr. 2,14 || be. Cf. Éphés. 4,8 || bf. Éphés. 2,6 || bg. Cf. Matth. 27,52-53 || bh. Cf. Hébr. 12,22.

1. «La résurrection du Seigneur va être assumée par le fidèle de deux façons : dans l'Évangile temporel par une résurrection *ex parte*, 'à travers un miroir, en énigme'; dans l'Évangile éternel par la résurrection parfaite, 'face à face'», H. Crouzel, «La 'première' et la 'seconde' résurrection des hommes d'après Origène», dans *Didaskalia*

**32** Or, qui a brisé ce piège, sinon celui-là seul qu'il n'a pu retenir ? Car bien qu'il soit entré dans la mort, c'est de son plein gré et non, comme nous, sous la contrainte du péché. Il est en effet le seul qui fut «libre parmi les morts [bc]». Et parce qu'il fut libre parmi les morts, après avoir vaincu «celui qui possédait l'empire de la mort [bd]», il lui arracha les captifs [be] qui étaient gardés dans la mort.

**33** Et non seulement il se ressuscita lui-même d'entre les morts, mais encore «avec lui il éveilla ceux qui étaient gardés dans la mort, et avec lui il les fit asseoir dans les cieux [bf]». Car «montant sur les hauteurs, il entraîna captive la foule des captifs [be]», non seulement en emmenant les âmes, mais en ressuscitant aussi leurs corps [1], comme l'Évangile l'atteste : « De nombreux corps de saints furent ressuscités ; il apparurent à un grand nombre et entrèrent dans Jérusalem, la sainte cité [bg]» du Dieu vivant [bh].

**34** Telle est l'explication jointe par nous en second lieu à propos des filets. Au lecteur de juger, assurément, laquelle d'entre elles peut s'adapter plus justement à des expressions à sens mystiques.

(Lisbonne) III, 3, 1973, p. 3-19. La question exigerait le rappel de plusieurs textes scripturaires et thèmes origéniens dont l'examen n'est pas possible ici. On ne peut que renvoyer à ce qui a été fait, et bien fait, à des pages qui reposent sur nombre d'études antérieures, du même auteur : *Origène*, p. 319-331. (M.B.)

# LIVRE IV

(*Cant.* 2, 10 b - 13 a)

## Chapitre premier

## L'éveil du printemps

*Cant.* 2, 10 b - 13 a : *Lève-toi, viens, ma compagne, ma belle, ma colombe, car voilà que l'hiver est passé, la pluie est partie et s'en est allée ; les fleurs ont apparu sur la terre, le temps de la taille est arrivé, la voix de la tourterelle s'est fait entendre sur notre terre ; le figuier a formé ses bourgeons, les vignes en fleurs ont donné leur odeur*

1 : on a vu l'ordre du drame ; comprenons ce que dit soit le Verbe à l'âme, soit le Christ à l'Église ; 2-5 : *le Verbe de Dieu s'adresse à l'âme* par l'entremise des sens corporels, vue du texte, audition de la doctrine : appel d'en haut pour qu'elle en sorte et leur devienne étrangère ; sinon il ne la dirait pas «sa compagne», ni «sa belle» ; l'Épouse désire voler par les sens spirituels ; 6-8 : le moment opportun est venu, l'hiver est passé, et a fui toute tempête de vices et de désirs ; les fleurs des vertus commencent à éclore ; est venu le temps de la taille pour que ce qui est superflu soit coupé et renaisse en bourgeons d'intelligence spirituelle ; elle entendra la voix de la tourterelle, la voix de la Sagesse destinée aux parfaits ; 9-11 : le figuier a formé ses bourgeons, c'est l'éveil des vertus chez l'homme nommé au sens figuré le figuier ; dans chaque âme il y a un figuier, une vigne ; 12-14 : le Verbe de Dieu invite l'âme : plus d'hiver, plus de pluie ; 15-18 : *le Christ parle à l'Église*, plaçant dans le cycle d'une année la durée du siècle présent ; par hiver il indique l'époque des plaies d'Égypte, ou des guerres d'Israël, ou son naufrage dans la foi ; son temps est passé comme celui de la pluie prophétique ; ont apparu les fleurs des peuples croyants et des

églises naissantes ; est venu le temps de la taille par la foi à la Passion et la Résurrection ; la voix de la tourterelle n'est plus celle des prophètes, mais celle de la Sagesse de Dieu ; le figuier qui bourgeonne s'entend des fruits du Saint Esprit, ou de l'intelligence spirituelle ; 19-20 : les vignes en fleur sont les diverses Églises, commençant à parvenir à la foi et à la douceur des œuvres religieuses ; on ne dit pas : ont donné une odeur, mais « leur odeur », pour marquer la singularité de chaque âme ; 21-22 : on peut l'entendre des puissances célestes et angéliques qui dispensent leur odeur, le bien de l'enseignement et de la doctrine ; les hommes les reçoivent, mais espèrent les fruits parfaits (du Christ) ; 23-27 : ou on peut comprendre qu'une sorte de prophétie est faite à l'Église, par laquelle elle serait appelée aux promesses futures ; à quoi s'appliquent les termes : « le temps de la taille », « la voix de la tourterelle », « le figuier ».

# LIBER QUARTUS.

## 1

**1** *Surge, veni, proxima mea, speciosa mea, columba mea, quoniam ecce hiems transiit, pluvia abiit et discessit sibi; flores visi sunt in terra, tempus putationis advenit, vox turturis audita est in terra nostra; arbor fici produxit germina sua, vites florentes dederunt odorem*[a]. Quid contineat ordo dramatis, iam supra descripsimus; nunc vero quid vel Sermo Dei ad animam se dignam sibique aptam vel quid Christus ad ecclesiam dicere intelligendus sit advertamus.

**2** Sed interim primus Sermo Dei loquatur ad hanc speciosam decentemque animam, cui per sensus corporeos, id est per intuitum lectionis et per auditum doctrinae, quasi per fenestras apparuit proceritatemque ei suae magnitudinis demonstravit, ita ut in superioribus ei loqueretur incumbens atque inde evocans eam, ut procedat foras et extra sensus iam corporeos effecta desinat esse in carne, ut merito audiat : *Vos autem non estis in carne, sed in spiritu*[b].

**3** Non enim aliter diceret eam Verbum Dei *proximam* sibi, nisi iungeret se ei et fieret cum ipso *unus spiritus*[c],

a. Cant. 2, 10-13 || b. Rom. 8, 9 || c. Éphés. 4, 4.

1. A la tournure latine avec *sibi*, voir les correspondances en hébreu, en grec et en anglais, dans la traduction de Lawson, p. 355, n. 246.

2. Cf. *supra*, III, 11, 5-8.

3. Noter l'alternance *Sermo Dei* (§§ 1-2) et *Verbum Dei* (§ 3). Et voir la note complémentaire 1 : «Le Verbe de Dieu».

# LIVRE QUATRIÈME

## 1

**1** «Lève-toi, viens, ma compagne, ma belle, ma colombe, car voilà que l'hiver est passé, la pluie est partie et s'en est allée[1]; les fleurs ont apparu sur la terre, le temps de la taille est arrivé, la voix de la tourterelle s'est fait entendre sur notre terre; le figuier a formé ses bourgeons, les vignes en fleur ont donné leur odeur[a].» Ce que l'ordre du drame comporte, plus haut déjà nous l'avons décrit[2]. Ici donc, soyons attentifs au sens dans lequel est à comprendre ce que disent soit le Verbe de Dieu à l'âme digne de lui et attachée à lui, soit le Christ à l'Église.

**Le Verbe de Dieu à l'âme**

**2** Mais pour l'instant que le Verbe de Dieu parle le premier à cette âme belle et noble, à qui, par l'entremise des sens corporels, c'est-à-dire par la vue du texte lu et par l'audition de la doctrine, il est apparu en quelque sorte par les fenêtres. Et il lui a montré la hauteur de sa grande taille : si bien qu'il lui parlait à un endroit élevé, se penchant et l'appelant de là pour qu'elle s'avance au dehors et que, devenue désormais extérieure aux sens corporels, elle cesse d'être dans la chair, afin d'entendre dire avec raison : «Quant à vous, vous n'êtes plus dans la chair, mais dans l'esprit[b]».

**«Ma compagne ...»**

**3** Car le Verbe de Dieu[3] ne la dirait «ma compagne» pour aucun autre motif que si elle s'était unie à lui et était devenue avec lui «un seul esprit[c]», et il ne la dirait «belle» que s'il avait vu

nec diceret eam *speciosam*, nisi videret imaginem eius *renovari de die in diem*[d]; et nisi videret eam capacem Spiritus sancti qui in specie columbae descendit in Iordane super Iesum[e], non ei diceret : *Columba mea*.

**4** Conceperat enim amorem Verbi Dei et cupiebat ad ipsum volatu celeri pervenire dicens : *Quis dabit mihi pennas sicut columbae, et volabo et requiescam*[f]*?* Volabo sensibus, volabo intellectibus spiritalibus et requiescam, cum comprehendero *sapientiae et scientiae eius thesauros*[g].

224 | **5** Puto enim quia, sicut hii qui mortem Christi recipiunt et *mortificant membra sua super terram*[h], *consortes efficiuntur similitudinis mortis eius*[i], ita et hi qui virtutem sancti Spiritus recipiunt et sanctificantur ex eo et donis eius replentur, quia ipse in specie columbae[j] apparuit, etiam ipsi columbae fiant, ut de terrenis et corporeis locis evolent ad caelestia pennis sancti Spiritus sublevati.

**6** Quod sit autem tempus opportunum quo haec fieri possint, consequenter inseruit : *Quia ecce*, inquit, *hiems transiit, pluvia abiit*[k]. Non enim ante anima Verbo Dei iungitur et sociatur, nisi omnis ex ea hiems perturbationum vitiorumque procella discesserit, ut ultra iam non fluctuet et *circumferatur omni vento doctrinae*[l].

**7** Ubi ergo ex anima haec cuncta discesserint desideriorumque ab ea tempestas effugerit, tunc incipiant in ea ★ *flores* vernare virtutum, tunc ei et *tempus putationis*

d. II Cor. 4, 16 || e. Cf. Lc 3, 22 || f. Ps. 54, 7 || g. Cf. Col. 2, 3 || h. Cf. Col. 3, 5 || i. Cf. Rom. 6, 5 || j. Cf. Lc 3, 22 || k. Cant. 2, 11 || l. Éphés. 4, 14.

---

1. Dans la tradition juive on ne donnait pas comme ici l'appellation «colombe» à l'âme individuelle, mais on la donnait déjà à la fois au Saint Esprit et à l'assemblée d'Israël. On trouve en effet en *Targum Cant.* 2, 10 : «assemblée d'Israël», au lieu de «ma colombe» (et

son image «se renouveler de jour en jour[d]». Et s'il ne la voyait capable de l'Esprit Saint qui, sous la forme d'une colombe, descendit sur Jésus dans le Jourdain[e], il ne l'appellerait[1] pas «ma colombe».

**4** Elle avait en effet conçu l'amour du Verbe de Dieu et désirait parvenir à lui d'un vol rapide, disant : «Qui me donnera des ailes comme à la colombe, et je volerai et me reposerai[f] ?» Je volerai par les sens spirituels, je volerai par les idées spirituelles, et je me reposerai quand j'aurai saisi «les trésors de Sa Sagesse et de Sa Science[g]».

**5** Car je pense que, tout comme ceux qui accueillent la mort du Christ et «mortifient leurs membres sur la terre[h]» «prennent part à la ressemblance de sa mort[i]», ainsi ceux qui accueillent la puissance du Saint Esprit, sont sanctifiés par lui et remplis de ses dons, du fait que lui-même est apparu sous l'aspect d'une «colombe[j]», deviennent eux aussi des colombes, en sorte qu'ils s'envolent des lieux terrestres et corporels vers les réalités célestes, soulevés par les ailes du Saint Esprit.

**L'hiver est passé**

**6** Or, que ce soit le moment opportun où cela puisse se produire, l'Époux l'a logiquement intercalé : «Car voilà que l'hiver est passé, la pluie est partie[k].» En effet, l'âme n'est pas unie et associée au Verbe de Dieu avant que tout hiver de perturbations et tout orage de vices se soient retirés d'elle, pour qu'elle ne soit plus désormais ballottée et «menée à la dérive à tout vent de doctrine[l]».

**7** Quand donc tout cela se sera retiré de l'âme, et que la tempête de désirs aura fui loin d'elle, alors, que «les fleurs» des vertus commencent à éclore en elle, alors, que pour elle vienne aussi «le temps de la taille», et s'il y a eu quelque

voir aussi TB *Berakot*, p. 53b ; Ps.-PHILON, 40 et 39,5 ; *Midr. Ps.* 68,13 ; etc.).

adveniat et, si quid superfluum et minus utile fuerit in eius sensibus vel intellectibus, resecetur et ad gemmas spiritalis intelligentiae revocetur.

★ **8** Tunc etiam *vocem turturis audiet*[m], illius sine dubio sapientiae quam dispensator Verbi loquitur inter perfectos, sapientiae Dei altioris, quae abscondita est in mysterio[n]; hoc namque indicat appellatio *turturis*. Haec namque avis in secretioribus et remotis a multitudine locis vitam transigit aut deserta montium diligens aut secreta silvarum, procul semper a multitudine posita et a turbis aliena.

**9** Quid autem est aliud quod opportunitati temporis huius amoenitatique conveniat? *Ficus*, inquit, *produxit germina sua*[o]. Nondum quidem *fructus* ipsius *Spiritus*, qui sunt *caritas, gaudium, pax*[p], et cetera, sed iam tamen germina horum proferre incipit spiritus hominis, qui in ipso est figuraliter ficulnea nominatus.

**10** Sicut enim generaliter in ecclesia diversae arbores 225 singulae | quaeque animae credentium intelliguntur, de quibus dicitur : *Omnis arbor quam non plantavit Pater meus caelestis eradicabitur*[q], et iterum Paulus, qui se dicit *adiutorem Dei* esse in *agricultura Dei*[r], ait etiam ipse : *Ego plantavi, Apollo rigavit*[s], sed et Dominus in evangeliis : *Aut facite arborem bonam et fructum eius bonum*[t] — sicut ergo generaliter in ecclesia singuli quique credentium diversae arbores intelliguntur —, ita et in unaquaque anima diversae virtutes et efficaciae eius diversae arbores intelliguntur.

m. Cf. Cant. 2, 12 || n. Cf. I. Cor. 2, 6-7 || o. Cant. 2, 13 || p. Cf. Gal. 5, 22 || q. Matth. 15, 13 || r. Cf. I Cor. 3, 9 || s. I Cor. 3, 6 || t. Matth. 12, 33.

1. La caractéristique des tourterelles serait plutôt de vivre dans les hauteurs, «au sommet des montagnes et au faîte des arbres», selon *HomCant.* II, 12, fin. L'indication a été reprise, entre autres par la «Glose ordinaire», qui ajoute : «Elles fuient le contact des hommes»,

chose de superflu et de moins utile dans ses manières de percevoir et de comprendre, que cela soit élagué et renaisse en bourgeons d'intelligence spirituelle.

**8** Alors aussi «elle entendra la voix de la tourterelle[m]», sans nul doute la voix de cette Sagesse dont l'interprète du Verbe parle parmi les parfaits : la Sagesse de Dieu plus profonde, qui est cachée dans le mystère[n] ; c'est en effet ce qu'indique le nom de «la tourterelle». Car cet oiseau passe sa vie dans les endroits les plus cachés, éloignés de la multitude, aimant ou les déserts des montagnes, ou les secrets des forêts, toujours fixé loin de la multitude, étranger aux foules[1].

**L'éveil des vertus**

**9** Or, qu'y a-t-il d'autre qui s'harmonise avec l'agrément et le charme de cette maison ? «Le figuier a formé ses bourgeons[o]», dit l'Époux. Certes, ce ne sont pas encore «les fruits de l'Esprit lui-même : la charité, la joie, la paix[p]», etc., mais c'est déjà quand même leurs bourgeons que commence à former l'esprit de l'homme, qui est en lui-même, nommé au sens figuré le figuier.

**10** En effet, de même que d'une manière générale dans l'Église, les âmes des croyants, une à une, sont comprises comme divers arbres, dont il est dit : «Tout arbre que n'a point planté mon Père céleste sera déraciné[q]» ; et de nouveau Paul, qui se dit «coadjuteur de Dieu, dans le champ de Dieu[r]», affirme encore lui-même : «Moi, j'ai planté, Apollos a arrosé[s]», mais aussi le Seigneur dans les Évangiles : «Supposez qu'un arbre soit bon, et son fruit sera bon[t]» — de même donc que d'une manière générale les croyants dans l'Église, un à un, sont compris comme divers arbres —, ainsi dans chaque âme, ses vertus diverses et ses diverses aptitudes sont comprises comme des arbres.

unissant ainsi l'explication du Commentaire à celle de l'Homélie (*PL* 113, col. 1140 D).

**11** Est ergo et in anima *ficus* quaedam quae *producat germen suum*, est et *vitis* quae floreat et *reddat odorem suum*. Cuius vitis palmites purgat *Pater* caelestis *agricola*[u], ut fructum plurimum afferant. Sed haec vitis primo per odoris suavitatem, quae ex flore redditur, laetificat odoratum secundum eum qui dicebat : *Quia Christi bonus odor sumus in omni loco*[v].

**12** Haec ergo initia virtutum videns Sermo Dei in anima vocat eam ad semet ipsum, ut festinet et exeat et abiciens cuncta corporea veniat ad eum et perfectionis eius particeps fiat. Idcirco igitur quasi adhuc iacenti et in rebus corporeis recubanti primo dicit : *Exsurge* et quasi quae statim oboedierit et obsecuta sit vocanti, collaudatur ab eo et audit : *proxima mea* et *columba mea*[w].

**13** Et post haec, ne ad tentationum turbines trepidaret, adnuntiat ei quod *hiems discesserit et pluvia transierit et abierit sibi*[x]. Bene autem vitiorum ac peccatorum naturam uno miro prolato sermone signavit, ut diceret huiusmodi hiemem ac pluvias quae ex vitiorum delicto tempestateque descendunt sibi abisse, indicans per hoc nullam esse substantiam peccatorum. Non enim decidentia de homine vitia ad aliam aliquam substantiam congregantur, sed sibi abeunt et in semet ipsa resoluta evanescunt atque in nihilum rediguntur. Et ideo dixit : *Quia abiit sibi*[y].

**14** Fit ergo tranquillitas animae apparente ei Verbo Dei et cessante peccato ; et ita demum florente vinea inci-

u. Cf. Jn 15, 1-2 || v. II Cor. 2, 15 || w. Cant. 2, 10 || x. Cant. 2, 11 || y. Cant. 2, 11.

---

1. Le mal n'a pas d'existence par lui-même ; il est simplement privation du bien, il est ἀνυπόστατον, sans ὑπόστασις, sans réalité. Le mal est ce «rien», cet οὐδὲ ἕν qui, selon *Jn* 1, 3, a été fait sans le Verbe : καὶ χωρὶς αὐτοῦ ἐγένετο οὐδὲ ἕν. Le diable n'a pas été créé par Dieu comme diable, il est devenu diable par son refus de Dieu, *ComJn*

**11** Il y a donc aussi dans l'âme «un figuier qui forme son bourgeon», il y a aussi «une vigne» qui fleurit et «donne son odeur». De cette vigne, «le Père» céleste «vigneron» émonde les sarments pour qu'ils portent plus de fruit[u]. Mais cette vigne réjouit d'abord l'odorat par la suavité de l'odeur qui émane de la fleur, d'après celui qui disait : «Car nous sommes la bonne odeur du Christ en tout lieu[v].»

**« Lève-toi ... »**

**12** Dès lors le Verbe de Dieu, voyant des commencements de vertus dans l'âme, l'invite à venir à lui : qu'elle se hâte, qu'elle sorte et, rejetant tout ce qui est corporel, qu'elle vienne à lui et participe à sa perfection. C'est donc bien comme si elle gisait encore, étendue parmi les choses corporelles, qu'il lui dit d'abord : «Lève-toi»; et comme si à l'instant elle avait obéi et s'était soumise à son appel, elle est comblée de louanges par lui et entend : «Ma compagne, et ma colombe[w]».

**13** Et après cela, pour qu'elle ne tremble pas devant les bourrasques des tentations, il lui annonce que «l'hiver s'est éloigné, la pluie est passée et s'en est allée[x]». Il lui signale bien la nature des vices et des péchés en une seule phrase admirable, pour dire qu'un hiver de cette espèce, et les pluies qui découlent de la faute et de la tempête des vices s'en sont allés, indiquant par là qu'il n'y a aucune substance des péchés. Car, détachés de l'homme, les vices ne se rassemblent pas pour former quelque autre substance, mais ils s'en vont et, désagrégés en eux-mêmes, ils s'évanouissent et sont anéantis[1]. Et c'est pourquoi, il a dit : «La pluie s'en est allée[y].»

**14** Il se fait donc une sérénité de l'âme quand le Verbe de Dieu lui apparaît et que cesse le péché ; et alors seulement, lorsque la vigne est en fleur, les vertus commencent

II, 91-99 ; Origène s'oppose ainsi à certaines opinions, grecques, marcionites et gnostiques : voir les notes *ad loc.*, *SC* 120, p. 264-271.

226 pient | virtutes atque arbusta bonorum fructum germinare.

**15** Sed nunc iterum Christus haec loquatur ad ecclesiam et in anni circulum omne praesentis saeculi spatium ponat. Et *hiemem* quidem illud indicet tempus quo vel Aegyptios grando et turbines ac reliqua decem plagarum verbera flagellabant[z] vel cum diversa bella perferebat Istrahel vel etiam coram ipsi Salvatori restitit et incredulitatis turbine correptus naufragio fidei submersus est.

**16** Ubi ergo *illorum delicto salus gentibus facta est*[aa], vocat nunc ad se ecclesiam gentium dicitque ei : *Exsurge et veni* ad me, quia iam *hiems* quae submersit incredulos et vos in ignorantia reprimebat *abscessit*[ab]. Sed et *pluvia pertransiit*, id est iam non *mandabo nubibus*, prophetis, *ut pluant pluviam* Verbi *super terras*[ac] ; sed ipsa *vox turturis*, hoc est ipsa Dei Sapientia, loquetur *in terris* et dicet : *Ipse qui loquebar adsum*[ad].

**17** *Flores* ergo credentium populorum et orientium ★ ecclesiarum *apparuerunt in terra*. Sed et *tempus putationis* per fidem meae passionis et resurrectionis advenit. Amputantur enim et exsecantur ab hominibus peccata, cum in baptismo donatur remissio peccatorum. *Vox* quidem *turturis*, ut diximus, iam non per diversos prophetas, sed ipsius Sapientiae Dei auditur in terris.

z. Cf. Ex. 7-9 || aa. Rom. 11, 11 || ab. Cf. Cant. 2, 10-11 || ac. Cf. Is. 5, 6 || ad. Is. 52, 6.

---

1. «... ' une fois dans l'année ', c'est-à-dire durant tout ce siècle présent», *HomLév.* IX, 2, début.
2. Cf. *supra*, III, 14, 24, et note *ad loc.*
3. «La taille, c'est la rémission des péchés», *HomCant.* II, 12, milieu.

à germer et les arbustes à produire le fruit des bonnes œuvres.

**Le Christ à l'Église**
**Époque de l'hiver**

**15** Mais maintenant encore le Christ adresse ces paroles à l'Église, et place dans le cycle d'une année toute la durée du siècle présent[1]. Et que du moins par «hiver» il indique cette époque où soit la grêle, les tempêtes et les autres fléaux des dix plaies flagellaient les Égyptiens[z]; soit quand Israël soutenait diverses guerres; soit même quand il résista ouvertement au Sauveur en personne, et que, saisi par la tempête de l'incrédulité, il fut submergé dans le naufrage de la foi.

**16** Quand donc «par leur faute le salut est arrivé aux nations[aa]», il appelle alors à lui l'Église des nations et lui dit : «Lève-toi et viens» à moi, car maintenant «l'hiver» qui submergea les incrédules et qui vous maintenait dans l'ignorance, «s'est éloigné[ab]». De plus, «la pluie est passée», c'est-à-dire que «je ne commanderai plus aux nuages», les prophètes, «de faire pleuvoir la pluie» de la Parole[2] «sur la terre[ac]». Mais «la voix même de la tourterelle», c'est-à-dire la Sagesse même de Dieu, se fera entendre «sur la terre», et dira : «Moi-même, qui te parlais, me voici[ad].»

**17** Alors «les fleurs» des peuples croyants et des Églises ★ naissantes «ont apparu sur la terre». De plus, «le temps de la taille» par la foi en ma passion et ma résurrection aussi est venu. Car les péchés sont ôtés et retranchés des hommes lorsque dans le baptême est accordée la rémission des péchés[3]. «La voix de la tourterelle» sans doute, comme nous avons dit[4], ne se fait plus entendre par les divers prophètes, mais c'est la voix de la Sagesse même de Dieu que l'on entend sur la terre.

4. Cf. *supra*, § 8.

**18** Et *ficulnea germinat*, quae potest in fructibus sancti (1 Spiritus accipi qui nunc primum aperiuntur et demonstrantur ecclesiae, vel etiam in legis littera quae ante adventum Christi clausa erat et constricta et indumento quodam intelligentiae carnalis obtecta ; ex praesentia vero eius et adventu prolatum est ex ea germen spiritalis intelligentiae et sensus viridis ac vitalis qui in ea tegebatur apparuit, ut ecclesia quae tegebatur a Christo in *ficulnea*[ae], id est in lege, non appareat arida et *occidentem litteram* sequi, sed florentem ac *vivificantem Spiritum*[af].

227 **19** Sed | et *vites florere* dicuntur *et dedisse odorem suum*[ag]. Possunt quidem et diversae ecclesiae quae per orbem terrae habentur vites dici florentes et vineae. *Vinea enim Domini Sabaoth domus Istrahel est, et homo Iuda novella dilecta*[ah]. Istae ergo *vineae*, cum primo accedunt ad fidem, *florere* dicuntur ; cum vero religiosorum operum suavitate adornantur, *odorem suum dedisse* dicuntur.

**20** Et non sine causa puto quod non dixerit : odorem dederunt, sed *odorem suum*[ag], ut ostenderet inesse unicuique animae vim possibilitatis et arbitrii libertatem qua possit agere omne quod bonum est. Sed quia hoc naturae bonum praevaricationis occasione deceptum vel ad ignaviam vel ad nequitiam fuerat inflexum, ubi per gratiam reparatur et per doctrinam Verbi Dei restituitur, odorem reddit illum sine dubio quem primitus conditor Deus inoleverat, sed peccati culpa subtraxerat.

ae. Cf. Matth. 21, 19 || af. Cf. II Cor. 3, 6 || ag. Cf. Cant. 2, 13 || ah. Is. 5, 7.

1. Car *germinare* peut aussi avoir le sens de « produire ses premiers fruits ».

**18** Et «le figuier bourgeonne», ce qui peut être compris des fruits[1] du Saint Esprit qui sont maintenant pour la première fois découverts et manifestés à l'Église ; ou encore de la lettre de la Loi qui avant la venue du Christ était enfermée, enserrée et recouverte par le voile de l'intelligence charnelle ; mais de la venue et la présence du Christ est sorti d'elle le bourgeon de l'intelligence spirituelle, et le sens verdoyant et plein de vie qui était caché en elle est apparu : en sorte que l'Église, qui était cachée par le Christ «dans le figuier[ae]», c'est-à-dire dans la Loi, n'apparaît pas stérile et à la suite de «la lettre qui tue», mais de «l'Esprit» qui produit les fleurs et «qui donne la vie[af]».

**Les Églises**

**19** De plus, on dit et que «les vignes sont en fleur», et qu'elles «ont donné leur odeur[ag]». Certes, les diverses Églises établies sur la surface de la terre peuvent être dites «vignes et vignobles en fleur». «Car la vigne du Seigneur Sabaoth, c'est la maison d'Israël, et l'homme de Juda est un jeune plant chéri[ah].» Ces vignes donc, quand elles commencent à parvenir à la foi, on dit qu'elles sont en fleur ; mais quand elles s'ornent de la suavité des œuvres religieuses on dit qu'elles «ont donné leur odeur».

**20** Et ce n'est pas sans raison, je pense, qu'on n'a pas dit : ont donné une odeur, mais «leur odeur[ag]», pour montrer qu'en chaque âme existe la capacité de pouvoir et le libre arbitre, lui permettant d'accomplir tout ce qui est bon. Mais parce que ce bien de la nature, trompé à l'occasion de la transgression, avait été infléchi soit vers la paresse, soit vers la malice, quand il est réparé par la grâce et remis en état par la doctrine du Verbe de Dieu, il redonne sans nul doute cette odeur dont, en premier lieu, Dieu Créateur l'avait imprégnée, mais que la culpabilité du péché avait fait disparaître.

**21** Possunt autem et *vites* vel *vineae* intelligi virtutes caelestes et angelicae, quae hominibus largiuntur *odorem suum*, id est doctrinae et institutionis bonum quo instruunt et imbuunt animas, donec ad perfectionem veniant et incipiant capaces fieri Dei. Sicut et Apostolus ad Hebraeos scribens dicit : *Nonne omnes sunt ministeriales spiritus ad ministerium missi propter eos qui hereditatem capiunt salutis*[ai] ?

**22** Et ideo dicuntur ab ipsis quasi primum *florem* et *odorem* bonorum capere homines, ipsos vero fructus *vitis* ab eo sperare qui dixit : *Non bibam de generatione vitis huius, donec bibam illud vobiscum novum in regno Patris mei*[aj]. Illi ergo perfecti fructus ab ipso sperandi sunt, initia vero et, ut ita dicam, proficiendi suavitas potest a caelestibus virtutibus ministrari vel certe per eos qui dicebant, ut supra diximus : *Quoniam Christi bonus odor sumus in omni loco*[ak].

**23** Sed et alio modo possumus adhuc intelligere haec quae habentur in manibus, ut dicamus velut prophetiam quandam videri ad ecclesiam factam, per quam vocetur ad repromissiones futuras et quasi post consummationem saeculi, cum tempus resurrectionis advenerit, dicatur ei : *Exsurge*[al].

**24** Et quia sermo hic statim opus resurrectionis adsignat, tamquam ex resurrectione clarior et splen|didior

228

ai. Hébr. 1, 14 || aj. Math. 26, 29 || ak. II Cor. 2, 15 || al. Cf. Cant. 2, 10.

1. Plus haut, les anges étaient défenseurs des petits, II, 3, 16 ; ici, ils sont instructeurs des âmes.

2. Cf. *supra*, § 11. Mais l'idée que la voie vers la perfection commence sous la conduite des anges est encore vraie du temps qui suit la mort, selon *PArch.* II, 11, parlant des anges qui instruisent (§ 3, fin), puis de la connaissance future (§§ 5-7) : voir notes *ad loc.*, *SC* 253, p. 245 et 247-254.

**Les puissances célestes**

**21** Mais aussi, «vignes et vignobles» peuvent s'entendre des puissances célestes et angéliques qui dispensent aux hommes «leur odeur», c'est-à-dire le bien de la doctrine et de l'enseignement dont elles munissent et imprègnent les âmes, jusqu'à ce qu'elles parviennent à la perfection et commencent à devenir capables de Dieu[1]. De même aussi l'Apôtre, écrivant aux Hébreux, dit : (Les anges) «ne sont-ils pas tous des esprits chargés d'un ministère envoyés en mission pour le bien de ceux qui obtiennent l'héritage du salut[ai] ?»

**22** Et c'est pourquoi on dit que les hommes reçoivent d'eux, pour ainsi dire la première «fleur» et «l'odeur» des biens, mais que les fruits mêmes de «la vigne», ils les espèrent de celui qui a dit : «Je ne boirai plus du produit de cette vigne, jusqu'au moment où je le boirai avec vous, nouveau, dans le royaume de mon Père[aj].» C'est donc de lui qu'on doit espérer ces fruits parfaits, tandis que leurs commencements, et pour ainsi dire, la suave odeur de progresser, peuvent être dispensés par les puissances célestes, ou du moins par ceux qui disaient, comme nous avons dit plus haut[2] : «Car nous sommes la bonne odeur du Christ en tout lieu[ak].»

**Les promesses futures**

**23** De plus, nous pouvons comprendre encore d'une autre façon ce texte que nous avons entre les mains : disons qu'une sorte de prophétie semble être faite à l'Église par laquelle elle serait appelée aux promesses futures, et comme si après la consommation du siècle, quand surviendra le temps de la résurrection, on lui disait : «Lève-toi[al]».

**24** Et parce que cette parole désigne d'emblée l'œuvre de la Résurrection, l'Épouse, devenue en quelque sorte du fait de la Résurrection plus radieuse et plus resplendis-

effecta invitatur ad regnum et dicitur ei : *Veni, proxima mea, speciosa mea, columba mea, quia hiems transiit*[am], *hiemem* huius sine dubio praesentis vitae procellas et turbines nominans, quibus humana vita tentationum procellis agitatur. *Transiit* ergo *hiems* ista cum *pluviis* suis et *abiit sibi* ; *sibi* enim unusquisque egit in hac vita omne quod egit.

**25** Principium vero repromissionum futurarum *flores* intellegantur qui *apparuerunt in terra*[an]. *Securim* quoque *ad radicem arborum appositam* in consummationem saeculi, *ut excidat omnem arborem non facientem fructum bonum*[ao], *tempus putationis* intellige.

**26** *Vocem* vero *turturis*, quae *in* illa *terra*[ap] repromissionis *auditur* quam *mansueti in haereditatem suscipient*[aq], Christi personam *facie ad faciem* et non iam *per speculum et in aenigmate*[ar] docentis adverte.

**27** *Ficulnea* vero quae *germen suum producit*[as] totius congregationis iustorum fructus habeatur. Sanctae vero illae et beatae angelicae virtutes quibus electi quique et beati ex resurrectione sociabuntur qui *erunt sicut angeli*

am. Cant. 2, 10-11 || an. Cf. Cant. 2, 12 || ao. Cf. Matth. 3, 10 || ap. Cf. Cant. 2, 12 || aq. Cf. Ps. 36, 11 || ar. I Cor. 13, 12 || as. Cf. Cant. 2, 13.

1. L'opposition paulinienne est utilisée maintes fois, et appliquée non seulement à la connaissance, mais à bien d'autres réalités. « A travers un miroir, en énigme » correspond à l'Évangile « temporel », c'est-à-dire vécu ici-bas ; tandis que « face à face » se réfère à l'Évangile « éternel » de la béatitude : ce ne sont pas deux Évangiles, mais un seul par la substance (ὑπόστασις), et qui diffère seulement par la manière dont les hommes le voient (ἐπίνοια). En revanche, « à travers un miroir, en énigme » n'est jamais, semble-t-il, appliqué à l'Ancien Testament, dont la vision est inférieure à celle de l'Évangile « temporel ».

2. L'égalité finale des bienheureux et des anges, affirmée d'après Matthieu, correspondrait, dans l'eschatologie d'Origène, à l'état de la

sante, est invitée au Royaume et on lui dit : « Viens, ma compagne, ma belle, ma colombe, car l'hiver est passé [am] », désignant sans nul doute par le nom d'hiver les orages et les ouragans de cette vie présente, par lesquels la vie humaine est secouée par les orages des tentations. « Il est » donc « passé », cet « hiver » avec ses « pluies », et « il est parti pour lui » : c'est en effet « pour lui » que chacun fait en cette vie tout ce qu'il fait.

**25** Mais que l'on comprenne « les fleurs » qui « ont apparu sur la terre [an] » comme le commencement des promesses futures. « La hache » aussi « placée à la racine des arbres » à la consommation du siècle, « pour couper tout arbre qui ne porte pas de bon fruit [ao] », comprends-la comme « le temps de la taille ».

**26** Mais « la voix de la tourterelle » qui « se fait entendre dans cette terre [ap] » de la promesse que « les doux posséderont en héritage [aq] », note bien que c'est la personne du Christ enseignant « face à face », et non plus [1] « à travers un miroir et en énigme [ar] ».

**27** Par ailleurs, que « le figuier » qui « produit son bourgeon [as] » soit tenu pour les fruits de toute l'assemblée des justes. Quant à ces saintes et bienheureuses puissances angéliques auxquelles, en vertu de la Résurrection seront associés tous les élus et bienheureux [2] qui « seront comme

préexistence où toutes les intelligences étaient égales, avant que la chute ne les divise en anges, hommes, démons. Il ne faudrait pas en conclure à une négation de la résurrection des corps. Car pour Origène, anges et démons ont aussi un corps, comme en avaient un les intelligences préexistantes. Le corps est pour lui le signe de la condition de créature et de son caractère accidentel, et seule, la Trinité est sans corps. A la Résurrection, les corps humains, à la place de la « qualité » terrestre qu'ils avaient ici-bas, revêtiront une « qualité » céleste, éthérée, semblable à celle des anges et à celle qu'ils avaient dans la préexistence.

*Dei*[at] ipsae sunt vites florentes et vineae quae odorem suum unicuique animae et gratiam quam a conditore prius suscepit et nunc iterum perditam reparavit, impertiunt et suavitate caelestis odoris faetorem tandem abiectae ab iis mortalitatis corruptionisque depellunt.

at. Matth. 22,30.

les anges de Dieu [at] », elles sont elles-mêmes « des vignes en fleur » et « des vignobles » qui communiquent à chaque âme leur odeur, et la grâce qu'elle a reçue d'abord du Créateur et que, après l'avoir perdue, elle a de nouveau maintenant recouvrée. Et par la suavité de leur odeur céleste, elles font disparaître la puanteur de la condition mortelle et de la corruption enfin rejetées loin d'eux.

# Chapitre 2

## Lève-toi et viens

*Cant.* 2, 13 b - 14 : *Lève-toi et viens, ma compagne, ma belle,*
*ma colombe; sous le voile de la pierre,*
*tout près de l'avant-mur, montre-moi ton visage,*
*et fais-moi entendre ta voix, car ta voix est douce*
*et ton visage est beau*

1-3 : le récit historique ; 4 : l'intelligence spirituelle ; 5-20 : le Verbe de Dieu s'adresse à l'âme ; 6-7 : l'hiver, le printemps ; 8-12 : sous le voile de la pierre ; 13 : « montre-moi ton visage » ; 14-16 : « ta voix est douce » ; 17-18 : « ton visage est beau » ; 19-20 : l'avant-mur ; 21-30 : le Christ s'adresse à l'Église ; 22-24 : la colombe ; 25-28 : l'invitation de l'Époux : 29-30 : l'avant-mur.

## 2

**1** *Surge et veni, proxima mea, speciosa mea, columba mea; in velamento petrae iuxta promurale ostende mihi faciem tuam, et auditam mihi fac vocem tuam, quoniam vox tua suavis et facies tua speciosa*[a]. Secundum propositi dramatis ordinem sponsus, qui *saliens super montes et exsiliens super colles* ad sponsam suam venerat, *prospiciens* eam et intuens *per fenestras*[b], secundo iam hoc dicit ad 229 eam : *Surge, veni* | *proxima mea, speciosa mea, columba mea*[c]. Nunc vero addit etiam hoc, ut ostenderet ei locum ad quem venire debeat, qui locus sub velamento et tegmine saxi sit positus. Sit autem idem locus non tam *iuxta* murum quam *iuxta promurale* quoddam. *Promurale* autem dicitur, cum extra muros qui ambiunt civitatem alius ducitur murus et est murus ante murum.

**2** Tum deinde, quasi si reverentiae causa ipsa sponsa obtecta sit et velata, petit ab ea sponsus ut veniens ad illum locum quem supra ostendit utpote secretiorem ibi ei quasi reiecto velamine *ostendat faciem suam.* Et quia pro multa reverentia taceret sponsa, desiderat sponsus aliquando etiam *vocem eius audire* et delectari in verbis eius et dicit ut auditam sibi faciat vocem suam. Videtur tamen quod non ei penitus incognita sit facies eius neque vocis eius ignarus sit, sed quia intercesserit aliquid spatii in quo nec faciem eius viderit nec vocem eius audierit.

a. Cant. 2, 13-14 || b. Cf. Cant. 2, 8-9 || c. Cant. 2, 13.

# 2

**Le récit historique**

**1** « Lève-toi et viens, ma compagne, ma belle, ma colombe ; sous le voile de la pierre, tout près de l'avant-mur, montre-moi ton visage, et fais-moi entendre ta voix, car ta voix est douce et ton visage est beau[a]. » Suivant l'ordre du drame proposé, l'Époux, qui, sautant par-dessus les montagnes et surgissant par-dessus les collines, était venu vers son Épouse, l'observant et l'examinant par les fenêtres[b], lui dit maintenant pour la seconde fois : « Lève-toi, viens ma compagne, ma belle, ma colombe[c]. » Mais il ajoute ici encore ce détail pour lui indiquer le lieu où elle doit venir, un lieu placé sous le voile et le couvert d'un rocher. Mais que l'on imagine ledit lieu moins « près » du mur que « près d'un avant-mur ». On parle « d'avant-mur » lorsqu'à l'extérieur des murailles qui entourent une cité, on construit un autre mur : c'est un mur devant un mur.

**2** Puis, comme si, par respect, l'Épouse elle-même était couverte et voilée, l'Époux lui demande que, venant à ce lieu qu'il a indiqué plus haut comme plus secret, là, comme si elle avait jeté en arrière son voile, elle lui « montre son visage ». Et parce que l'Épouse en raison de son grand respect se taisait, l'Époux désire enfin aussi « entendre sa voix » et prendre plaisir à ses paroles, et il demande qu'elle lui fasse entendre sa voix. Il semble toutefois que son visage ne lui soit pas tout à fait inconnu, ni qu'il soit ignorant de sa voix, mais qu'un laps de temps soit intervenu où il n'ait ni vu son visage, ni entendu sa voix.

**3** Iste sit propositi dramatis textus. Cui et hoc additur quod veris tempus agi videatur, cum et *flores apparuisse* memorantur *in terra* et *vox turturis* personare et *germen arbores produxisse*[d]. Propter quod velut opportuno tempore progredi provocat sponsam, quae sine dubio per hiemem totam intra domus claustra resederit.

**4** Sed haec nullam mihi videntur, quantum ad historicam narrationem pertinet, utilitatem conferre legentibus aut aliquam saltem narrationis ipsius servare consequentiam, sicut in ceteris Scripturae historiis invenimus. Unde necesse est cuncta ad spiritalem transferre intelligentiam.

**5** Primo ergo intellige mihi animae *hiemem*, cum adhuc passionum fluctibus iactatur et vitiorum procellis ac duris malignorum spirituum flatibus verberatur. In his positam non hortatur eam Sermo Dei foras exire, sed intra semet ipsam colligi et muniri undique ac contegi contra perniciosos malignorum spirituum flatus.

**6** Nulli tunc in divinis litteris studiorum *flores* apud eam nec profundioris sapientiae secreta et recondita mysteria quasi per *vocem turturis* resonant. Sed neque odoratus eius gratiae aliquid quasi ex vineae floribus recipit neque visus eius tamquam in *ficulneae germine* delectatur, sed sufficit ut in tempestatibus tentationum a lapsu peccati tuta ac munita permaneat.

**7** Quod si obtinuerit ut illaesa perduret, hiems ei transiit et venit ei ver. Ver namque ei est, cum quies

d. Cf. Cant. 2, 12-13.

**3** Tel est la suite du drame proposé. A quoi s'ajoute aussi qu'il semble se passer à la saison du printemps, puisqu'on rappelle que «les fleurs ont apparu sur la terre», «la voix de la tourterelle» retentit, «les arbres ont formé leurs bourgeons[d]». C'est pourquoi, comme le temps s'y prête, l'Époux invite l'Épouse à sortir, elle qui est sans nul doute restée tout l'hiver enfermée à l'intérieur de la maison.

**L'intelligence spirituelle**

**4** Mais ces détails ne me semblent apporter en ce qui concerne le récit historique aucun profit aux lecteurs, ni garder au moins quelque suite logique du récit même, comme nous trouvons dans d'autres histoires de l'Écriture. Aussi est-il nécessaire de tout rapporter à l'intelligence spirituelle.

**Le Verbe de Dieu et l'âme : l'hiver et le printemps**

**5** Dès lors, comprends avec moi d'abord que pour l'âme c'est «l'hiver», quand elle est encore ballottée par les flots des passions, fouettée par les orages des vices et par les âpres souffles des esprits mauvais. Tant qu'elle est placée à leur centre, le Verbe de Dieu ne l'invite pas à sortir dehors, mais à se recueillir à l'intérieur d'elle-même, se couvrir et se protéger de toutes parts, faces aux souffles funestes des esprits mauvais.

**6** Alors chez elle il n'est pas dans les divines Écritures de fleurs de goûts, ni ne retentissent, comme par «la voix de la tourterelle», les mystères secrets et cachés d'une sagesse plus profonde. Son odorat non plus ne reçoit pas d'agrément comme en provenance «des fleurs de la vigne», ni sa vue ne trouve du charme comme dans le bourgeon du figuier ; mais il suffit qu'au milieu des tempêtes des tentations elle demeure en sûreté et en garde contre la chute du péché.

**7** Que si elle a réussi à tenir bon sans dommage, pour elle est passé l'hiver et pour elle venu le printemps. Car

230 ★ animo | datur et tranquillitas menti. Tunc ad eam venit Verbum Dei, tunc eam vocat ad se et hortatur ut exeat non solum extra domum, sed extra civitatem, id est non solum extra carnis vitia efficiatur, sed etiam extra omne quidquid corporeum et visibile continetur in mundo. Mundum namque figuraliter intellegi civitatem iam in superioribus evidenter ostendimus.

**8** Evocatur ergo anima extra murum et usque ad *promurale* perducitur, cum abiciens et relinquens ea *quae videntur et temporalia sunt* contendit ad ea *quae non videntur et aeterna sunt*[e]. Ostenditur autem ei iter istud sub *velamento petrae* agendum, non sub aere nudo ; neque ut patiatur solis ardores, ne forte iterum fusca fiat et iterum dicat quia : *Despexit me sol*[f], propterea sub *velamento petrae* agit hoc iter.

**9** Hoc ipsum autem *velamen* non vult ex frondibus esse ei aut linteis aut pellibus, sed *petram* vult ei esse *velamen*, id est firma et solida Christi dogmata. Ipsum namque esse petram Paulus pronuntiat dicens : *Petra autem erat Christus*[g]. Christi ergo doctrina et fide si obtegatur anima et veletur, tuto potest ad illud pervenire secretum, ubi *revelata facie gloriam Domini speculetur*[h].

**10** Merito autem *velamen* istud *petrae* tutum creditur, quia et Solomon de ea dicit in Proverbiis quod vestigia serpentis non possunt deprehendi super petram. Sic enim ait : *Tria sunt quae impossibile est mihi intelligere, et quartum quod non agnosco : vestigia aquilae volantis et vias*

e. Cf. II Cor. 4, 18 || f. Cant. 1, 6 || g. I Cor. 10, 4 || h. II Cor. 3, 18.

1. Non seulement le péché de la chair éloigne de Dieu, mais l'attachement au sensible, même quand il n'est pas directement peccamineux, gêne le contact de l'âme avec Dieu.

2. «Sous cette cité, voyons le monde», *HomNombr.* XVIII, 4, fin.

3. Cf. *supra*, II, 2, 10, la comparaison plus développée avec le soleil visible qui «brunit et brûle les corps qu'il domine de son apogée».

c'est le printemps pour elle quand le repos est accordé à ★ son cœur, et la sérénité à son intelligence. Alors le Verbe de Dieu vient à elle, alors il l'appelle à lui et l'invite à sortir non seulement hors de la maison, mais hors de la cité, c'est-à-dire à se mettre non seulement hors des vices de la chair, mais aussi hors de tout ce que le monde renferme de corporel et de visible[1]. En effet, que le monde est compris au sens figuré comme une cité, auparavant déjà nous l'avons clairement montré[2].

**Sous le voile de la pierre**

**8** L'âme est donc appelée au-delà du mur et conduite à «l'avant-mur», lorsque, rejetant et laissant de côté «ce qui se voit, qui est temporel», elle tend vers «ce qui ne se voit pas, qui est éternel[e]». Mais on lui montre qu'il faut suivre ce chemin sous «le voile de la pierre», et non à l'air libre ; et pour qu'elle ne subisse point les ardeurs du soleil, qu'elle ne risque de brunir de nouveau et de dire une seconde fois[3] : «Le soleil m'a regardée de côté[f]», elle fait ce chemin sous «le voile de la pierre».

**9** Or ce «voile» lui-même, l'Époux ne veut pas que pour l'Épouse il soit fait de feuillage, de toiles ou de peaux, mais il veut que pour elle «le voile» soit «la pierre», c'est-à-dire les doctrines fermes et solides du Christ. C'est lui que Paul déclare «Pierre» : «Or la Pierre était le Christ[g].» Si donc l'âme est protégée et voilée par la doctrine du Christ et la foi en lui, elle peut parvenir en sûreté à ce lieu secret, où «on contemple à visage dévoilé la gloire du Seigneur[h]».

**10** C'est avec raison que ce «voile de la pierre» est tenu pour sûr, puisque Salomon aussi dit d'elle dans ses Proverbes que les traces du serpent ne peuvent être découvertes sur la pierre. Voici ce qu'il déclare : «Il y a trois choses qu'il m'est impossible de comprendre, et une quatrième que je ne connais pas : les traces de l'aigle qui vole,

*serpentis super petram et semitas navis in pelago et vias viri in iuventute*[i]. Serpentis ergo diaboli vestigia, id est signa aliqua peccati, in hac *petra* quae *Christus est*[j] inveniri non possunt, quia solus est qui *peccatum non fecit*[k].
231 Huius igitur *petrae* usa | velamine anima tuto pervenit ad promuralem locum, id est ad contemplanda incorporalia et aeterna.

**11** De hac eadem petra alia verbi specie David in septimo decimo psalmo dicit : *Et statuit supra petram pedes meos, et direxit semitas meas*[l]. Nec mireris si apud David petra haec quasi fundamentum et crepido quaedam est animae per quam pergit ad Deum et apud Solomonem *velamen*[m] est animae ad mystica sapientiae secreta tendentis, cum et ipse Christus nunc *via*[n] dicatur per quam credentes incedunt, nunc etiam *praecursor*, sicut ait Paulus : *In quod praecursor pro nobis intravit Iesus*[o].

**12** Simile est et illud quod ad Moysen dicitur a Deo : *Ecce, posui te in foramine petrae, et videbis posteriora mea*[p]. Igitur *petra* ista quae *Christus est*[q] non est ex omni parte clausa, sed habet foramina. *Foramen* vero est *petrae* qui revelat et innotescere facit hominibus Deum ; *nemo* enim *cognoscit Patrem nisi Filius*[r]. Nemo ergo videt postrema Dei, id est quae in postremis temporibus fiunt, nisi *positus*

i. Prov. 30, 18-19 || j. Cf. I Cor. 10, 4 || k. Cf. I Pierre 2, 22 || l. Ps. 39, 3 || m. Cf. Cant. 2, 14 || n. Cf. Jn 14, 6 || o. Hébr. 6, 20 || p. Cf. Ex. 33, 22-23 || q. I Cor. 10, 4 || r. Cf. Matth. 11, 27.

1. *Diaboli* est mis par Baehrens entre crochets droits comme une glose de *peccati* qui fait suite. Quoi qu'il en soit, des « indices de péché » sont bien « des traces du diable ».

2. Le psaume 17 parle de Dieu, le Rocher (v. 3, 32, 47), de l'action de Dieu qui affermit ses fidèles (v. 20, 33, 34, 37). L'analogie pousse Origène à lui attribuer ce verset du psaume 39.

3. Interprétation origénienne de ce verset biblique (*Ex.* 33, 23) : voir *HomEx.* XII, 3, et la note 2 *ad loc.*, *SC* 321, p. 362 et 364. Pour l'interprétation philonienne (« l'Essence de l'Être », « l'Essence souve-

le passage du serpent sur la pierre, le sillon du navire sur la mer et les voies de l'homme en son jeune âge[i].» Donc, les traces du serpent, le diable[1], c'est-à-dire tels ou tels indices de péché, ne peuvent être découverts sur cette «Pierre qui est le Christ[j]», car il est le seul qui «n'a pas commis de péché[k]». L'âme qui met à profit le voile de cette pierre parvient donc en sûreté à l'avant-mur, c'est-à-dire aux biens incorporels et éternels, objets de contemplation.

**11** De cette même Pierre, en une autre forme d'expression, David dit au psaume dix-sept[2] : «Il dressa mes pieds sur la Pierre, il rendit droits mes sentiers[l].» Ne t'étonne pas si chez David cette Pierre est pour l'âme une sorte de point d'appui et de tremplin par lesquels elle s'élance vers Dieu, et si elle est, chez Salomon, «un voile[m]» pour l'âme qui aspire aux secrets mystiques de la sagesse, puisque le Christ aussi est lui-même dit, tantôt «la Route[n]» sur laquelle les croyants s'avancent, tantôt encore «le Précurseur» comme dit Paul : «En ce sanctuaire, Jésus est entré pour nous en Précurseur[o].»

**12** Semblable est aussi cette parole de Dieu à Moïse[3] : «Voici, je t'ai placé dans le creux de la pierre, et tu me verras de dos[p].» Cette «Pierre qui est le Christ[q]» n'est donc point totalement compacte, mais elle a «des creux». Et c'est «le creux de la pierre» qui révèle et fait connaître Dieu aux hommes[4]. Car «personne ne connaît le Père, sinon le Fils[r]». Dès lors, personne ne voit le dos de Dieu, c'est-à-dire ce qui arrivera dans les derniers temps, s'il

raine» inaccessible à l'homme), voir PHILON, *Fug.* 165, et les notes *ad loc.* d'E. STAROBINSKI-SAFRAN.

4. Cf. *HomJér.* XVI, 2, fin, et la note 1 *ad loc.*, *SC* 238, p. 137. — «Car elle n'est point impénétrable *(clausa)* de partout, cette pierre, le Christ. Des fissures *(foramina)* la creusent, par où Dieu se révèle», GUILLAUME DE SAINT-THIERRY, *Exposé sur le Cantique* 164 (trad. Dumontier).

*in foramine petrae*, scilicet cum ea Christo revelante didicerit.

**13** Et hic ergo sub *velamine petrae* animam *proximam* sibi effectam invitat Sermo Dei ad *promuralem* locum, sicut supra iam diximus, ad contemplanda ea quae *non videntur et aeterna sunt*[s], et ibi dicit ad eam : *Ostende mihi faciem tuam*[t], profecto ut videat si nihil in vultu eius veteris adhuc velaminis habetur, sed potest intrepidis obtutibus gloriam Domini speculari, ut et ipsa dicat : *Et vidimus gloriam eius, gloriam tamquam Unigeniti a Patre, plenum gratiae et veritatis*[u].

232 **14** Sed | et cum digna fuerit ut de ipsa dicatur, sicut et de Moyse dictum est, quia *Moyses loquebatur et Deus respondebat ei*[v], tunc completur in ea quod ait : *Auditam mihi fac vocem tuam*[w]. Ingens vero laus eius ostenditur in eo quod dicitur : *Vox tua suavis*[w]. Sic enim et sapientissimus propheta David dicebat : *Suavis sit ei disputatio mea*[x].

**15** *Suavis* autem est *vox* animae, cum Verbum Dei loquitur, cum de fide et dogmatibus veritatis exponit, cum dispensationes Dei et iudicia eius explanat. Si vero aut stultiloquium aut scurrilitas aut vanitates de ore eius procedunt aut verbum otiosum de quo reddenda sit ratio in die iudicii[y], insuavis et iniucunda vox ista est. Ab hac voce Christus avertit auditum suum.

**16** Et ideo perfecta quaeque anima ponit *ori suo custodiam et ostium circumstantiae labiis suis*[z], ut talem semper sermonem proferat qui *sale conditus*[aa] det gratiam

s. Cf. II Cor. 4, 18 || t. Cant. 2, 14 || u. Jn 1, 14 || v. Ex. 19, 19 || w. Cant. 2, 14 || x. Ps. 103, 34 || y. Cf. Matth. 12, 36 || z. Ps. 140, 3 || aa. Cf. Col. 4, 6.

---

1. Cf. *supra*, § 8.
2. Sur les variations autour du thème du «voile», voir la note importante de M. Borret *ad HomEx.* XII, 1, *SC* 321, p. 354-355.

n'est «placé dans le creux de la Pierre», c'est-à-dire quand il l'aura appris du Christ révélateur.

**«Montre-moi ton visage»**

**13** C'est donc là, «sous le voile de la pierre», que le Verbe de Dieu invite l'âme devenue sa «compagne» à se diriger vers «l'avant-mur», comme nous l'avons déjà dit plus haut [1], pour contempler ce qui «ne se voit pas et est éternel [s]», et là il lui dit : «Montre-moi ton visage [t]», assurément pour voir si elle n'a plus rien du voile ancien [2] sur son visage, mais si elle peut, d'un regard assuré, contempler la gloire du Seigneur, de manière à pouvoir dire elle aussi : «Et nous, nous avons vu sa gloire, une gloire que tient du Père le Fils unique, plein de grâce et de vérité [u].»

**«Ta voix est douce»**

**14** De plus, quand l'Épouse sera digne que l'on dise d'elle comme on l'a dit aussi de Moïse : «Moïse parlait et Dieu lui répondait [v]», alors est accomplit en elle ce qu'elle dit : «Fais-moi entendre ta voix [w].» C'est vraiment d'elle un éloge extraordinaire qui apparaît dans l'expression : «Ta voix est douce [w].» Car c'est ainsi que le très sage prophète David aussi disait : «Que ma conversation lui soit douce [x].»

**15** Or, «la voix» de l'âme est «douce» lorsqu'elle parle du Verbe de Dieu, qu'elle fait des exposés sur la foi et les doctrines de la vérité, qu'elle explique les desseins de Dieu et ses jugements. Mais si un sot bavardage, ou une bouffonnerie, ou des vains propos sortent de sa bouche, ou une parole inutile dont il faudra rendre compte au jour du jugement [y], cette voix est déplaisante et désagréable. De cette voix, le Christ détourne son oreille.

**16** Et c'est pourquoi toute âme parfaite «place une garde à sa bouche et une porte de circonspection à ses lèvres [z]», de manière à exprimer toujours une parole telle «qu'assaisonnée de sel [aa]» elle soit gracieuse à ceux qui l'en-

audientibus et dicat de ea Verbum Dei : *Quia vox tua suavis*[ab].

**17** Sed *Et facies tua*, inquit, *speciosa*[ab]. Si intelligas illam *faciem* de qua Paulus dicit : *Nos autem omnes revelata facie*[ac], et item cum dicit : *Tunc autem facie ad faciem*[ad], tunc videbis quae sit animae *facies* quae laudatur a Verbo Dei et *speciosa* esse dicitur. Illa sine dubio quae *cotidie renovatur ad imaginem eius qui creavit eam*[ae], quae *non habet in se maculam aut rugam aut aliquid huiusmodi*, sed est *sancta et immaculata*, qualem et *ipse sibi exhibuit Christus ecclesiam*[af], animas scilicet quae ad perfectionem venerunt, quae omnes simul efficiunt corpus ecclesiae.

**18** Quod corpus utique pulchrum videbitur et decorum, si animae ex quibus corpus istud efficitur in omni perfectionis decore permanserint. Sicut enim cum anima in iracundia est turbatum et ferum reddit corporis vultum, cum vero in mansuetudine et tranquillitate persistit placidum mitemque reddit adspectum, ita et ecclesiae facies pro virtutibus et motibus credentium aut decora pronuntiatur aut turpis, secundum quod scriptum legimus : *Vestigium cordis in bonis vultus hilaris*[ag] et item alibi : *Cordis laeti facies florida, in tristitiis autem positi*
233 *maestus* | *est vultus*[ah]. *Cor* ergo *laetum* est, cum habet in se Spiritum Dei cuius primus *fructus caritas*, secundus

ab. Cant. 2, 14 || ac. II Cor. 3, 18 || ad. I Cor. 13, 12 || ae. Cf. II Cor. 4, 16 ; cf. Col. 3, 10 || af. Cf. Éphés. 5, 27 || ag. Sir. 13, 26 || ah. Prov. 15, 13.

---

1. Plusieurs textes d'Origène commentent *II Cor.* 3, 18 dans le sens de ce que l'on peut appeler «la contemplation transformante», celle qui transforme le contemplateur en l'image du contemplé. Le «visage» désigne la partie supérieure de l'âme, organe de la connaissance et de la vertu, élève de l'esprit, πνεῦμα, qui représente la grâce. On l'appelle tantôt νοῦς, intelligence (*ComJn* XXXII, 338-339 ; *CCels.* VII, 38), tantôt *principale cordis*, traduction de ἡγεμονικόν (*HomÉz.* III, 1). — Sur l'anthropologie d'Origène, cf. Crouzel, *Origène*, p. 123-130.

tendent, et que le Verbe de Dieu dise à son sujet : « Car ta voix est douce [ab]. »

**17** Mais, dit-il, « et ton visage est beau [ab] ». Si tu comprends ce visage dont Paul dit : « Et nous tous, le visage dévoilé [ac] ... », et de même quand il dit : « Mais alors, face à face [ad] ..., alors tu verras quel est « le visage » de l'âme [1] qui est loué par le Verbe de Dieu et déclaré « beau ». C'est sans nul doute celui qui « chaque jour se renouvelle à l'image de celui qui l'a créé [ae] », qui « n'a sur lui ni tache, ni ride, ni rien de tel », mais qui est « saint et immaculé » tel que « le Christ lui-même s'est présenté l'Église [af] », à savoir les âmes parvenues à la perfection, qui toutes ensemble forment le corps de l'Église [2].

**18** Ce corps apparaîtra vraiment beau et gracieux si les âmes dont ce corps est constitué sont demeurées dans toute la grâce de la perfection. De même en effet que l'âme, quand elle est en proie à la colère, rend le visage du corps troublé et farouche, mais quand elle persiste dans la bienveillance et la sérénité, rend l'aspect paisible et doux, de même aussi, le visage de l'Église, en raison des vertus et des émotions des croyants, est déclaré ou gracieux ou laid, d'après ce que nous lisons écrit : « Signe d'un cœur dans le bien, un joyeux visage [ag]. » Et de même ailleurs : « A cœur joyeux, visage au teint fleuri, mais à cœur dans la tristesse, visage abattu [ah]. » Ainsi « le cœur est joyeux » quand il a en lui l'Esprit de Dieu, dont le premier « fruit » est « la cha-

2. Le développement du chapitre continue de s'articuler clairement : après le sens « historique », concernant l'Époux et l'Épouse (§§ 1-5), « l'intelligence spirituelle » (§§ 5-30), mais selon les deux points de vue distincts et parallèles que ne rompt jamais aucun chiasme : le Verbe et l'âme (§§ 5-20), le Christ et l'Église (§§ 21-30) ; mais unis par une liaison organique expresse : « l'Église, à savoir les âmes parvenues à la perfection, qui toutes ensemble forment le corps de l'Église ». Alliance de la rigueur et de la souplesse constante, depuis l'annonce initiale en Prol. 1, 1. (M.B.)

*gaudium*[ai] est. Ex his puto quosdam sapientes saeculi assumpsisse illam sententiam quae dicit quia solus sapiens speciosus est, omnis autem nequam turpis est.

**19** Superest nobis aut aliquid apertius etiam de nomine *promuralis* dicamus. Quod, sicut supra diximus, indicat murum esse ante murum, quod etiam in Esaia hoc modo dicitur : *Ponet murum et circa murum*[aj]. *Murus* munimentum civitatis est, alius vero murus ante murum vel circa murum maiora et validiora munimenta designat.

**20** Per quod ostenditur quia evocans Sermo Dei animam et educens eam a corporalibus negotiis et corporeis sensibus docere eam de futuri saeculi mysteriis cupit et inde ei munimenta conquirere, ut spe futurorum munita et circumdata in nullo possit vel illecebris vinci vel tribulationibus fatigari.

**21** Nunc etiam videamus quomodo haec a Christo ad ecclesiam dicantur quae est *proxima* ei et *speciosa*, *speciosa* autem nulli alii nisi ipsi soli ; hoc enim significat, cum dicit : *speciosa mea*.

**22** Hanc ergo exsuscitat Christus et ipsi Evangelium resurrectionis adnuntiat et ideo dicit : *Exsurge, veni, proxima mea, speciosa mea*[ak]. Quia autem dedit ei et *pennas columbae*[al], posteaquam *dormivit in medio sortium*[am] ; media enim inter duas vocationes Istrahelis ecclesia vocata est, quia primo Istrahel vocatus est, post haec ubi ille offendit et cecidit, vocata est ecclesia gentium, cum autem *plenitudo gentium introierit*, tunc

ai. Cf. Gal. 5, 22 || aj. Is. 26, 1 || ak. Cant. 2, 13 || al. Cf. Ps. 54, 7 || am. Cf. Ps. 67, 14.

1. Un des paradoxes stoïciens ; cf. *SVF* III, 589 s. Origène les mentionne en *ComJn* II, 112-113 ; voir à ce sujet l'introd. de C. Blanc, *SC* 120, p. 36, n. 2.
2. Cf. *supra*, § 1.
3. Pour le sens du *Ps.* 67, 14, cf. *supra*, III, 1, 6, et note *ad loc.*

rité», le second, «la joie[ai]». C'est de ces textes, je pense, que certains sages du siècle ont tiré cet adage[1] : «Seul le sage est beau, mais tout fripon est laid.»

**L'avant-mur**

**19** Il nous reste à dire quelque chose de plus clair encore au sujet du mot «avant-mur». C'est l'indication, comme nous avons dit plus haut[2], qu'un mur se trouve devant un autre mur, ce qui est dit encore chez Isaïe en ces termes : «Il a mis un mur, et un mur autour[aj].» Le «mur» est le rempart de la cité, mais un autre mur devant le mur ou autour du mur désigne des remparts plus importants et plus solides.

**20** On montre par là que le Verbe de Dieu, appelant l'âme à lui et la conduisant hors des occupations physiques et hors des sens physiques, désire l'instruire des mystères du siècle futur, par conséquent lui construire des remparts, en sorte que, entourée et protégée par l'espérance des biens à venir, elle ne puisse être en aucune manière ni vaincue par les séductions ni lassée par les épreuves.

**Le Christ à l'Église**

**21** Voyons encore maintenant comment ces paroles sont dites par le Christ à l'Église qui est pour lui «compagne et belle», mais «belle» pour nul autre que lui seul : c'est ce qu'il indique quand il dit : «Ma belle».

**La colombe**

**22** Le Christ la tire donc de son sommeil et lui annonce l'Évangile de la Résurrection, et en conséquence il dit : «Lève-toi, viens, ma compagne, ma belle[ak].» C'est qu'il lui a donné aussi «des ailes de colombes[al]», après qu'elle eût dormi au milieu des lots[am]. Car l'Église a été appelée entre deux appels d'Israël[3], puisque d'abord Israël a été appelé, et qu'ensuite, lorsqu'il eut trébuché et fut tombé, l'Église des nations a été appelée ; mais «quand la totalité des nations

234 iterum | *omnis Istrahel* vocatus *salvabitur*[an] ; *in medio* ergo harum duarum *sortium dormit* ecclesia ; et propter hoc dedit ei *pennas columbae deargentatas*[ao], quod significat rationabiles pennas in sancti Spiritus donis.

**23** *Et posteriora dorsi eius* vel *in viriditate auri*[ap] ut quidam legunt, vel ut alii scriptum habent *in pallore auri*. Quod ostendere potest quia posterior illa vocatio quam ex Istrahel futuram dicit Apostolus non erit in observantia legis, sed in pretiositate fidei. Auri namque viriditatis speciem gerit fides virtutibus florens.

**24** Potest autem dici *in medio sortium dormire* — vel quiescere — ecclesia in medio duorum testamentorum et *pennae* eius *deargentatae* ex sensibus legis, *aurum* vero in *posterioribus dorsi* eius intelligi evangelici muneris donum.

**25** Ad hanc ergo ecclesiam dicit Christus : *Veni, tu columba mea, et veni in operimento petrae*[aq], docens eam ut operta veniat, ne quid patiatur ab incursantibus eam tentationibus, sed sub umbra petrae incedat obtecta dicens : *Spiritus vultus nostri Christus Dominus cui diximus : In umbra eius vivemus in gentibus*[ar]. Obtecta autem incedit et *adoperta*[as], quia *debet potestatem habere super caput propter angelos*[at].

an. Rom. 11, 25-26 || ao. Cf. Ps. 67, 14 || ap. Cf. Ps. 67, 14 || aq. Cant. 2, 13-14 || ar. Lam. 4, 20 || as. Cf. Cant. 1, 7 || at. I Cor. 11, 10.

---

1. Sur le salut final d'Israël selon Origène, voir G. Sgherri, *Chiesa e Sinagoga nelle opere di Origene*, Milan 1982, p. 443-444.

2. Plus haut (II, 8, 14) « l'argent représente la faculté de la parole et de la raison ». Mais le mot « raison » a un sens spirituel et surnaturel.

3. *In pallore auri*, chez Jérôme, dans la Vulgate. Mais le mot χλωρότης des LXX a comme premier sens « couleur d'un vert pâle », et par extension « couleur pâle, pâleur ».

4. « Si donc tu crois dans ton cœur, ton cœur et ton intelligence sont de l'or. Tu offres donc de l'or pour le tabernacle : la foi de ton

sera entrée, alors tout Israël», appelé une seconde fois[1], «sera sauvé[an]». Ainsi «au milieu» de ces deux «lots dort» l'Église ; et pour cette raison l'Époux lui a donné «les ailes argentées de la colombe[ao]», ce qui veut dire des ailes raisonnables[2] parmi les dons de l'Esprit.

**23** «Et l'arrière de son dos» est, soit «du vert pâle de l'or[ap]» comme lisent certains, soit comme d'autres ont pour texte[3] : «de la pâleur de l'or». Cela peut montrer que ce deuxième appel que l'Apôtre présente comme à venir pour Israël ne se fera pas dans l'observance de la Loi, mais dans la richesse de la foi. Car une foi qui fleurit en vertus présente l'aspect «du vert pâle de l'or»[4].

**24** Mais on peut dire que l'Église «dort» — ou se repose — «au milieu des lots», au milieu des deux testaments, et comprendre que ses «ailes» sont «argentées» par les sens de la Loi, et que «l'or à l'arrière de son dos» est le don de la charge de l'Évangile.

**L'invitation de l'Époux**

**25** A cette Église donc le Christ dit : «Viens, toi ma colombe, et viens sous le couvert de la pierre[aq].» Il lui apprend à venir couverte pour qu'elle n'ait rien à souffrir des tentations qui l'attaqueraient, mais qu'elle s'avance cachée par l'ombre de la Pierre, disant : «Le souffle de notre visage est le Christ Seigneur auquel nous avons dit : A son ombre[5] nous vivons parmi les nations[ar]». Mais elle s'avance cachée et «couverte[as]», car «elle doit avoir un signe de sujétion sur la tête[6], à cause des anges[at]».

cœur», *HomEx.* XIII, 2. «La foi de l'Église aura la splendeur de l'or», *HomNombr.* IX, 1.

5. Cf. *supra*, III, 5, 11, et note *ad loc.*

6. Que veut dire cette citation de *I Cor.* appliquée à l'Église ? Est-ce le «signe» de l'autorité que les anges ont sur elle ?

**26** Cum autem pervenerit ad promuralem locum, id est ad futuri saeculi statum, ibi ad eam dicit : *Ostende mihi faciem tuam et auditam mihi fac vocem tuam, quia vox tua suavis est*[au]. Auditam vult fieri vocem ecclesiae suae, quia *qui eum confessus fuerit coram hominibus, et ipse confitebitur eum coram Patre suo qui in caelis est*[av].

**27** *Quia vox tua suavis est*[aw]. Et quis non fateatur suavem vocem esse ecclesiae catholicae fidem veram confitentis, insuavem vero et iniucundam esse haereticorum vocem qui non dogmata veritatis, sed blasphemias in Deum et *iniquitatem in Excelsum loquuntur*[ax]?

**28** Sic et *facies* ecclesiae *speciosa* est, haereticorum vero turpis et foeda ; si quis tamen est qui bene noverit pulchritudinem vultus probare, id est si quis *spiritalis* est qui *scit examinare omnia*[ay]. Nam apud imperitos 235 *et ani|males homines*[az] pulchriora videntur mendacii sophismata quam dogmata veritatis.

**29** Possumus autem adhuc de loco *promurali* etiam hoc addere quod *promurale sinus* sit *Patris* in quo positus *unigenitus Filius* enarrat omnia et adnuntiat ecclesiae suae quaecumque in secretis et absconditis Patris sinibus continentur. Unde et quidam ab eo edoctus dicebat : *Deum nemo vidit umquam ; unigenitus Filius qui est in sinu Patris ipse enarravit*[ba].

au. Cant. 2, 14 || av. Matth. 10, 32 || aw. Cant. 2, 14 || ax. Cf. Ps. 72, 8 || ay. Cf. I Cor. 2, 15 || az. Cf. I Cor. 2, 14 || ba. Jn 1, 18.

---

1. L'adjectif «catholique» est ici en opposition avec les hérétiques. Dès le IIe siècle le terme de «catholique» dans l'expression «Église catholique» exprime soit l'universalité, soit la fermeté face aux hérésies.
2. Hommes «animaux» (ou «psychiques»), opposés par Paul aux hommes «spirituels» (ou «pneumatiques»).

**26** Or, quand elle est arrivée à «l'avant-mur», c'est-à-dire au repos du siècle futur, le Christ lui dit alors : «Montre-moi ton visage et fais-moi entendre ta voix, car ta voix est douce[au].» Il désire que la voix de son Église se fasse entendre, parce que «celui qui l'aura reconnu devant les hommes, lui aussi le reconnaîtra devant son Père qui est dans les cieux[av]».

**27** «Car ta voix est douce[aw].» Et qui ne déclarerait douce la voix de l'Église catholique[1] confessant la vraie foi, rude au contraire et désagréable la voix des hérétiques, qui «disent» non les doctrines de la vérité, mais des blasphèmes contre Dieu, et «l'iniquité contre le Très-Haut[ax]».

**28** De même «le visage» de l'Église «est gracieux, mais celui des hérétiques vilain et hideux, du moins pour celui qui a bien su apprécier la beauté du visage, c'est-à-dire pour celui qui est «un spirituel qui sait tout juger[ay]». Car aux gens sans expérience, «aux hommes animaux[az 2]», les sophismes du mensonge semblent plus beaux que les doctrines de la vérité.

**L'avant-mur**

**29** Mais nous pouvons, à propos de «l'avant-mur», encore ajouter que «l'avant-mur» est «le sein du Père», d'où «le Fils unique» qui l'habite[3] fait connaître à son Église toutes choses et lui annonce ce qui est contenu dans les seins cachés et secrets du Père. De là vient qu'un certain apôtre, instruit par le Fils, disait : «Dieu, personne ne l'a jamais vu ; le Fils unique, qui est dans le sein du Père, lui l'a fait connaître[ba].»

3. Le Fils ne sort pas du Père, ni le Père du Fils : telle est une expression habituelle de l'unité de nature. Dans l'Incarnation, le Fils est à la fois dans le sein du Père et sur terre avec son âme humaine, cf. *ComJn* XX, 153-156.

**30** Illuc ergo evocat sponsam suam Christus, ut et de omnibus eam quae apud Patrem habentur edoceat et dicat : *Quia omnia vobis nota feci quae audivi a Patre meo*[bb] et ut iterum dicat : *Pater, volo ut ubi ego sum et isti sint mecum*[bc].

bb. Jn 15, 15 || bc. Jn 17, 24.

**30** C'est donc là que le Christ appelle son Épouse, pour l'instruire de tout ce qu'il y a auprès du Père et lui dire : «Car je vous ai fait connaître tout ce que j'ai entendu de mon Père [bb].» Et pour dire encore : «Père, je veux que là où je suis, eux aussi soient avec moi [bc].»

# Chapitre 3

## Les tout petits renards

*Cant.* 2, 15 : *Prenez pour nous les tout petits renards qui ravagent les vignes ; et nos vignes fleuriront*

1 : après l'ordre du drame, l'explication spirituelle ; 2-7 ; relativement à *l'âme qui s'unit au Verbe de Dieu*, les renards sont à comprendre comme les puissances contraires des démons ; les saints anges ont l'ordre de retirer de chaque âme les pensées que les démons inspirent, comme le diable en avait mis au cœur de Judas ; la divine providence ne fait pas défaut, elle a confié aux puissances amies de l'homme le soin d'aider l'âme exposée aux séducteurs ; et c'est avec raison qu'il faut saisir les renards quand ils sont tout petits ; 8-10 : en ce qui concerne *le Christ et l'Église*, les renards sont les docteurs pervers des doctrines hérétiques, qu'il est ordonné aux docteurs catholiques de réfuter dans les principes de leurs sophismes ; 11-16 : en faveur des deux explications, on trouve des passages dans le psaume soixante-deux, l'Évangile de Matthieu et de Luc, le livre des Juges, le second livre d'Esdras ; 17-27 : chacun appelle une explication ; 28-31 : elle permet un retour au Cantique pour mieux le comprendre ; 32 : *« pour nous »* veut dire : pour moi l'Époux et pour l'Épouse ; ou du moins : pour moi et pour vous, mes compagnons ; 33-34 : on peut comprendre, changeant la ponctuation : « les renards qui ravagent les toutes petites vignes » : l'âme petite et débutante peut être blessée, non l'âme parfaite et solide.

# 3

**1** *Capite nobis vulpes pusillas exterminantes vineas; et ★ vineae nostrae florebunt*[a]. Secundum dramatis ordinem mutata persona est; non enim iam ad sponsam, sed ad sodales loquitur sponsus et ipsis dicit ut capiant vulpes pusillas quae insidiantur vineis, ubi primum germen ostenderint, nec sinunt eas pervenire ad florem. Capi ergo eas praecipit, saluti et utilitati consulens vinearum. Sed haec, ut coepimus, spiritali expositione discutienda sunt.

**2** Et puto quod, si de anima haec quae se Verbo Dei coniungit advertas, *vulpes* contrariae potestates et nequitiae daemonum intelligi debeant per cogitationes pravas et perversam intelligentiam exterminantes in anima virtutum florem et fructum fidei perimentes.

**3** Promissione igitur Verbi Dei qui est *Dominus virtutum*[b] mandatur *angelis sanctis qui ad ministerium missi sunt propter eos qui hereditatem capiunt salutis*[c] ut capiant ex unaquaque anima huiusmodi cogitationes a daemoni- 236 bus immissas, ut abiectis iis possint | florem virtutis afferre. *Capiunt* autem cogitationes malas in eo, cum suggerunt menti non esse eas a Deo, sed esse a maligno, et

a. Cant. 2, 15 || b. Cf. III Rois 18, 15 || c. Hébr. 1, 14.

---

1. Quelle promesse? Sans doute celle qu'une fois les renards pris, «nos vignes fleuriront».
2. L'appel au «Seigneur des puissances» revient comme un refrain dans le psaume 79 : celui précisément qui développe l'allégorie de la vigne «que le sanglier de la forêt ravage, et la bête des champs dévore».

# 3

**1** « Prenez pour nous les tout petits renards qui ravagent ★ les vignes ; et nos vignes fleuriront[a]. » Suivant l'ordre du drame, il y a un changement de personnage ; car l'Époux ne parle plus à l'Épouse, mais à ses compagnons : il leur dit de « prendre les tout petits renards » qui s'attaquent « aux vignes » quand elles ont laissé poindre leur premier bourgeon, et ne leur permettent pas d'arriver à la fleur. Donc il prescrit qu'on les prenne, lui qui veille au bon état et au profit des vignes. Mais voilà qui est à élucider, comme nous avons commencé à le faire, par une explication spirituelle.

**Pour l'âme, les renards sont les démons**

**2** Et je pense que si on envisage ces termes par rapport à l'âme qui s'unit au Verbe de Dieu, « les renards » doivent être compris comme les puissances contraires et les fourberies des démons qui, par des pensées corrompues et une intelligence pervertie, ravagent dans l'âme la fleur des vertus et détruisent le fruit de la foi.

**3** Donc, grâce à la promesse[1] du Verbe de Dieu qui est « le Seigneur des puissances[b] [2] », il est ordonné « aux saints anges qui sont envoyés en mission pour le bien de ceux qui reçoivent l'héritage du salut[c] », de prendre à chaque âme ces sortes de pensées mises en elle par les démons, afin que, ces pensées rejetées, les âmes puissent produire la fleur de la vertu. Or « ils prennent » les mauvaises pensées quand ils suggèrent à l'intelligence qu'elles ne viennent pas de Dieu, mais du Malin, et qu'ils donnent à l'âme « le discernement

*dant* animae *discretionem spirituum*[d], ut intelligat quae sit cogitatio secundum Deum et quae sit ex diabolo.

**4** Ut autem scias esse cogitationes quas *immittit diabolus in cor* hominum, vide in Evangelio quod scriptum est : *Cum autem immisisset*, inquit, *diabolus in cor Iudae Scariotis ut traderet eum*[e]. Sunt ergo huiusmodi cogitationes quae a daemonibus iniciuntur cordibus hominum.

**5** Sed quia non deest divina providentia, ne forte per huiusmodi importunitatem turbaretur libertas arbitrii et non esset iusta causa iudicii, idcirco benignis angelis et amicis potestatibus hominum cura mandatur ut, cum deceptores quasi *vulpes* incursare coeperint animam, dextris auxiliis sublevent. Et ideo dicitur : *Capite nobis vulpes pusillas*[f]. (19

**6** Competenter sane cum adhuc pusillae sunt capi eas mandat et comprehendi. Dum enim cogitatio mala in initiis est, facile potest abici a corde. Nam si frequenter iteretur et diu permaneat, adducit animam sine dubio ad consensum ; et post consensum intra cor suum confirmatum certum est quia ad peccati tendat effectum. Dum ergo in initiis est et *pusilla* est, *capi* debet et abici ne, si adulta fuerit et inveterata, iam non possit expelli.

d. Cf. I Cor. 12, 10 || e. Jn 13, 2 || f. Cant. 2, 15.

---

1. « Le discernement des esprits » : à l'origine, une expression paulinienne désignant un des charismes. L'Apôtre le met en pratique par les directives qu'il donne pour reconnaître à leurs fruits le bien ou le mal des actes, des dons, des vertus ; mais sans qu'il en élabore une doctrine. A celle-ci prélude, par ses analyses, le *Pasteur* d'Hermas, 44, 1-2. Mais Origène apporte une contribution décisive : voir surtout *PArch.* III, 2, 4 et 3, 4-6, avec les notes correspondantes, *SC* 269, p. 63-66 et 78-82.

2. Dans le codex de Cambridge, au lieu de Ἰσχαριώθ.

3. Origène s'inspire-t-il d'Hippolyte, *Interpretatio Cant.*, fr. XIV, (*GCS* 1, p. 349) ? Points de contact : les renards sont les hérétiques ; liés queue à queue pour figurer la divergence des doctrines ; mêmes

des esprits [d] [1]», pour qu'elle comprenne quelle est la pensée selon Dieu et quelle est celle qui vient du diable.

**4** Et pour que tu saches qu'il y a des pensées que «le diable met dans le cœur» des hommes, vois ce qui est écrit dans l'Évangile : «Or, comme le diable avait mis au cœur de Judas Scariote [2] la pensée de le livrer [e].» Voilà les sortes de pensées qui sont jetées par les démons dans les cœurs des hommes.

**5** Mais parce que la divine providence ne fait pas défaut, peut-être pour éviter que le libre arbitre ne soit troublé par une importunité de cette nature et qu'il n'y eût un juste motif de jugement, elle confie aux anges bienveillants et aux puissances amies le soin des hommes, pour que, quand les séducteurs, tels «des renards», ont commencé à fondre sur l'âme, ils l'aident des secours de leurs mains droites. Voilà pourquoi il est dit : «Prenez pour nous les tout petits renards [f].»

**6** Avec raison, certes, l'Époux ordonne de prendre et saisir ensemble les renards [3] quand ils sont encore «tout petits». En effet, tant que la pensée mauvaise est à ses débuts, elle peut facilement être chassée du cœur. Mais si elle revient souvent et demeure longtemps, elle conduit sans nul doute l'âme au consentement; et une fois le consentement enraciné dans le cœur de l'homme, il est sûr qu'elle tend à commettre le péché. C'est donc lorsqu'elle est à ses débuts et «toute petite», qu'elle doit «être prise» et rejetée, de peur qu'une fois adulte et invétérée, elle ne puisse plus être chassée [4].

textes de *Lc* 13,32 et *Jug.* 15,3-5. Par contre, la citation qu'Hippolyte attribue à Jérémie (en fait, *Éz.* 13,4) ne se trouve pas ici chez Origène, mais en *HomÉz.* XI, 4 et 17, et il y a d'autres textes sur les renards.

4. Même développement conforme au vieil adage : *Principiis obsta*, «fais obstacle aux débuts» (des passions mauvaises), pour ne pas ouvrir la porte aux démons, cf. *PArch.* III, 2,2, et commentaire *ad loc.*, *SC* 269, p. 61, n. 18.

**7** Denique et Iudas initium mali habuit in amore pecuniae et haec fuit illi *vulpes pusilla.* Sed ab hac cum videret Dominus animam Iudae quasi florentem vineam laedi, *capere* eam volens et abicere ex eo commisit ei pecuniae loculos[g], ut possidens quod amabat a cupiditate cessaret. Sed ille, utpote habens sui arbitrii libertatem, non est amplexus medici sapientiam, sed indulsit semet ipsum illi magis consilio quo *exterminabatur* anima sua, quam quo sanabatur.

**8** Si vero haec de Christo et ecclesia intelligamus, videbitur sermo ad doctores ecclesiae dirigi et mandari iis de captione *vulpium exterminantium vineas.* Vulpes autem perversos doctores haereticorum dogmatum possumus intelligere, qui per argumentorum calliditatem seducunt corda innocentium et *vineam* Domini *exterminant*, ne floreat in fide recta.

237 **9** Datur | ergo praeceptum doctoribus catholicis ut, dum adhuc *pusillae* sunt istae *vulpes* et nondum plures animas deceperunt, sed initium habet prava doctrina, arguere hos et refrenare festinent et verbo veritatis contradicentes revincere et *capere* eos assertionibus veris. Si enim permiserint in principiis et indulserint, *sermo eorum sicut cancer serpit*[h] et fiet insanabilis, ut multi inveniantur qui decepti ab iis pugnare iam pro ipsis incipiant et defendere suscepti erroris auctores.

**10** Sic ergo *pusillas* dignum est *vulpes capere* et dolosa haereticorum sophismata in ipsis statim initiis veris assertionibus confutare.

g. Cf. Jn 12,6 ; 13,29 || h. II Tim. 2,17.

---

1. Cf. *supra*, IV, 2,27. — Sur la passion d'Origène pour l'orthodoxie et son aversion pour toute hérésie, voir H. DE LUBAC, *Histoire et Esprit*, p. 55-68.

**7** Ainsi par exemple, Judas eut le début de son mal dans l'amour de l'argent, et ce fut pour lui «un tout petit renard». Mais quand il vit l'âme de Judas, telle une vigne en fleur, saccagée par cet animal, le Seigneur, désireux de le prendre et de le jeter loin de lui, lui confia la bourse qui contenait l'argent[g], afin que, possédant ce qu'il aimait, il cessât de convoiter. Mais lui, parce qu'il avait son libre arbitre, au lieu d'embrasser la sagesse du médecin, s'abandonna lui-même à ce dessein qui ravageait son âme plutôt qu'à celui qui l'aurait guérie.

**Pour l'Église, les renards sont les hérétiques**

**8** Mais si nous comprenons cela du Christ et de l'Église, la parole semblera viser les docteurs de l'Église et leur ordonner de prendre «les renards qui ravagent les vignes». Nous pouvons alors comprendre les renards comme les docteurs pervers des doctrines hérétiques, eux qui, par la fourberie de leurs arguments, séduisent les cœurs des innocents et «ravagent la vigne» du Seigneur pour qu'elle ne fleurisse pas dans la foi droite.

**9** Un ordre est donc donné aux docteurs catholiques[1] : pendant que ces «renards» sont encore «tout petits» et n'ont pas encore séduit beaucoup d'âmes, mais que leur doctrine perverse est à son début, qu'ils se hâtent de les attaquer et de les repousser, de réfuter les contradicteurs par la parole de vérité, et de les prendre par des démonstrations vraies. Car s'ils ont de la tolérance et de l'indulgence aux débuts, «leur parole gagnera de proche en proche comme un chancre[h]» et deviendra inguérissable : en sorte qu'il s'en trouvera beaucoup qui, séduits par eux, commenceront alors à combattre pour eux et à défendre les auteurs de l'erreur qu'ils auront reçue.

**10** Ainsi donc, il convient de prendre tout petits les renards, et de réfuter par de vraies démonstrations tout de suite à leurs débuts mêmes les sophismes astucieux des hérétiques.

**11** Ut autem utriusque expositionis nostrae evidentior clarescat assertio, congregemus ex divinis voluminibus (1⁹ sicubi animalis huius mentio facta est.

**12** Invenimus ergo in sexagesimo secundo psalmo de impiis ita dici : *Ipsi vero in vanum quaesierunt animam meam, introibunt in inferiora terrae, tradentur in manus gladii, partes vulpium erunt*[i].

**13** Sed et in Evangelio secundum Matthaeum Salvator ab scribam qui dixerat ei : *Magister, sequar te quocumque ieris*[j], respondit : *Vulpes foveas habent et volucres caeli nidos ubi requiescant, Filius autem hominis non habet ubi caput suum reclinet*[k]. Similiter autem et in Evangelio secundum Lucam ad eos qui dixerunt Domino : *Exi et vade hinc, quia Herodes vult te occidere*, respondit Iesus : *Euntes*, inquit, *dicite vulpi huic : Ecce ego eicio daemonia et sanitates perficio hodie et crastina, et in die tertia consummabor*[l].

**14** In libro quoque Iudicum Samson, cum ei uxor quae erat ex genere Philistinorum fuisset ablata, ait ad patrem eius : *Innocens sum ego hac vice ab Allophylis, quia faciam ego vobiscum mala. Et abiit Samson et accepit trecentas vulpes et accepit lampadas et ligavit caudam ad caudam*
238 *et posuit lampadam unam inter duas cau|das vulpium. Et accendit ignem in lampadibus et emisit eas per messes*

i. Ps. 62,10-11 || j. Matth. 8,19 || k. Matth. 8,20 || l. Lc 13,31-32.

1. Même procédé que *supra*, II, 1,8, liste de textes scripturaires, puis explication de chacun d'eux : là, de cinq passages où serait préfigurée l'Épouse «noire mais belle», l'Église issue des nations ; ici, de cinq mentions de «renards» où l'on peut voir figurés soit des démons et des mauvaises pensées, soit des hérétiques.

2. «Au temps de la résurrection, lorsque le Très-Haut 'partagera les Nations et répartira les fils d'Adam' d'après leurs mérites, il y en aura qui 'descendront aux profondeurs de la terre' et 'deviendront le

**Textes de l'Écriture**

**11** Mais pour que brille, plus évidente, la démonstration donnée dans l'une et l'autre de nos explications, rassemblons parmi les divins livres les passages où on a fait mention de cet animal[1].

**12** Nous trouvons donc au psaume soixante-deux qu'il est dit, à propos des impies : « Mais eux ont en vain cherché mon âme, ils entreront dans les parties inférieures de la terre, ils seront livrés au pouvoir du glaive, ils deviendront les lots des renards[i]. »

**13** De plus, dans l'Évangile selon Matthieu, au scribe qui lui avait dit : « Maître, je te suivrai où que tu ailles[j] », le Sauveur répondit : « Les renards ont leurs tanières et les oiseaux du ciel leurs nids où ils se reposent, mais le Fils de l'homme n'a pas où appuyer sa tête[k]. » De même aussi dans l'Évangile selon Luc, à ceux qui ont dit au Seigneur : « Pars et va-t-en d'ici, car Hérode[2] veut te faire périr », Jésus répondit : « Allez dire à ce renard : Voici, je chasse les démons et j'accomplis des guérisons aujourd'hui et demain, et le troisième jour je serai consommé[l]. »

**14** Au livre des Juges aussi, quand sa femme, qui était de la race des Philistins, lui eut été enlevée, Samson dit au père de celle-ci : « Cette fois, je suis innocent à l'égard des Allophyles[3], car je vais vous faire du mal. Et Samson s'en alla, prit trois cents renards, prit des torches, lia les bêtes queue à queue et plaça une torche entre les queues des renards. Puis il mit le feu aux torches et lâcha les renards

lot des renards', c'est-à-dire des démons. Car ce sont les renards qui ravagent les vignes, et Hérode en était, lui dont il est dit : 'Allez, dites à ce renard' », *HomNombr.* XI, 5.

3. Origène, qui parlait des Philistins, cite la Septante avec le terme « Allophyles », qui veut dire « d'une autre race », partout employé, sauf dans le Pentateuque et le livre de Josué, pour désigner les Philistins.

*Allophylorum; et incendit omnes messes eorum et stipulas eorum et vineas et oliveta eorum*[m].

**15** Adhuc etiam in secundo libro Esdrae, ubi *Tobias Ammonites* impedit aedificationem eorum qui de captivitate redierant ne aedificarent templum et murum, ait ad Allophylos : *Numquid isti sacrificabunt aut comedent immolata in loco hoc*[n]*? Nonne adscendent vulpes et destruent murum ipsorum quem ex lapidibus aedificant*[o]*?*

**16** Haec sunt interim quae ad praesens nobis ex scripturis divinis occurrere potuerunt in quibus animalis huius facta est memoria, ut ex his sapiens quisque lector prudenter possit conicere si apta usi sumus expositione in his quae proposita sunt nobis ad explanandum id quod ait : *Capite nobis vulpes pusillas*[p].

**17** Et quamvis operosum sit singula quae exempli causa assumpsimus explanare, tamen quae poterimus breviter contingemus.

**18** Et primo de sexagesimo secundo psalmo videamus ubi, cum iusti animam persequerentur impii, ille psallebat dicens : *Ipsi autem in vanum quaesierunt animam meam, introibunt in inferiora terrae, tradentur in manus gladii, partes vulpium erunt*[q]. In quo utique ostenditur quod vanis et inanibus verbis pravi doctores decipere volentes animam iusti *introire* dicuntur *in inferiora terrae*, terram utpote sapientes et *de terra loquentes* atque *in inferiora*[r] eius, id est in profundum stultitiae, descendentes.

m. Jug. 15,3-5 || n. Cf. Néh. 3,34 || o. Cf. Néh. 3,35 || p. Cant. 2,15 || q. Ps. 62,10-11 || r. Cf. Jn 3,31.

---

1. En fait, à Tobie est attribuée seulement la deuxième partie de la phrase ; et la première, à Sanballat.

au milieu des moissons des Allophyles ; et il incendia tous leurs blés en meules et leurs blés sur pied, leurs vignobles et leurs oliveraies[m]. »

**15** Et encore, au second livre d'Esdras, quand « Tobie l'Ammonite » empêcha la construction entreprise par ceux qui étaient revenus de captivité, pour qu'ils ne bâtissent pas le Temple et le rempart, il dit aux Allophyles[1] : « Ces gens-là vont-ils offrir des sacrifices ou manger des victimes immolées en ce lieu[n] ? Les renards ne vont-ils pas s'élancer, et détruire les remparts qu'ils construisent avec des pierres[o] ? »

**16** Voilà pour l'instant les passages des divines Écritures où on a fait mention de cet animal qui ont pu se présenter à nous à ce moment, afin qu'à partir d'eux tout sage lecteur puisse juger avec prudence si nous avons employé, sur les points qui nous sont proposés, une explication propre à interpréter la parole : « Prenez pour nous les tout petits renards[p]. »

**Leur explication**

**17** Et bien qu'il soit laborieux d'interpréter un à un les textes que nous avons pris à titre d'exemples, effleurons quand même brièvement ce que nous pourrons.

**Le psaume soixante-deux**

**18** Et d'abord, au sujet du psaume soixante-deux, voyons le passage où, quand les impies persécutaient l'âme du juste, celui-ci chantait : « Mais eux ont en vain cherché mon âme, ils entreront dans les parties inférieures de la terre, ils seront livrés au pouvoir du glaive, ils deviendront les lots des renards[q]. » Là, on le montre à coup sûr : les docteurs pervers qui veulent séduire l'âme du juste par des paroles creuses et vides « entrent dans les parties inférieures de la terre », dit-on, parce qu'ayant le goût de la terre, « parlant de la terre », et descendant dans ses parties inférieures[r], c'est-à-dire dans un abîme de sottise.

**19** Puto enim quod hi qui carnaliter vivunt, quia sibi ipsis tantum modo nocent, *terra* esse et in *terra habitare*[s] dicuntur. Hi vero qui terrenis et carnalibus sensibus Scripturas intelligunt et alios ita docendo decipiunt, pro eo ipso quod argutias quasdam et argumenta carnalis et (1 terrenae sapientiae concinnant, *in inferiora terrae* dicuntur *ingredi*, vel certe quia gravius delinquunt qui terrena docent quam qui ita vivunt etiam futura iis poena gravior imminet ; idemque ipsi *in manus gladii tradendi* prophetantur, illius fortasse *flammei et versatilis*[t].

**20** Quomodo autem et partes fiunt vulpium videamus. Omnis anima aut pars est Dei aut pars est cuiuscumque qui accepit potestatem super homines. Nam *cum divideret Altissimus gentes et dispergeret filios Adam, statuit fines gentium secundum numerum angelorum Dei ; et facta est portio Domini Iacob*[u].

239 **21** Cum | ergo constet unamquamque animam aut in parte Dei aut in parte esse alterius cuiuslibet, quoniamquidem per arbitrii libertatem possibile est unumquemque ex parte alterius transire vel ad partem Dei si melius, vel si nequius ad daemonum portionem, hi quorum mentio habetur in psalmo qui *in vanum quaesierunt animam* iusti partes erunt vulpium, velut si diceret : [et] pessimorum et nequissimorum daemonum partes erunt, ut unaquaeque maligna virtus et dolosa per quam deceptiones et fraudes falsae scientiae introductae sunt figuraliter *vulpes* appellentur.

s. Cf. Apoc. 8, 13 || t. Cf. Gen. 3, 24 || u. Deut. 32, 8-9.

1. «Car ils 'descendent aux profondeurs de la terre', ceux qui interprètent la Loi de Dieu et les promesses dans un sens terrestre, au lieu d'exciter les âmes des auditeurs à l'attente des biens célestes et à la contemplation des réalités d'en haut», *HomNombr*. XI, 5. Les docteurs visés semblent être, si l'on compare ce texte à d'autres, les chrétiens anthropomorphites, millénaristes et littéralistes, cf. *supra*, Prol. 2, 14, la note *ad loc.* ; ils représentent, sinon des hérésies, du moins des courants existant dans la Grande Église. Quant au glaive de *Gen.*

**19** Je le pense en effet : ceux qui vivent charnellement, parce qu'ils nuisent seulement à eux-mêmes, on dit qu'ils sont «terre et habitent sur la terre[s]». Mais ceux qui comprennent les Écritures dans des sens terrestres et charnels, et qui séduisent les autres en enseignant de cette manière, du fait même qu'ils élaborent des arguties et des arguments d'une sagesse charnelle et terrestre, on dit qu'ils «entrent dans les parties inférieures de la terre[1]»; ou du moins, parce que ceux qui donnent un enseignement terrestre pèchent plus gravement que ceux qui vivent de cette manière, une peine future les menace encore plus grave. Et en même temps, on prophétise qu'ils seront eux-même «livrés au pouvoir du glaive», peut-être du fameux «glaive flamboyant et tournoyant[t].»

**20** Mais voyons comment ils deviennent les lots des renards. Toute âme est ou le lot de Dieu, ou le lot de quelqu'un qui a reçu pouvoir sur les hommes. Car «lorsque le Très-Haut divisa les nations et dispersa les fils d'Adam, il fixa les frontières des nations suivant le nombre des anges de Dieu[2]; et Jacob devint la part du Seigneur[u]».

**21** Donc, puisqu'il est clair que chaque âme se trouve ou dans le lot de Dieu, ou dans le lot de quelqu'un d'autre, puisqu'il est possible, grâce au libre arbitre, que chacun passe du lot de l'autre, soit au mieux dans le lot de Dieu, soit au pire dans la part des démons, ceux dont il est question dans le psaume, qui «ont cherché en vain l'âme» du juste, seront les lots des renards; comme si l'on disait : ils seront les lots des pires et des plus méchants démons, en sorte qu'on appelle «renard» au sens figuré chaque puissance maligne et rusée par qui sont inculquées les tromperies et les fourberies d'une fausse science.

3, 24, il est souvent le symbole du purgatoire, cf. *ExhMart.* 36; *HomLc* XXIV, 2 (et notes *ad loc.*, *SC* 87, p. 326-327). Sur «le feu», cf. *HomEx.* VI, 3, fin; *HomLév.* XIV, 3 (et n. 2 *ad loc.*, *SC* 287, p. 236-237).

2. Cf. *supra*, II, 4, 13, la note *ad loc.*

**22** Et hi qui in hunc errorem deducuntur et *nolunt acquiescere sanis sermonibus Domini nostri Iesu Christi et doctrinae quae secundum pietatem est*[v], sed decipi se patiuntur a talibus, isti *partes* talium *vulpium* fient et *introibunt* cum iis *in inferiora terrae.*

**23** Ipsi sunt et illi in quibus secundum Evangelium *vulpes* istae quas supra memoravimus *foveas habere* dicuntur, in quibus *Filius hominis non habet ubi caput suum reclinet*[w]. *Herodem* quoque *vulpem*[x] nominatum pro fallaci calliditate credendum est.

**24** Nam de Samson qui *trecentas vulpes cepisse et colligasse per caudas atque interiecisse lampadas ardentes in medio caudarum, atque immisisse per messes Allophylorum et incendisse eas cum stipulis et olivetis vineisque*[y] memoratur, valde mihi difficilis formae huius vel figurae videtur explanatio. Temptemus tamen aliqua ex eis pulsare pro viribus et ponamus, sicut expositio nostra in superioribus continet, vulpes esse fallaces perversosque doctores.

**25** Hos Samson, qui veri et fidelis doctoris imaginem tenet, capiens verbo veritatis caudam ad caudam colliget, id est adversantes sibi et diversa a se invicem sentientes docentesque confutet atque ex ipsorum verbis propositiones collectionesque accipiens in Allophylorum segetem ignem conclusionis emittat et ex propriis eorum argumentis omnes ipsorum fructus et vineas atque oliveta pessimae generationis incendat.

v. Cf. I Tim. 6,3 || w. Matth. 8,20 || x. Cf. Lc 13,32 || y. Jug. 15,4-5.

---

1. Cf. *supra*, § 13.
2. Cf. *supra*, §§ 8-9.
3. Les hérétiques sont « d'une autre race » que les croyants.
4. C'est-à-dire qu'il réfute les allégations d'une école philosophique en se servant des critiques d'une autre. Ainsi agira plus tard avec brio, faisant s'opposer Arius, Sabellius et Photin, HILAIRE DE POI-

**22** Et ceux qui sont entraînés dans cette erreur et «ne veulent pas se soumettre aux saines paroles de notre Seigneur Jésus-Christ et à une doctrine conforme à la piété [v], mais se laissent séduire par de telles puissances, ceux-là deviendront «les lots» de tels «renards», et avec eux «entreront dans les parties inférieures de la terre».

**L'Évangile**

**23** Ce sont encore ceux en qui, d'après l'Évangile, ces «renards» que nous avons mentionnés plus haut [1] «ont leurs tanières», est-il dit, en qui «le Fils de l'homme n'a pas où appuyer sa tête [w]». Pour «Hérode», il faut croire qu'il est nommé aussi «renard [x]» pour sa fourberie perfide.

**Samson et les renards**

**24** Quant à Samson, rappelle-t-on, «il captura trois cents renards, les lia ensemble par leurs queues, plaça des torches enflammées entre les queues, et les lâcha au milieu des blés en meules des Allophyles, et il les incendia ainsi que les blés sur pied, les oliveraies et les vignes [y]». L'explication de cette image ou de cette figure me semble fort difficile. Essayons tout de même, selon nos forces, d'en toucher un mot, et admettons, suivant la teneur de notre exposé plus haut [2], que les renards sont les docteurs trompeurs et pervers.

**25** Ces gens-là, que Samson — qui est l'image du docteur véritable et fidèle — les prenne par la parole de vérité, les lie ensemble queue à queue : c'est-à-dire qu'il les confonde, eux qui s'opposent entre eux, comprennent et enseignent des opinions divergentes les unes des autres; puis, prenant des propositions et des raisonnements tirés de leurs paroles, qu'il envoie le feu de sa conclusion dans la moisson des Allophyles [3] et, à partir de leurs propres arguments, qu'il incendie tous leurs fruits, vignes et oliveraies, de la pire génération [4].

TIERS, *trin.* 7, 6-7. — En finale, allusion au *de generatione vitis* de *Lc* 22, 18?

**26** Sed et ipse numerus *trecentarum vulpium* quae a semet ipsis diversae et dissonantes sunt triplicem formam indicant peccatorum. Omne enim peccatum aut in facto (1) aut in verbo aut in | consensu mentis admittitur.

**27** Verum ne illud quidem quod in secundo libro Esdrae scriptum diximus penitus omittendum est, ubi, cum aedificarentur sancta sanctorum[z], id est cum fides Christi et sanctorum eius mysteria conderentur, inimici veritatis fideique contrarii, qui sunt *sapientes huius saeculi*[aa], videntes absque arte grammatica et peritia philosophica consurgere muros Evangelii velut cum irrisione quadam dicunt perfacile posse haec destrui calliditate sermonum per astutas fallacias et argumenta dialectica.

**28** Haec interim, quantum brevitas pati potuit, de assumptis exemplis dicta sufficiant. Nunc iam ad propositum revertamur.

**29** Videtur ergo in Cantico Canticorum praeceptum dari ab sponso amicis sibi virtutibus ut *capiant* et arguant contrarias potestates quae insidiantur animabus hominum, ne *exterminent* eorum initia fidei floremque virtutum sub specie secretae alicuius et occultae scientiae, quae quasi *vulpes* in *foveis*[ab] ita in his hominibus qui semet ipsos ad haec sectanda praebuerint delitescunt.

**30** Et quo facilius confutari possint et argui, dum *parvae* sunt *vulpes* ipsae et initia habent pessimae persuasionis *capi* iubentur. Nam fortasse si creverint et maiores

z. Cf. Néh. 3, 33-35 || aa. Cf. I Cor. 3, 18 || ab. Cf. Matth. 8, 20.

1. « Car on pèche par action, par parole, par pensée » : triple voie pour pécher, et aussi triple voie « pour bien agir », *HomEx.* VI, 3 ; et déjà *HomEx.* III, 3 (voir la n. 4 *ad loc.*, *SC* 321, p. 100, avec les références à Origène et à Philon). (M.B.)

2. Pointe antignostique.

**26** De plus, le nombre même des «trois cents renards» qui sont opposés les uns aux autres et dos à dos, indique la triple espèce des péchés. Car tout péché est commis ou en acte, ou en parole, ou par le consentement de l'intelligence[1].

**Le second livre d'Esdras**

**27** Mais ce que nous avons dit consigné dans le second livre d'Esdras ne doit pas non plus être entièrement omis : quand, alors que le Saint des saints était construit[z], c'est-à-dire lorsque la foi au Christ et les mystères de ses réalités saintes étaient fondées, les ennemis de la vérité et les gens opposés à la foi, qui sont «les sages de ce siècle[aa]», voyant s'élever les murs de l'Évangile sans art grammatical ni compétence philosophique, disent par manière de moquerie qu'on pourra très facilement les détruire par l'habileté des critiques, grâce à des artifices fallacieux et des arguments dialectiques.

**Retour au Cantique**

**28** Pour le moment, dans la mesure où l'a permis la brièveté, que ce que l'on a dit à propos des exemples choisis suffise. Revenons dès lors au sujet.

**29** Donc, il semble que dans le Cantique des Cantiques, un ordre est donné par l'Époux aux puissances qui sont ses amies : qu'elles «prennent» et réfutent les puissances contraires qui dressent des embûches aux âmes des hommes, pour qu'elles ne «ravagent» pas les débuts de la foi et la fleur des vertus, sous prétexte d'une science secrète et occulte[2], elles qui, comme «des renards dans leurs tanières[ab]», se terrent ainsi dans ces hommes qui se sont offerts pour suivre ces doctrines.

**30** Et pour qu'on puisse plus facilement les confondre et les réfuter, il est ordonné de les «prendre» tant qu'elles sont de «petits renards» et commencent à exercer leur néfaste persuasion. Car peut-être, si elles ont grandi et sont

fuerint vulpes effectae, iam non queunt ab amicis sponsi, sed ab ipso fortassis solo sponso poterunt *capi*.

**31** Sed et sancti quique doctores et magistri ecclesiae, sicut acceperunt *potestatem calcandi super serpentes et scorpiones*, ita accipiunt potestatem etiam *capiendi vulpes*; sic enim *data est iis potestas super omnem virtutem inimici*[ac]. Una sine dubio ex ceteris *inimici virtutibus* est (1 *vulpes* quae *exterminat vineas* quaeque, cum adhuc *parva* est, *capi* iubetur, sicut et in centesimo trigesimo sexto psalmo *beatus* dicitur *qui tenet et allidit parvulos Babylonis ad petram*[ad] nec permittit Babylonium sensum crescere in semet ipso et augeri, sed cum est in initiis elidit eum 241 et tenet *ad petram*; | tunc enim facile perimitur.

**32** Sic ergo ordo explanationis percurrat : *Capite nobis vulpes pusillas, quae vulpes exterminant vineas florentes*[ae]. Quod autem dixit : *Nobis*, hoc est : mihi sponso et sponsae, vel certe : mihi et vobis qui estis sodales mei.

**33** Potest autem et ita accipi : *Capite nobis vulpes* et post distinctionem dici : *Pusillas exterminantes vineas*, ut *pusillas* non tam ad *vulpes* quam ad *vineas* referamus, ut videantur *pusillae* quidem *vineae exterminari* posse, maiores autem non posse, id est parvae quaeque animae et initia habentes, non firmae et robustae laedi posse a

ac. Cf. Lc 10, 19 || ad. Ps. 136, 9 || ae. Cant. 2, 15.

---

1. Seul le Christ donne à l'homme le pouvoir de se libérer du péché et de se défaire des images diaboliques et bestiales que le péché a mises sur lui. Voir les textes rassemblés par CROUZEL, *Image*, p. 211-215.

2. Dans le psaume, sauvagerie de la guerre, de la vengeance qui n'épargne point les enfants. Dans l'interprétation, combat spirituel contre les passions et les mauvaises pensées, et cela dès leur naissance. Cf. *HomNombr.* XX, 2; *HomJos.* IV, 3, fin; *CCels.* VII, 22; *SelPs.* 136 (*PG* 12, col. 1660 A); *FragmJér.* XXVI (*GCS* 3, p. 211-212). C'est

devenues des renards adultes, ne peuvent-elles plus être prises par les amis de l'Époux, mais sans doute le pourront-elles par le seul Époux en personne[1].

**31** De plus, tous les saints docteurs et maîtres de l'Église, comme ils ont reçu « le pouvoir de fouler aux pieds serpents et scorpions », reçoivent de même le pouvoir aussi de « prendre les renards » ; car « il leur a été donné le pouvoir sur toute la puissance de l'ennemi[ac] ». Entre autres « puissances de l'ennemi », sans nul doute l'une est « le renard qui ravage les vignes », et il est ordonné de le « prendre » quand il est encore « petit », comme il est dit aussi dans le psaume cent-trente-six[2] : « Heureux qui saisit et fracasse contre la pierre les petits enfants de Babylone[ad] », et ne permet pas à une pensée babylonienne de croître en lui et de se développer, mais quand elle est à ses débuts, la saisit et la fracasse « contre la pierre », car elle est alors facilement détruite.

**Pour nous**

**32** Voilà donc passée en revue la suite de l'explication de : « Prenez pour nous les tout petits renards, ces renards qui ravagent les vignes en fleur[ae]. » Quant à l'expression « pour nous », elle veut dire : pour moi l'Époux et pour l'Épouse ; ou du moins, pour moi et pour vous qui êtes mes compagnons.

**Les toutes petites vignes**

**33** Mais on peut aussi comprendre : « Prenez pour nous les renards », et après une ponctuation, « qui ravagent les toutes petites vignes », en sorte que nous rapportons « toutes petites » moins à « renards » qu'à « vignes » ; si bien, semble-t-il, que « les toutes petites vignes », certes, peuvent « être ravagées », mais non les plus grandes : c'est-à-dire que toutes les âmes petites et débutantes, mais non pas les solides et les robustes, peuvent être blessées par les puis-

rejoindre le lieu commun de la morale, *principiis obsta* (cf. *supra*, IV, 3,6 et note *ad loc.*), et formuler un principe de spiritualité.

contrariis potestatibus ; sicut in Evangelio dicitur : *Si quis scandalizaverit unum de pusillis istis*[af].

**34** In quo ostenditur quia scandalizari non potest grandis et perfecta, sed pusilla et rudis anima, sicut in psalmo dicit : *Pax multa diligentibus nomen tuum, et non est illis scandalum*[ag]. Simili ergo exemplo potest videri quod *pusilla* quaeque *vinea*, incipiens videlicet anima, possit a *vulpibus*, id est a malignis cogitationibus vel pravis doctoribus, laedi, perfecta vero et valida non possit. Sed si *capiantur* a bonis doctoribus *vulpes* istae et abiciantur ex anima, tunc proficiet in virtutibus et florebit in fide. Amen.

af. Matth. 18,6 || ag. Ps. 118,165.

sances contraires, comme il est dit dans l'Évangile : «Si quelqu'un scandalise un de ces tout-petits[af].»

**34** On montre par là que peut être scandalisée, non point l'âme grande et parfaite, mais celle qui est toute petite et ignorante, comme il est dit dans le psaume : «Grande paix pour ceux qui aiment ton nom, pour eux il n'est point de scandale[ag].» Donc, par une figure semblable, il peut paraître que chaque «vigne toute petite», à savoir l'âme débutante, peut être blessée par «les renards», c'est-à-dire par les mauvaises pensées ou les docteurs pervers, tandis que l'âme parfaite et solide ne saurait l'être. Mais si ces «renards sont pris» par de bons docteurs et chassés de l'âme, alors l'âme progressera dans les vertus et fleurira dans la foi. Amen.

# FRAGMENTS DE CHAÎNES

Un certain nombre de fragments grecs correspondant au *Commentaire sur le Cantique*[1] sont conservés dans les chaînes exégétiques, spécialement celle de Procope de Gaza. Ce sont des résumés, semble-t-il, faits par les caténistes qui reproduisent des idées, mais non le texte même d'Origène. Voici ceux qui concernent la partie du Commentaire traduite par Rufin. S'il y a parallélisme entre les deux textes, on aura une confirmation de certaines vues d'Origène. Mais si les fragments contiennent des additions, sera-ce l'indice d'autant d'omissions par le traducteur Rufin ?

Une édition critique de ces fragments est souhaitable, Baehrens ne l'ayant assurée qu'en partie. C'est pourquoi on ne donne ci-après que leur traduction, à titre documentaire. On a indiqué par un astérisque (★) en marge du texte et de la traduction les passages auxquels correspondent ces fragments.

1. Voir l'Introduction, tome I, p. 16.

## LIVRE III

★ **III, 2, 1-5**

Baehrens, *GCS* 8, p. 174-175
(Procope, *PG* 17, col. 260 C)

Maintenant pour la première fois l'Épouse semble avoir fixé plus distinctement la beauté de l'Époux, et par ses yeux de colombe, percevoir la suréminence du Verbe en beauté. Peut-être dit-elle à mots couverts que la couche qu'elle a en commun avec l'Époux est le corps dans lequel, étant encore, l'âme est digne de la communion avec le Verbe. Ce qui est sûr, Paul déclare : « Nos corps sont les membres du Christ[a]. » En effet, par « nos (corps) », il veut dire qu'il s'agit du corps de l'Épouse ; par « les membres du Christ », qu'il s'agit de celui de l'Époux. L'Époux est « ombragé », dit l'Épouse, en raison de la densité des mystères à contempler dans le Verbe et la Sagesse. (Que si l'Épouse dans son union est florissante dans l'un et l'autre, il n'est rien d'étonnant que, sous la conduite de la puissance divine concernant aussi son corps, toute son activité corporelle soit révélée bonne.)

a. I Cor. 6, 15

---

★ **III, 4, 3-7**

Baehrens, 178-179
(Procope, *PG* 17, 260 D - 261 A)

« Je suis la fleur de la plaine, le lis des vallées[a]. » L'Époux parle d'une fleur en voie de devenir un fruit. Donc, en ce lieu terrestre appelé plaine, le Verbe Époux est la fleur, en tant que tournée vers l'avenir. Car, « lorsque viendra ce qui est parfait[b] », la fleur sera changée pour devenir un fruit. Et puisque ceux qui sont sur la terre n'ont pas d'aptitude à comprendre plus que ce qu'il désigne comme « la fleur », pour cette raison l'Époux est devenu comme « une fleur de la plaine ». Car « il s'est anéanti lui-même, prenant la forme d'esclave[c] », pour que nous puissions après cela contempler sa gloire. Mais peut-être que pour les endroits plus élevés et unis appelés plaines, il est une fleur, et pour ceux qui sont plus bas qu'eux et plus creux, un lis. Ayant dit cela, l'Époux compare sa compagne aux autres filles, le reste des âmes, lesquelles, comparées à elle, sont des «épines[d]». Telles sont les âmes qui ne sont pas la compagne de l'Époux ; mais la compagne est un lis qui brille au milieu d'elles.

a. Cant. 2, 1 b. I Cor. 13, 10 c. Phil. 2, 7 d. Cant. 2, 2

---

★ **III, 5, 1-8**

Baehrens, 179-180
(Procope, *PG* 17, 261 A-B)

«Comme un pommier parmi les arbres de la forêt, ainsi mon Bien-Aimé au milieu des fils ; sous son ombre j'ai désiré me trouver et je me suis assise ; et son fruit est doux à ma gorge[a].» Il convenait à l'Épouse, tout entière à la beauté de l'Époux, de ne rien dire d'elle-même, mais à la suite de ce que l'Époux avait dit de lui-même, de le comparer à un pommier, et les fils qui sont auprès de lui, aux arbres de la forêt. De l'excès de son amour passionné vient qu'elle désire son ombre, et qu'elle a confié à la profondeur de son intelligence la qualité de l'Époux. Elle semble dire cela aux jeunes filles, comme l'Époux, ce qui précède aux compagnons. Elle appelle *fils* ou bien les compagnons que, par comparaison avec l'Époux, elle a assimilés à des arbres sans fruit, ou bien ceux qui lui sont étrangers.

a. Cant. 2, 3

---

★ **III, 5, 10-17**

Baehrens, 181-183
(Procope, *PG* 17, col. 261 B-C)

«Sous son ombre, elle a désiré s'asseoir et s'est assise[a].» Jérémie aussi dit dans les Lamentations : «Le souffle de notre visage, le Seigneur Christ, fut pris dans nos corruptions, lui dont nous disions : A son ombre nous vivrons parmi les nations[b].» En effet, comment son ombre ne serait-elle pas cause de vie pour nous qui, libérés de l'ombre de la Loi — «car la Loi contenait l'ombre des biens à venir[c]» —, ne sommes plus «sous la Loi, mais sous la grâce[d]»? Même si nous sommes maintenant sous une ombre bien différente : car, après la vie présente, nous contemplerons la Vérité, non plus «à travers un miroir et en énigme, mais face à face[e]». L'Épouse dit aussi : «Jusqu'à ce que commence à poindre le jour et que s'enfuient les ombres[f].» Car notre vie est comme une ombre[g] ; ceux qui venaient des nations étaient «assis à l'ombre de la mort[h]», et les incrédules y sont encore assis.

a. Cf. Cant. 2, 3 b. Lam. 4, 20 c. Hébr. 10, 1 d. Rom. 6, 15 e. Cf. I Cor. 13, 12 f. Cf. Cant. 2, 17 g. Cf. Job 8, 1 h. Cf. Matth. 4, 16

---

## ★ III, 6, 1-4

Baehrens, 184
(Procope, *PG* 17, 261 C)

«Introduisez-moi dans la maison du vin[a].» L'Épouse dit cela aux amis de l'Époux, les saints anges ou apôtres et prophètes ; elle dit à peu près : Unissez-moi au corps du Christ.

a. Cant. 2, 4

---

## ★ III, 8, 1-15

Baehrens, 191-194
(Procope, *PG* 17, 261 C-D)

«Fortifiez-moi avec des parfums, entourez-moi de pommes, car je suis blessée de charité[a].» Symmaque a traduit ainsi : «Couchez-moi en arrière sur de la fleur de vigne», c'est-à-dire des arbres odoriférants qui produisent un bon fruit dans sa fleur, les arbres dits mauvais étant sans fruit, ou ayant des fruits mauvais. Mais certains des manuscrits ont : «Fortifiez-moi avec des amyra.» C'est à comprendre soit des fidèles qui n'ont pas la qualité de membres de celle qui n'a ni tache ni ride[b], soit des étrangers à la foi au Christ. Quant à «Entourez-moi de pommes», Symmaque l'expliquant a dit : «Faites rouler autour de moi des pommes.» L'Épouse veut en effet reposer parmi beaucoup de pommes qu'on a fait rouler autour d'elle, lesquelles, je pense, sont le fruit du pommier parmi les arbres de la forêt, l'Époux, afin que l'Épouse reçoive leur qualité. «Car je suis blessée, dit-elle selon Symmaque, par un charme magique» venant de «la flèche de choix[c]», selon Isaïe.

a. Cant. 2, 5 b. Cf. Éphés. 5, 30.27 c. Is. 49, 2

---

★ **III, 11,1-8**

Baehrens, 199-201
(Procope, *PG* 17, 264 A-B)

«La voix de mon Bien-Aimé[a] !» Certains ont rattaché cela à ce qui précède. Mais le texte hébreu le place hors de son propre contexte. Et il est clair que l'Épouse, tandis qu'elle dialogue avec les filles de Jérusalem, entend soudain la voix de l'Époux dialoguant avec quelques personnes, comme il est naturel. Et alors que l'Épouse entend cette voix par-dessus les montagnes et les collines proches du lieu où elle est, bondit l'Époux[b], tout pareil à un faon. Puis, dans sa hâte à venir vers l'Épouse, il vint près de la maison et se tint derrière elle[c]. Puis, d'un bond, il parvient jusqu'aux fenêtres de la maison, comme s'il voulait se pencher pour regarder amoureusement l'Épouse. Près de la maison où est l'Épouse, de nombreux filets ont été tendus en embuscade pour elle et son entourage. L'Époux les rompit, parce que plus fort, se pencha à travers eux ; il invite l'Épouse à venir tout près, l'encourageant par son action à mépriser ces filets, maintenant mis en pièces, ainsi que le temps désagréable qui s'est écoulé à cause d'eux, temps qu'il appelle l'hiver, porteur d'une pluie violente et nuisible. Il l'exhorte aussi par les beautés de la saison présente, parlant de fleurs comme il en pousse au printemps et du soin des vignes. Il décrit la voix de la tourterelle, le figuier qui bourgeonne et les vignes en fleur ; et le lieu où il reposera avec elle, où il désirait qu'elle vienne se montrer à l'Époux à visage découvert, et permette d'entendre sa voix agréable.

a. Cant. 2, 8 b. Cf. Cant. 2, 8 c. Cf. Cant. 2, 9-10

---

★ **III, 11,9-23**

Baehrens, LIV.3
(Procope, *PG* 87/2, 1596 A-C)

Voilà pour l'explication de l'exposé en forme de drame, jusqu'à : «Ta voix est douce et ton visage est beau[a]». Or il est clair que l'âme, épouse du Verbe, ou bien l'Église du Christ, perçoit sa voix comme divine avant de la comprendre. Ce que, les fidèles, nous éprouvons : avant de comprendre les voix de la Loi et des prophètes, nous sommes frappés de leur plénitude de grâce divine[1]. Il en est à peu près de même pour l'expression : «voix de mon Bien-Aimé[b]», qui devance l'apparition au loin du Verbe. Voyant qu'il s'adonne aux grands mystères après n'avoir pas négligé les plus petits, elle déclare : «Le voici qui vient, sautant par-dessus les montagnes, bondissant par-dessus les collines[b].»

Durant tout l'entretien, certaines paroles sont dites à l'Époux comme s'il était présent, et d'autres, comme s'il était cherché[2] par l'Épouse : puisqu'aussi bien, dans les questions posées, parfois nous sommes en recherche, incertains de la solution ; mais parfois, nous jouissons de la solution, le Verbe Époux illuminant nos cœurs. Puis de nouveau nous sommes incertains sur d'autres points, et de nouveau il se manifeste à nous. Et cela, fréquemment, jusqu'à ce que, arrivés à la perfection, nous rencontrions l'Époux, non seulement venant vers nous, mais encore faisant sa demeure.

Et l'Église le désire, quand elle est abandonnée dans les tentations, mais il se manifeste à elle par ses charismes. Voilà pourquoi elle dit : «Le voici qui vient, sautant par-dessus les montagnes[b]». Et il vient même par-dessus les filets déployés par le Malin près de l'Église. Les ayant rompus, il enseigne à les fouler aux pieds avec mépris. Et l'Église, ayant franchi[3] tout l'hiver de la tentation, salue les signes du printemps et l'approche de l'été, dont on lit dans les Psaumes : «L'été et le printemps[c]». Car les fleurs lui ont apparu et s'est approchée la purification parfaite, nommé «temps de la taille[d]».

a. Cant. 2, 14 b. Cant. 2, 8 c. Ps. 73, 17 d. Cant. 2, 12

1. Cf. *PArch.* IV, 1, 6.

2. Sur l'alternance présence, absence, de l'Époux, cf. *HomCant.* I, 7 et notes *ad loc.* (*SC* 37 *bis*, p. 95, n. 2 et 3).

3. Faudrait-il donner un sens adverbial à τῇ δὲ (ainsi), et lire ὑπέρβασα au lieu de ὑπερβάσει ? Dans *PG* 87 cette phrase est liée à la précédente ; mais si ἐκκλησία était le sujet de διδάσκει, il faudrait σχίσασα et non σχίσας.

---

## ★ III, 11, 11-12

Baehrens, 201-202
(Procope, *PG* 87/2, 1597 C)

L'Épouse appelle «montagnes» les prophètes sublimes par la pensée, qui contemplent les réalités véritables. Et, je pense, les apôtres aussi, puisque de génération en génération la Sagesse passe dans les âmes : montagnes, parce qu'ils sont illuminés les premiers par le Soleil levant ; collines, ceux qui ont moins d'aptitude à recevoir la manifestation de l'Esprit. On pourrait dire encore montagnes les pensées contenues dans la Loi, et collines, celles du reste des prophètes. Ou encore, celui qui a contemplé le Verbe dans le Nouveau Testament le voit «sautant par-dessus les montagnes», mais «bondissant par-dessus les collines[a]» de l'Ancienne Écriture. Et l'Époux est comparé au «faon des cerfs[b]», non seulement parce qu'il détruit les serpents, mais aussi parce qu'«un enfant nous est né, un fils nous a été donné[c]»; et parce qu'«il s'est humilié lui-même[d]». C'est que le cerf était parfait.

a. Cant. 2, 8 b. Cant. 2, 9 c. Is. 9, 5 d. Phil. 2, 8

---

## ★ III, 14, 16-19

Baehrens, LIV.4
(Procope, *PG* 87/2, 1600 D - 1601 A)

On pourrait appeler «fenêtres» les sens par lesquels la mort fond sur les pécheurs. Mais dans le cas de l'âme amoureusement disposée envers lui, le Verbe se penche sur ses besoins quand elle use des sens et qu'elle a des fenêtres en treillis dans sa chambre supérieure ; parvenant à elles, l'Époux se penche pour regarder à travers elles, appelant à lui l'Épouse vers les réalités au-delà des sens, incorporelles et invisibles ; c'est peut-être ce que veut dire aussi la parole qui est jointe : «Lève-toi, viens[a]».

a. Cant. 2, 10

---

## ★ III, 14, 22-25

Baehrens, 220-221
(Procope, *PG* 17, 264 C)

«Lève-toi», dit l'Époux, des choses sensibles vers les réalités intelligibles, afin que tu les comprennes[1] par ce que tu vois. «Voilà que l'hiver est passé, la pluie est partie[a].» Nous pourrions dire que la pluie est le temps avant l'Incarnation, lorsque Dieu ordonnait aux nuages de faire pleuvoir la parole de la Loi et des prophètes[b], mais que celle-ci a cessé, puisque «la Loi et les prophètes ont duré jusqu'à Jean[c]». Et c'est le printemps et l'été, après l'Incarnation, quand il n'y avait plus besoin de pluie, quand, grâce au Christ, «les fleurs ont apparu sur la terre[d]». Et depuis son incarnation le figuier n'est pas coupé[e], lui devenu stérile au temps antérieur ; car maintenant il produit des bourgeons et les vignes fleurissent. C'est pourquoi, dit l'un des sarments : « Nous sommes la bonne odeur du Christ[f]. »

a. Cant. 2, 10-11 b. Cf. Is. 45, 8 c. Lc 16, 16 d. Cant. 2, 12 e. Cf. Matth. 21, 19 f. II Cor. 2, 15

1. La conjecture de Baehrens συνίῃς semble préférable à συνῇ la leçon du texte.

---

## LIVRE IV

### ★ IV, 1,7

Baehrens, 224
(Procope, *PG* 87/2, 1605 C)

« Le temps de la taille[a] », celui de l'élagage du superflu.

a. Cant. 2, 12

---

### ★ IV, 1,8

Baehrens, 224
(Procope, *PG* 87/2, 1605 C)

« La voix de la tourterelle[a]. » « De la tourterelle », dit-il : de la Sagesse cachée et inconnaissable[b] ; car cet animal est ami de la solitude. Sa voix est entendue par ceux qui sont encore revêtus d'un corps terrestre.

a. Cant. 2, 12 b. Cf. I Cor. 2, 6-7

---

### ★ IV, 1,17

Baehrens, 226
(Procope, *PG* 87/2, 1605 C)

Ce temps est celui de sa parousie, où il faut que les excroissances corporelles de la Loi et de l'histoire chez les prophètes soient taillées par les réalités spirituelles et que reste ce qu'il y a de meilleur. Mais c'est aussi par contre le temps de l'extirpation des péchés et de leur rémission par « le bain de la régénération[a] ».

a. Tite 3, 5

---

## ★ IV, 2, 7-20

Baehrens, 230-233
(Procope, *PG* 17, 264 D - 265 A)

(Le Verbe) désire que l'âme dépasse les choses sensibles. Et c'est comme d'un mur et d'« un avant-mur » de la cité qu'il parle du monde sensible. Donc il faut que l'âme qui va s'unir au Verbe soit « à l'abri de la pierre », non seulement hors du mur de la cité, mais encore de son « avant-mur[a] », afin que, étant tout près, « le visage dévoilé, elle reflète comme en un miroir la gloire du Seigneur[b] », obéissant à celui qui a dit : « Montre-moi ton visage[a] ». L'Époux désire aussi entendre la voix de l'interlocutrice, admirant combien elle est agréable. Or un « avant-mur » est ce qu'Isaïe nomme « un mur autour », disant : « Il a mis un mur et un mur autour[c]. » Donc l'Époux veut que, sortie des choses corporelles, l'Épouse soit non seulement dans la « fortification » — ce qui, je pense, est le terme concernant le monde —, mais encore ce qui est attenant à « l'avant-mur », terme qui signifie la fin des choses corporelles et le commencement des réalités incorporelles.

a. Cant. 2, 14 b. II Cor. 3, 18 c. Is. 26, 1

---

## ★ IV, 3, 1 ... 34

Baehrens, 235 ... 241
(Procope, *PG* 17, 265 A-B)

Ces paroles, l'Époux les dit à ses amis, ou bien aux anges, ou aux hommes saints, tous les docteurs de l'Église. C'est un encouragement à préserver les vignes, pour qu'une fois capturées les puissances fourbes qui détruisent le début de la croissance du fruit, les vignes puissent croître depuis la fleur jusqu'à la perfection du fruit, cultivées qu'elles sont par Dieu ; mais par le libre-arbitre elles peuvent ou non porter du fruit.

Ou peut-être aussi certains hommes sont-ils « des renards », quand par leur esprit de ruse hétérodoxe ils font obstacle à ceux qui ont commencé à bien courir. L'Époux désire qu'ils soient pris quand ils sont encore « petits », avant qu'ils progressent vers une plus grande impiété. Car un renard devenu grand ne peut être pris par ces amis, et il n'est chassé que par l'Époux. Mais quand ils commencent à faire des dégâts, ils sont pris facilement aussi par ses amis. Il peut parler encore de petites « vignes[a] », car les renards n'ont point de pouvoir contre les grandes.

a. Cant. 2, 15

# NOTES COMPLÉMENTAIRES

## 1. Le Verbe de Dieu (Prol. 1, 1)

*Sermo Dei*, et plus souvent *Verbum Dei* (Prol. 2, 18.19; etc.), désignent pareillement l'Époux de l'âme. Les deux appellations voisinent ailleurs dans les traductions latines d'Origène, par exemple dans *HomÉz*. I, 9; voir la note complémentaire 4 *ad loc.*, *« Sermo, Verbum »*, *SC* 352, p. 454-455, dont il importe de redire l'essentiel. On sait que l'alternance dura plusieurs siècles pour traduire le terme grec de λόγος, employé dans les Écritures et les commentaires qu'elles inspirent. Les vieilles traductions utilisaient plutôt, en Afrique du Nord *Sermo*, et dans l'Europe ancienne *Verbum*, qui allait prévaloir; cf. les articles de C. MOHRMANN, *VigChrist.* 3 (1949), p. 166 s., et 4 (1950), p. 205 s., allégués par LAWSON dans sa traduction, p. 313, n. 2. Tertullien les emploie encore tous les deux, cherchant à leur découvrir un sens technique, mais finit par donner la préférence à *Sermo*. Voir J. MOINGT, *Théologie trinitaire de Tertullien*, 4 vol., Paris 1966-1969, t. I, p. 69-72 (*Verbum* et *Sermo*); t. II, p. 331, 339-367; t. III, p. 1019 s., 1042, etc. (*Ratio* et *Sermo*).

Dans les traductions latines d'Origène, *Sermo* figure quelquefois parmi les « aspects » divers de la seconde Personne divine : *Christum, Sermonem atque Sapientiam, id est Filium Dei, HomLc* XIX, 5; *Sermo Dei atque Sapientia ... Verbum Dei, HomLc* XXI, 7; et voir la n. 1 *ad loc.*, *SC* 87, p. 299 : « Pour Origène, la Sagesse est l'ἐπίνοια première du Christ, antérieure à l'ἐπίνοια Λόγος. Cela, à cause de deux textes, *Prov.* 8, 22 : ' Le Seigneur m'a créée comme Principe dans ses voies ', et *Jn* 1, 1 : ' Dans le Principe était le Logos '. Le Fils est Sagesse en tant que monde intelligible des idées archétypes de la Création; et en tant que Logos, il est l'agent de la Création, la cause instrumentale du Père. Cf. *ComJn* I, 17-20 ».

Du terme grec de λόγος les deux acceptions principales sont parole et raison. La première naturellement prévaut dans les textes scripturaires : parole dite, parole personnifiée, Personne divine chez Jean. Dans ce Commentaire, il a pour synonyme *Sermo*, à traduire comme lui « Verbe », entendu dans la première acception connue de tous par la traduction du Prologue johannique (cf. II, 8,39 ; III, 12,3 ; 14,15 ; IV, 1,1.2.12 ; 2,5 ; 13,20). Mais la seconde acception émerge parfois, à tel point que le traducteur Rufin ici ou là l'explicite, écrivant *Verbum* et *Ratio* (cf. II, 8,14), ou laissant voir le même sens par l'emploi de *rationabilis* (*Indicia ... spiritalis Verbi et interpretationis rationabilis*, II, 8,23 ; *rationabiliter cuncta agere et secundum Verbum Dei*, III, 7,8).

Pour un aperçu d'ensemble de la christologie, sur la connaturalité entre l'Écriture, où le Logos apparaît comme Parole, et l'âme, où le Logos apparaît comme Raison, voir H. de Lubac, *Histoire et Esprit*, p. 346-385. Sur l'interprétation «théologique et trinitaire» de la citation : «Le Verbe était dans le Principe (c'est-à-dire la Sagesse)», cf. *ComJn* I, 109-118 et notes *ad loc.*, *SC* 120, p. 118-122. Sur l'Incarnation, assomption par le Verbe d'une âme humaine (et d'un corps), voir les longues pages de *PArch.* II, 6,1-7 (et les notes *ad loc.*, *SC* 253, p. 171-186). Voir maintenant Crouzel, *Origène*, p. 243-257. (M.B.)

## 2. Le thème des sens spirituels de l'homme (Prol. 2,10)

Le thème des sens spirituels de l'homme est mis en relation avec celui des sens spirituels de l'Écriture : cf. I, 4,11-12; III, 5,6. Il est développé à partir des métaphores et des anthropomorphismes bibliques. Les mêmes mots qui désignent les membres, les organes ou fonctions de notre être corporel, «l'homme extérieur», évoquent aussi ce qu'on appelle les membres, les organes ou fonctions de notre être spirituel, «l'homme intérieur». Or il y a une étroite parenté entre les organes des sens et les objets qui les affectent. De même, le thème des sens spirituels exprime la connaissance directe, intuitive, immédiate, des mystères divins par le spirituel, en raison de sa connaturalité avec eux. Cf. H. Crouzel, art. «Origène», *DSp* 11, (1982), col. 948-949.

Le thème revient partout. Voir entre autres, avec les notes *ad loc.* de l'éd. *SC* : *PArch.* I, 1,9 ; *HomEx.* X, 3 ; *HomLév.* III, 7 ; *HomLc*, fr. 78 ; *EntrHér.* 15-22 ; *CCels.* I, 48 ; II, 64. Voir K. Rahner : «Le début d'une doctrine des cinq sens spirituels chez Origène», dans *Revue d'Ascétique et de Mystique* 13 (1932), p. 113-145. «Les développements les plus beaux et les plus détaillés de cette doctrine se trouvent dans son *Commentaire sur le Cantique des cantiques*», écrit-il à la p. 118, en donnant une trentaine de références à cet ouvrage. Outre nos sens corporels, nous avons cinq autres sens : les sens de l'âme (II, 9,12-14), et leur objet (I, 4,19); un objet peut affecter deux sens à la fois

(III, 5, 6); et chaque sens peut percevoir divers objets (II, 11, 11); sens (divins) de l'homme intérieur (I, 4, 16-17.26-27); l'acquisition des sens spirituels s'effectue par l'exercice (I, 4, 14.17), la foi (II, 9, 5), la grâce (II, 9, 14; 12, 22), la prière (II, 10, 14), etc. K. RAHNER signale l'influence de cette doctrine des cinq sens chez Évagre le Pontique (*art. cit.*, p. 136-141), Diadoque de Photikè (p. 141-142), le Pseudo-Macaire (p. 142-143), Basile et Grégoire de Nysse (p. 144); et pour les Latins, chez Augustin et Grégoire le Grand (*ibid.*, n. 238). Mais à propos d'AUGUSTIN, *in evang. Ioh.* 18, 10, un auteur hésite plus que K. Rahner à conclure à une influence certaine d'Origène, M.-F. BERROUARD (*Bibl. Aug.* 72, 1977, p. 736-738). (M.B.)

### 3. **«Mon amour est crucifié»** (Prol. 2, 36)

Origène invoque cette célèbre expression d'IGNACE, *Ad Rom.* VII, 2. Il faut voir à quelle place de son exposé, et dans quel sens. Il rappelle l'ancien débat sur la nature de l'amour, visant la notion platonicienne de l'ἔρως et la dialectique ascendante du *Banquet* 210 s. La question est délicate, puisqu'elle a donné lieu aux déviations de pensées et de mœurs. Mais on évitera ce risque dans l'interprétation du Cantique, qui traite précisément de l'amour, si l'on examine l'emploi des vocables que fait l'Écriture. Or elle remplace le terme d'amour (ἔρως) par ceux de charité (ἀγάπη) ou de tendresse *(dilectio)*. Certes, elle fait deux exceptions notables, à propos de la Sagesse : «Aime-la passionément (ἐράσθητι) et elle te gardera» (*Prov.* 4, 6); «Je devins l'amant passionné (ἐραστής) de sa beauté» (*Sag.* 8, 2). Mais dans les deux cas, la noblesse du sujet traité ne permet pas de confusion avec l'amour charnel. Ainsi en est-il pour tous les passages de l'Écriture ayant recours à l'expression et, par conséquent, pour ceux du Cantique. Dès lors, il importe peu que l'on appelle Dieu charité (ἀγάπη) comme Jean, ou amour (ἔρως), comme l'a fait un des saints... (Prol. 2, 1-36).

L'assimilation des deux thèmes que fait Origène a été diversement reprise et jugée au cours des siècles. Ici la question est de savoir s'il a raison ou non d'en voir une confirmation par l'expression ignatienne. Autrement dit, celle-ci a-t-elle ou non le sens qu'il lui donne? Comment traduire le passage? On peut consulter l'ouvrage célèbre et discuté du théologien luthérien suédois, paru en deux volumes (1930 et 1935), aussitôt traduit en plusieurs langues : en français, A. NYGREN, *«Eros et Agapè». La notion chrétienne de l'amour et ses transformations*, trad. par P. Jundt (Paris) : I^re partie, 1 vol., 1944; II^e partie, 2 vol.,

1952 ; sur Origène, pour la question présente, cf. II$^{e}$ p., 1$^{er}$ vol., p. 171-178.

***

On connaît le texte d'IGNACE, *Ad Rom.* VII, 2 : «C'est bien vivant que je vous écris, désirant (ἐρῶν) de mourir. Mon désir terrestre (ὁ ἐμὸς ἔρως) a été crucifié, et il n'y a plus en moi de feu pour aimer la matière (πῦρ φιλόϋλον)», trad. Camelot. Mais il reçoit, maintenant et peut-être pour toujours, deux interprétations différentes : l'une, à la suite d'Origène, spontanément théologique ; l'autre, critique.

Origène vient d'identifier les sens des termes ἀγάπη et ἔρως et de les dire également propres à désigner Dieu. L'expression «a été crucifié» lui évoque d'emblée le Christ. Et lui, qui use avec une ferveur constante à son égard du possessif de vénération et de tendresse («mon Jésus», «mon Sauveur», «mon Seigneur»), y voit ici une appellation semblable : «mon Amour». Et après lui, avec ou sans référence au texte d'Ignace, l'interprétation devint traditionnelle : «Le terme d'ἔρως a paru à certains de nos théologiens plus divin que celui d'ἀγάπη ; car le divin Ignace lui-même écrit : 'Mon Ἔρως a été crucifié'» (DENYS L'ARÉOPAGITE, *De div. nom.* 4, 12) ; «Mon Ἔρως a été crucifié, le Christ» (THÉODORE LE STUDITE, *Serm. catech.*) ; et encore de nos jours par exemple, tel auteur : «Je ne me sens pas maintenant du tout aussi sûr que le D$^{r}$ Markus et beaucoup de savants modernes qu'Origène ait mal interprété le texte d'Ignace» (A. H. ARMSTRONG, «Platonic eros and christian agape», *The Downside Review* 69, 1961, p. 119, n. 17).

Cette autre explication avait été lancée par HARNACK, «Der Eros in der alten christlichen Literatur», dans *Sitzungsberichte der kön. Preussischen Akademie der Wissenschaften : philosophische-historische Klasse*, I (1918), p. 81-94. Ignace, dans ses *Lettres*, avec la même ferveur qu'Origène, identifie à la personne du Christ des termes scripturaires : «espérance, foi, vie, vivre, joie». N'en ferait-il pas de même ici : «Mon amour (le Christ)» ? La phrase précédente est loin de s'y opposer : dans «désirant de mourir», le participe ἐρῶν n'a pas un sens passionnel, mais tout spirituel, comme le *desiderium habens dissolvi* de *Phil.* 1, 23. — Mais la suite l'interdit. La même phrase ne peut avoir deux membres qui se contredisent. Or dans le second, «le feu qui aime la matière» est évidemment dit de l'amour passion ; donc, le «mon amour», dans le premier, a le même sens : «Comme mon désir (sensuel) a été crucifié, je ne ressens plus aucun amour (ardent) pour les choses matérielles» (*art. cit.*, p. 84). — Et le lecteur pense spontanément à des passages pauliniens : « En nous est crucifié le vieil homme » (*Rom.* 6, 6) ; « Ceux qui sont du Christ Jésus ont crucifié leur chair ... Pour moi, le monde est crucifié, et je le suis pour le monde » (*Gal.* 4, 24 ; 6, 14). C'est pourquoi des modernes se rallient à la nouvelle interprétation : auteurs d'ouvrages, H. SCHOLZ, *Eros und Caritas. Die platonische Liebe und die Liebe im Sinne des Christentums*, Halle/Nimègue 1929, p. 115 s., A. NYGREN, déjà nommé ; traducteurs d'Ignace : J. B. LIGHFOOT, *The Apostolic Fathers*, II, Londres 1973², p. 222 s., P.-Th. CAMELOT, dans la traduction citée, et qui note : « Le martyr a crucifié pour le Christ tous ses désirs terrestres, il a crucifié en lui l'ἔρως pour que vive la parfaite ἀγάπη » (*SC* 10, p. 117, n. 1). (M.B.)

## **4. L'époptique** (Prol. 3, 1)

Le mot époptique vient du grec ἐφορᾶν, « voir » ou « regarder sur ». Ce verbe et ses composés appartiennent à la langue de l'initiation : τὰ ἐποπτικά, les mystères d'Éleusis (PLATON, *Banquet* 210 a ; PLUTARQUE, *Dem.* 26, 1) ; ἐποπτεύειν, contempler — comme les époptes, initiés du degré supérieur — (PLATON, *Phèdre* 250 c ; *Lettre* VII, 333 e) ; « l'épopte » (PLUTARQUE, *Alc.* 22, 4) ; etc.

Les termes de l'initiation païenne vont être repris pour désigner les mystères chrétiens. CLÉMENT D'ALEXANDRIE : ἐποπτεύειν, « ce qu'on ne pouvait connaître auparavant, sinon quand on avait passé par le Christ, seul intermédiaire qui confère l'initiation révélatrice de Dieu », διὰ χριστοῦ, δι' οὗ μόνου θεὸς ἐποπτεύεται (*Protr.* I, 10, 3, trad. Mondésert) ; « l'enseignement époptique » (*Péd.* I, 8, 3) ; « le mode époptique » (*Strom.* V, 71, 2) ; ou simplement « l'époptique », qualifiant la plus haute contemplation, θεωρία μεγίστη, ἡ ἐποπτική (*Strom.* II, 47, 4). Termes employés par Origène pour qualifier des raisons, ou des réalités : *CCels.* III, 37, 22 et VII, 10, 19 ; *FragmLc* 15, 23 (*GCS* 9, p. 321, fr. 218).

## **5. Les Grecs « voleurs de la philosophie barbare »** (Prol. 3, 4)

Il y eut deux thèmes conjoints répétés pendant des siècles par les Juifs et les chrétiens : l'antériorité des écrivains sacrés sur les auteurs profanes, et les larcins que les Grecs firent à la philosophie barbare, soit aux œuvres païennes, soit surtout aux Écritures, œuvres de Moïse et des prophètes. Origène rappelle ici le cas de Salomon. A celui de Moïse, il fait des allusions rapides mais nombreuses dans le *Contre Celse* ; voir à l'index des noms propres, *s.v.* «Moïse», une demi-page de références, *SC* 227, p. 331. C'était devenu un lieu commun, d'abord de l'apologétique juive hellénistique, puis de l'apologétique chrétienne, repris par maints auteurs.

Chez les Juifs : Artapanos ; Aristobule, auteur connu par EUSÈBE, *Prép. Év.* XIII, 12, mais que cite Origène, *CCels.* IV, 51,8 (voir la n. 1 *ad loc.*, *SC* 136, p. 316 ; et aussi la n. 3 de la p. 232) ; PHILON, *Leg.* I, 108 et *Spec.* IV, 61 ; JOSÈPHE, *C. Apion* II, 168 et 257.

Chez les chrétiens : JUSTIN, *I Apol.*, 44,8-10 ; 59,1 ; 60,1-10 ; CLÉMENT D'ALEXANDRIE, *Strom.* I, 66-87 ; 101 s. ; *Strom.* II, 1 (voir n. 1 *ad loc.*, *SC* 38, p. 31) ; *Strom.* V, 89-141 (voir le comm. *ad loc.* d'A. LE BOULLUEC, *SC* 279, p. 291-375). Les deux suivants, qui mirent au point «l'argument chronologique» : TATIEN, *Discours aux Grecs* 31, 36, 40-41 (*PG* 6, 869 A, 884 B, 885 A), cité par Origène, *CCels.* I, 16, 11 et IV, 21 (voir encore n. 3 *ad loc., SC* 136, p. 232) ; THÉOPHILE D'ANTIOCHE, *A Autolycus* III, 16-29. Pour les Latins : TERTULLIEN, *apol.* 47,1-4 ; *anim.* 2 ; AUGUSTIN, *civ.* 18,37. (M.B.)

### 6. «La vraie philosophie» (Prol. 3,8)

Le terme de philosophie désignant le christianisme résulte de la confrontation de la doctrine chrétienne avec la philosophie grecque au IIe siècle. Pour JUSTIN, le christianisme est en accord avec la philosophie, *I Apol.* 20 ; la doctrine du Christ est «la seule philosophie sûre et profitable», *Dial.* 8. Elle est «supérieure à toute philosophie humaine», *II Apol.* 15. «Tout ce que les philosophes et les législateurs ont enseigné de bon nous appartient, à nous chrétiens», *II Apol.* 13.

Les pères grecs ont élargi et renforcé la thèse. Et d'abord, CLÉMENT D'ALEXANDRIE : «la vraie philosophie», c'est toute la doctrine chrétienne inspirant toute la vie ; cf. *Strom.* V, 141, 4 ; mais déjà *Strom.* I, 21, 2 (cf. C. MONDÉSERT, Introd. à l'éd., *SC* 30, p. 10-11, et la note 6, avec les références à Marrou et Bardy). Le mot philosophie a les deux sens : celui de la vie correcte et celui de la philosophie grecque, d'après GRÉGOIRE LE THAUMATURGE, *RemOr.* VI, 73-80, et XIII-XIV, 150-173 (cf. Introd. à l'éd., *SC* 148, p. 59-61). On voit ici ce qu'en dit Origène ; plus largement, cf. CROUZEL, *Philosophie*, p. 22-25, et *passim*. Pour Eusèbe de Césarée, le philosophe est le moine, et «la vie philosophique», la vie ascétique. De même pour les deux

Grégoire, de Nazianze et de Nysse : la vie monastique est «la philosophie en œuvre», GRÉG. NAZ., *Or.* VI, 1. Voir A.-M. MALINGREY, *«Philosophia», Étude d'un groupe de mots dans la littérature grecque, des Présocratiques au IVe siècle après Jésus-Christ*, Paris 1961.

### 7. **Les tentes** (Prol. 3, 20)

L'interprétation origénienne des tentes de l'Histoire sainte développe un thème à deux motifs à partir de l'Exode. Le premier concerne le temple, le tabernacle et le culte liturgique, et déjà les tentes des pères et la fête des tabernacles : celui du culte intériorisé dans la pratique des vertus par les personnes et la communauté. Le second est celui de l'accroissement de ces vertus, figuré par les étapes du désert. Origène en traite dans *HomNombr.* XVII, 4; XXIII, 11 ; XXVII, 2-13; cf. éd. des *HomNombr.*, *SC* 29, les notes *ad loc.* d'A. MÉHAT, et aussi son introduction. D'une part, il y mentionne ce genre littéraire sur la condition itinérante de l'homme qui inspire tant d'ouvrages aux titres évocateurs : *Itinéraire ...*, *Montée ...*, *Chemin ...*, *Quête ...*, *Voyage ...*, p. 17 ; d'autre part, parmi les théories de la perfection, des progrès et des degrés, il rapproche ce thème spirituel, que figure la marche interminable du désert, de celui de la quête infinie de Dieu, p. 58-59. Il ne cite pas les prédécesseurs d'Origène, comme IRÉNÉE, *Haer.* IV, 11, CLÉMENT D'ALEXANDRIE, *Strom.* VII, 10, 1 ; mais il désigne un illustre successeur, Grégoire de Nysse, dont la théorie, sous le nom d'«épectase», fut exposée par J. DANIÉLOU, *Platonisme et théologie mystique*, nouv. éd., Paris 1953, p. 309-326. Et comment ne pas se souvenir de l'un des éclairs pascaliens du «Mystère de Jésus» : «Console-toi. Tu ne me chercherais pas si tu ne m'avais trouvé» (Lafuma 919)? (M.B.)

### 8. **Références** (Prol. 4, 2)

L'importance des références d'une œuvre à l'autre est évidente. Elles permettent de déterminer la chronologie relative de certaines œuvres par rapport à d'autres, et peuvent aider à fixer la chronologie absolue. Le domaine de la prédication en offre déjà un exemple privilégié. Mais plus encore, en relation avec lui, celui de notre Commentaire. Non qu'on ait ici à entrer dans le problème d'ensemble ainsi posé, qui est à débattre entre spécialistes. Mais on se doit de mettre en relief cette caractéristique singulière de l'œuvre : elle est la seule à fournir autant de références, sept, à un même ordre d'activité, celui de la prédication, et dans celle-ci, à une même série, la troisième, la série historique (voir éd. des *HomÉz.*, *SC* 352, p. 445-448, ma note complém. 1 : « Autres points de repère »).

En quelques pages de la quatrième partie du prologue se trouvent quatre renvois. D'abord deux, expressément, aux *tractatibus*, aux Homélies et sur l'Exode et sur les Nombres. Sur l'Exode : Prol. 4, 2, pour la différence entre « le Saint » et « le Saint des saints » (*Ex.* 30, 29) ; en fait, à *HomEx.* IX, 4, 114-119. Sur les Nombres : Prol. 4, 2, pour la différence entre « les œuvres » et « les œuvres des œuvres » (*Nombr.* 4, 47) ; en fait, à *HomNombr.* V, 2.

Ensuite, deux autres renvois à des exposés plus complets *(plenius)*, insiste chaque fois le texte. Ici, à propos des Nombres et des Juges. Des Nombres : Prol. 4, 7, sur « les princes » et « les puits qu'ont creusés les princes et forés les rois » (*Nombr.* 21, 18) ; en fait, à *HomNombr.* XII, 2. Des Juges : Prol. 4, 9, à propos de Débora et de Barac (*Jug.* 5, 2 et 5), renvoi à *his plenius in illis oratiunculis* données sur le petit livre des Juges ; en fait, bien qu'il n'y ait pas d'homélie traitant directement de *Jug.* 5, 12, qui ait été conservée (cf. P. Nautin, *Origène*, p. 404, n. 112), l'explication des noms de Débora et de Barac figure dans *HomJug.* V, 2 et 4, et l'homélie suivante est consacrée au cantique de Débora.

Mais à ces quatre points de repères fournis par le prologue s'en ajoutent trois autres, un au livre I et deux au livre II, renvois encore à des exposés plus complets *(plenius)*. Une fois, à propos du Lévitique : I, 2, 5, pour le sens de *principale cordis* (*Lév.* 10, 14) ; en fait, *HomLév.* VII, 3. Deux fois à propos des Nombres : soit II, 1, 25, au sujet du mariage de Moïse avec l'Éthiopienne (*Nombr.* 12, 1.6-8) ; en fait, *HomNombr.* VII, 2 ; soit II, 8, 31, au sujet de Gog (*Nombr.* 24, 7-8) ; en fait, *HomNombr.* XVII, 5. (M.B.)

## 9. Les sens de l'Écriture (I, 1, 2)

Les premières lignes du prologue disent le sujet du Cantique et du Commentaire qu'il inspire. Un amour humain figure l'amour divin. Dans la relation d'amour entre l'Époux et l'Épouse, les Juifs voyaient Dieu et la communauté juive. Les chrétiens contemplent, d'une part, le Fils de Dieu sous ses deux aspects du Verbe et du Christ ; de l'autre, l'âme faite à l'image de Dieu, et l'Église.

Il fallait noter d'emblée le caractère spécifique de cette œuvre. Elle se développe inégalement dans deux ordres : brièvement dans celui qui se nomme lettre, « histoire », drame, avec les sens correspondants et synonymes, littéral, « historique », dramatique, et longuement, au point de remplir tout « le corps » de l'ouvrage, dans un autre ordre, que le premier évoque et manifeste à l'extérieur, qui se révèle à l'examen du sens mystique de tout l'ensemble *(mysticis eloquiis)*. Il n'est pas d'œuvre où soit rappelée si constamment cette division binaire[1].

1. Il y a des œuvres ou des passages où *littera* et *historia* ne sont pas synonymes, ni sens littéral et sens historique identiques, à l'inverse de ce que l'on constate dans ce Commentaire. Voir éd. des *HomÉz.*, *SC* 352, p. 469-476, ma note complémentaire 13 : « Lettre, histoire, allégorie ».

Ici, le premier sens, le sens littéral, fait l'objet d'un rappel un par un des versets du Cantique, cités en tête de nos chapitres, et d'une brève explication littéraire qui les suit. Le second, le sens spirituel, est d'une interprétation bien plus vaste. Dans le cadre de la nature cosmique, végétale, animale, etc., sont repris au sens figuré tous les détails sensoriels, dans des analyses fouillées et des considérations de théologie et de vie spirituelle ; le tout relié aux personnages mis en scène, principalement l'Épouse et l'Époux, avec leurs corps, leurs attitudes, leurs actions, leurs paroles, leurs sentiments exprimés ou supposés. Tel est le contenu de la majeure partie des quatre livres : le sens spirituel maintes fois expressément affirmé.

D'abord, par de brèves formules de transition d'un sens à l'autre : — *littera ad spiritum*, Prol. 2, 23 ; III, 14, 22. Mais encore : *secundum litteram, secundum spiritum*, III, 1, 4 ; *secundum litteram : ut exsequi possimus intelligentiam spiritalem ..., spiritalis expositio*, III, 8, 2-3 ; *litterae explanatio, historicus sensus : spiritalis intellectus*, II, 11, 1-5 ; — *historica expositio : spiritalis intelligentia*, I, 1, 2 ; *historica narratio, ad intelligentiam spiritalem*, IV, 2, 4 ; cf. III, 3, 1 ; *secundum historicam intelligentiam : intellectus interior*, I, 2, 2 ; *historici dramatis explanatio ad intelligentiam spiritalem*, II, 9, 2 ; cf. 7, 2 ; *dramatis historica explanatio : interior intellectus*, I, 1, 4-5 ; *secundum dramatis ordinem : spiritali expositione*, IV, 3, 1 ; — *historicum drama ; ad ordinem mysticum*, II, 1, 2 ; *historicus ordo : requiramus intelligentiam mysticam*, II, 4, 3-4 ; *verborum directio : secundum intelligentiam mysticam*, II, 6, 1-2 ; *melius ut grammaticos offendamus : videamus secundum mysterium*, III, 5, 2.4 ; *intelligentia carnalis : intelligentia spiritalis*, IV, 1, 15.

Puis, quand la transition est moins nette ou fait défaut, par des expressions néanmoins sans ambages : — *sensus spiritalis*, I, 4, 24 ; III, 1, 4 ; (plur.) Prol. 3, 15 ; III, 2, 4 et 6. Mais encore : *spiritalis expositio*, III, 14, 10 ; IV, 3, 1 ; *spiritalis intelligentia*, Prol. 4, 14 ; II, 8, 36 ; III, 13, 17 ; 14, 23 ; — cf. *spiritalia et mystica*, II, 8, 36.

Et qu'en est-il de la division ternaire, et du «sens moral» qui en fait partie? Il arrive que l'expression «sens moral» intervienne dans une œuvre, sans former le titre d'un développement, cf. *HomÉz.* VII, 10,30.38.41 ; VIII, 2,66. De même, on a ici seulement des allusions rapides dans l'emploi de l'adjectif *moralis* et dans plusieurs rappels d'une «troisième explication».

Le terme de *moralis* est employé deux fois. D'abord, pour comparer «parfums» et «aromates» figurant deux réalités différentes : «L'odeur de tes parfums *(spiritalis scilicet intelligentia et mystica)* surpasse tous les aromates *(moralis naturalisque philosophiae)*, I, 3, 13. Il s'agit de doctrines divines, de sagesse, de mystère ; et pour Origène, de philosophie. C'est un rappel des trois parties de «la divine philosophie» exposées en Prol. 3, 1. «L'intelligence spirituelle et mystique» désigne l'époptique ou inspective, etc. Ensuite, pour commenter une scène : l'Époux aborde la maison où réside l'Épouse : «Mais si nous l'expliquons du Christ et de l'Église, la maison où habitait l'Église, ce sont les écrits de la Loi et des prophètes ; car là aussi se trouve une 'chambre du Roi', remplie de 'toutes les richesses de la Sagesse et de la Science' ; là aussi, 'une maison du vin' — (*doctrina scilicet vel mystica vel moralis*)» III, 14, 20. Il est question de l'âme et du Verbe (§ 18), de l'Église et du Christ (§§ 20-21). Comme plus haut la *philosophia*, ici la *doctrina* intègre sans doute les sens de l'Écriture : elle ne s'y réduit pas. D'ailleurs reparaît vite la division binaire. De la maison de l'Ancien Testament, de l'intérieur de la lettre de la Loi, il faut sortir, progresser «de la lettre à l'esprit», passer «de la Loi à l'Évangile» (§ 22).

Mais il y a sans doute, une demi-douzaine de fois, une allusion à la division ternaire, plus précisément à la finale de la deuxième séquence : sens historique, sens mystique, sens moral, dans l'annonce d'une «troisième» explication : *tertia expositio*, I, 2, 23 ; 4, 7 ; II, 8, 42 ; III, 12, 12 ; *tertius explanationis locus*, II, 3, 15 ; *tertius expositionis locus*, I, 1, 9. C'est une transition à un «troisième exposé», et non un titre ; d'ailleurs le terme de *moralis* est absent. Il s'agit bien, expressément, *de l'âme*. Non plus de l'âme en elle-même, chrétienne ou non, avec sa nature, ses facultés, ses vertus et ses vices, comme chez les moralistes de tout temps, ou selon le programme du petit traité *De anima*, II, 5, 7-40. Mais de l'âme engagée dans l'histoire du salut, créée à l'image de Dieu, appelée et promise à la vie divine, dans un processus qui inclut mais dépasse la morale humaine ; car elle aspire, au-delà des luttes encore passionnelles, à l'union de grâce avec Dieu et au mariage mystique avec le Verbe, l'Époux céleste. C'est dans l'ordre mystique surtout qu'elle est envisagée, comme l'Église.

Que de passages en sont la preuve ! Ame tournée vers Dieu et venant à la foi, II, 3, 15 ; il s'agit de l'âme parfaite et du Verbe de Dieu, I, 2, 23 ; âme à la suite du Verbe de Dieu, I, 4, 7 ; ancrée dans le désir et l'amour du Verbe de Dieu, I, 3, 12 ; dont tout le zèle est d'être unie et associée au Verbe de Dieu, I, 1, 9 ; âme qui se renouvelle de jour en jour à l'image du Créateur, III, 8, 10 ; IV, 2, 17 ; en qui le Verbe devient une source d'eau vive jaillissant en vie éternelle, III, 12, 12 ; en qui habitent les trois personnes de la Trinité, et où trône la charité parmi les autres vertus chrétiennes, II, 8, 41.

Dès lors, comment l'amour de l'âme différerait-il de l'amour de l'Église ? Des termes semblables les expriment : « L'Écriture... dit cet amour dont est enflammée et brûle l'âme bienheureuse ; elle chante par l'Esprit ce chant de noces où l'Église est conjointe et associée au Christ, l'Époux céleste, elle qui désire être unie *(misceri)* à lui par le Verbe, pour concevoir de lui... », Prol. 2, 46 ; « ... la faculté maîtresse du cœur, dans laquelle l'Église ou l'âme tiennent liés et serrés par les liens de leurs désirs le Christ et le Verbe de Dieu », II, 10, 11 ; « ... la tête de son Époux, c'est-à-dire de l'âme parfaite ou de l'Église », III, 9, 1. Ici conjoints, ailleurs les deux thèmes alternativement s'énoncent et se développent : l'âme et l'Église, Prol. 2, 46 ; IV, 1, 1 ; l'Église et l'âme, I, 1, 2 ; III, 11, 17. Ils s'unissent : l'Église qui vient au Christ, ou l'âme qui adhère au Verbe de Dieu, III, 6, 2. A la limite, ils fusionnent : « Le Christ s'est présenté à lui-même l'Église, à savoir les âmes parvenues à la perfection, qui toutes ensemble forment le corps de l'Église », IV, 2, 17 ; « ... soit l'Église de Dieu, soit chacun des fidèles en particulier », II, 7, 5 ; « ... L'Église qui désire être unie au Christ..., l'Église est l'assemblée des saints *(haec Ecclesia quasi omnium una persona)* ... », I, 1, 5. On l'a fort bien dit : « De l'Église à l'âme fidèle, l'analogie est parfaite, comme du 'grand monde' au 'petit monde', et tout ce qui s'accomplit dans l'une s'accomplit aussi dans l'autre... L'âme est l'Épouse du Logos, comme l'Église tout entière est l'Épouse du Christ », H. de Lubac, *Histoire et Esprit*, p. 164 s. Simultanément.

Cette masse de textes autorise à conclure. L'Époux et l'Épouse : le Verbe et l'âme, le Christ et l'Église, deux thèmes parallèles et distincts. Double expression de l'unique mystère de l'union. A en maîtriser la richesse, toute classification scolaire échoue, fût-ce la meilleure, la deuxième séquence du schème tripartite : sens historique, mystique, moral. Origène la signale en guise de transition pour un troisième point de vue au sujet de l'âme, mais non pour introduire à un simple exposé du « sens moral ». D'une part, les distinctions s'estompent. L'âme est vue au plus haut degré de la vie spirituelle, appelée au mariage mystique avec le Verbe, intégrée à l'Église en son mystère, « au sens mystique ». De l'autre, l'Époux, Verbe et Christ, n'est jamais occulté dans son rôle et sa personne : il est bien le protagoniste de tout « le drame ». On ne peut l'omettre dans les sous-titres ; il faut dire comme Origène « le Verbe et l'âme », « le Christ et l'Église ». Enfin, pour désigner « le sens spirituel », la terminologie peut varier à travers son œuvre : ἀλληγορία, ἀναγωγή, ὑπόνοια, τροπολογία, etc., ailleurs ; ici : *sensus interior, mysticus, spiritalis*, etc. L'orientation de sa pensée est constante ; on le voit mieux que partout dans ce *Commentaire sur le Cantique*. Toujours en quête du sens véritable et complet dans le message vivant de l'Écriture, ce qu'avant tout il cherche et invite à chercher, c'est la révélation du Verbe Incarné, du Christ total ou Corps mystique, dans son histoire, et au-delà, dans son mystère : Dieu fait homme, s'unissant son Église et les âmes, dans le temps et pour l'éternité. (M.B.)

## 10. Les seins de l'Époux, le cœur de Jésus (I, 2, 1-7)

Le terme hébreu *dodîm*, pluriel de *dôd*, le Bien-Aimé, est traduit μαστοί par la Septante, *ubera* par la Vulgate. « En réalité, il s'agit des manifestations de l'amour », Osty. D'où des traductions variables : « ton amour », Crampon ; « tes amours », *BJ* ; « tes caresses », Dhorme, *TOB*, Tournay ; « tes étreintes », Chouraqui. Comme la Septante et la Vulgate, Origène dit : « tes seins » ; mais, malgré la différence des termes (μαστοί, κόλπος ; *ubera, sinus*), il interprète aussitôt le premier par le second, lu dans l'Évangile de Jean. Rappelant l'attitude de l'apôtre qui reposa « contre le sein de Jésus », « sur la poitrine de Jésus », il commente : il s'agit de « la faculté maîtresse du cœur de Jésus », « des sens intérieurs de sa doctrine », « des trésors de sagesse et de science qui étaient cachés dans le Christ Jésus ». Parlant des seins, Origène pense au cœur de Jésus.

Mais, du rapport de l'intimité divine à notre intériorité est-il une comparaison adéquate, une expression appropriée ? Pour bien lire la Bible, il faut un œil de poète, une oreille de musicien, afin de saisir et rapprocher les innombrables correspondances. Çà et là des thèmes apparaissent : images tirées de la nature, de la société, de l'usage, comme dans les paraboles. De loin en loin elles reviennent. Leur emploi au sens figuré dans des contextes variés les enrichit d'harmoniques, de significations nouvelles : thèmes de l'eau, du pain, de la vigne, du pasteur, etc. Or la révélation est communicative, se diffuse, se propage :

elle use de ces motifs, de ces thèmes. Venue du cœur du Christ, au sens indiqué plus haut, elle s'offre au cœur de l'homme, au sens sémite du mot ; le cœur est le siège et le principe de toute vie sensible, intellectuelle et morale, donc religieuse : seul capable de connaissance, d'expérience, de saisie spirituelles. Il est organe, il est symbole. Origène le rappelle ici par le biais d'une autre image : le vin. Chacun sait que le vin ordinaire remplit le cœur de joie humaine, physiologique, psychologique, communautaire ; il figure le vin d'allégresse spirituelle de la Loi (de l'Alliance), du prophétisme, de l'antique sagesse ; on pense aussi à l'eau transsubstantiée en excellent vin au festin de Cana.

*Quia sunt ubera tua super vinum*, «tes seins», et non plus «tes mamelles», traduction qui dura des siècles, jusqu'à François de Sales, jusqu'à Bossuet : mot qui n'est plus employé pour les femmes, même en médecine, à plus forte raison pour des hommes ; et d'ailleurs effacé par l'interprétation johannique d'Origène. Il en est ainsi de tous les traits humains ou détails concrets du poème. Notre auteur le dit à propos des mains qui enlacent l'Épouse. Le Verbe de Dieu, que figure l'Époux, est au-dessus de tout genre, masculin, neutre ou féminin, et de tout ce qui s'y rapporte ; de même l'Église et l'âme parfaite, figurées par l'Épouse (III, 9, 2-5).

Images de l'Église et de l'âme, l'Épouse tout au long de l'œuvre en est comme ennoblie, avec les femmes qui la précèdent ou l'accompagnent. Même imparfaites, elles n'attirent pas de notation péjorative, comme l'auteur en jette parfois, à la manière du temps, sur une infériorité morale que manifesterait la faiblesse féminine. Suivantes, femmes de couleur, reine de Saba ont part à la même estime. Et pour l'Épouse, si le poème amoureux se complaît à en évoquer le corps en détail : tête, visage, joues, cou, etc., jusqu'à la fin, c'est toujours avec l'admiration de l'Époux. Origène la partage et même l'amplifie. Puis, au déroulement de tous les traits descriptifs, il accroche des guirlandes de significations spirituelles. Et non seulement aux traits, mais aux attitudes qu'il explicite et interprète psychologiquement, avant de les transposer dans un ordre supérieur. Il note ainsi les hésitations et les démarches que suscite l'émoi d'amour : chez l'homme, dans les étapes de l'approche et de la rencontre, III, 11, 2.3 ; 14, 6.8 ; chez la femme, dans l'attente solitaire et tourmentée dans sa maison et aux alentours, III, 14, 4.7, etc. ; comme l'âme, elle a reçu la blessure de charité, «douce blessure de la flèche de choix», au point qu'elle «soupire de désir jour et nuit vers lui, ne peut parler de rien d'autre, ne veut entendre rien d'autre, ne sait penser à rien d'autre, ne prend plaisir à désirer, souhaiter, espérer rien d'autre que lui», cf. III, 8, 13, etc.

Origène transpose des images, mais il part d'elles. Au passage cité, *bona super* équivaut à un comparatif, communément traduit par «meilleurs que». Or on sait la variété de nuances qu'exprime le grec ἀγαθός, et par conséquent le latin *bonus*. L'évocation amoureuse est suggestive. Il est bon, sans doute, de le faire apparaître : «... savoureux plus que le vin», interprète Chouraqui (p. 38). «Tes amours sont plus délicieuses que le vin», traduit la *BJ* ; «plus exquises que le vin sont tes caresses», Tournay. Origène parle dévoilement, contemplation, admiration ; et en même temps, doctrines dont l'Épouse avait coutume de se nourrir *(sumere)*, comme d'un vin «spirituel», «mystique» des anciens, auquel le Sauveur mêle «le vin nouveau coulant de ses seins». Semble donc mieux convenir l'expression «plus délectables», car elle peut concerner la vue, l'ouïe, l'odorat, le goût, la caresse et le baiser.

Quant aux jeunes filles, les âmes, elles courent avec l'Épouse, non point «après» ni «derrière», mais «à la suite» de l'Époux : le *post te* de *Cant.* 1, 4, n'annonce-t-il pas le *post me* évangélique de la vocation des apôtres et du disciple (*Matth.* 4, 19 ; 16, 24), car ne veulent-elles pas en toute hâte devenir disciples et apôtres ? (M.B.)

## 11. L'hégémonique (I, 2, 3)

Sur les parties, facultés ou fonctions de l'âme et leur localisation, diverses furent les opinions des anciens philosophes. La classification sans doute la plus répandue, et souvent attribuée à tout le stoïcisme, est celle de Chrysippe. Elle distingue huit parties : «L'hégémonique ou partie directrice, les cinq sens, la partie reproductrice, la parole», J. Brun, *Le stoïcisme*, Paris 1958, p. 76 ; sur leurs relations, p. 76-80. Cf. *CCels.* I, 48, 11, et n. 1 *ad loc.*, *SC* 132, p. 202.

La théorie est à situer dans un ensemble, une liste connue. Tertullien, après avoir rappelé la simplicité de l'âme — excluant composition et division réelles, qui seraient négation de l'immortalité — énumère les divisions successivement proposées : de la division en deux par Platon jusqu'à la division en dix par certains stoïciens, et davantage encore par Posidonius. Ce dernier commence par deux, le principe directeur, l'ἡγεμονικόν, et le principe rationnel, λογικόν, et poursuit jusqu'à douze (d'après d'autres : dix-sept) divisions, *anim.* 14, 2 (voir le commentaire de J. H. Watzing, Amsterdam 1947, p. 210-215) ; cf. Aetius, *Plac.*, dans H. Diels, *Dox. graec.*, p. 205-206. Pour le chrétien, l'hégémonique a «le cœur» pour siège, selon divers passages cités par TERTULLIEN (*anim.* 15) : *Sag.* 1,6 ; *Prov.* 24,12 ; *Ps.* 138,23 ; *Matth.* 9,4 ; *I Jn* 3,20 ; *Matth.* 5,29.

Même opinion chez CLÉMENT D'ALEXANDRIE, *Strom.* II, 51,6 ; chez Origène, *CCels.* I, 48,11 (cf. *supra*) ; IV, 64,5 s. (et la n. 1 *ad loc.*, *SC* 136, p. 344) ; *HomNombr.* I, 1 ; X, 3 ; *HomCant.* I, 6, *SC* 37 bis, p. 88 ; *Philoc.* 27, 13, 11 (et la n. 2 *ad loc.*, *SC* 226, p. 312). (M.B.) — *Animae ... cordis ... mentis* désignent l'ἡγεμονικόν pour Origène, la partie supérieure de l'âme, appelée aussi d'un terme platonicien νοῦς *(mens)*, l'intelligence, et d'un terme biblique καρδία *(cor)*. C'est « la fine pointe » de l'âme, dans un sens spirituel et intellectuel ; par elle l'âme accueille l'esprit, πνεῦμα *(spiritus)*, c'est-à-dire la grâce, et devient « capable de Dieu », χωρητικὴ θεοῦ *(capax Dei)*. Elle est opposée à la tendance inférieure de l'âme, « la chair », σάρξ *(caro)*, ou « la pensée de la chair », φρόνημα τῆς σαρκός *(sensus carnis)*, qui tire l'âme vers le corps. C'est l'ἡγεμονικόν qui porte la participation de l'homme à l'image de Dieu.

## 12. « Ton Nom est un parfum répandu » (I, 4, 1-5)

*Unguentum exinanitum*, dit le Commentaire. *Unguentum effusum*, dit *HomCant.* I, 4. Il n'y a pas lieu d'accuser la différence ; l'interprétation d'ensemble est identique. Même annonce prophétique : dans l'homélie, *propheticum sacramentum* ; ici, *prophetia quaedam*. Même événement prophétisé : la diffusion universelle du Nom.

Dans l'homélie I, on voit un résultat atteint. A peine Jésus venu au monde, son Nom est proclamé parfum répandu. C'était une prophétie que l'évangéliste illustre et réitère : le parfum de l'onction de la pécheresse remplit la maison du lépreux, « cette odeur qui a rempli le monde ». — Noter qu'une autre onction est encore mentionnée, à propos du « nard » de l'Épouse, par *Hom.* II, 2, avec la même perspective de l'évangélisation universelle ; et par notre Commentaire, II, 9,3-5, disant que « l'odeur de la doctrine ... a rempli toute la maison de ce monde, la maison de toute l'Église, toute la maison de cette âme ... » (§ 5). — Dans l'*HomCant.* I, la page s'achève en raccourci. Comme un parfum se répand à profusion, « le Nom du Christ s'est répandu *(effusum est)*. Sur la terre entière on nomme le Christ, dans le monde entier, on proclame mon Seigneur » (§ 4, fin). Et c'est pourquoi les jeunes filles l'aiment, l'attirent, s'engagent à sa suite (§ 5). Ainsi, l'homélie résume.

Le Commentaire développe. La diffusion universelle du Nom est d'abord vue comme un résultat visé, à venir. On prophétise :

«A la venue de notre Seigneur et Sauveur, son nom serait diffusé *(diffunderetur)* par la surface de la terre et par le monde entier, au point qu'il deviendrait une odeur suave en tout lieu ...», I, 4, 2. Le commentaire ne dit pas autre chose que l'Homélie, il le dit autrement. Μύρον ἐκκενωθέν, *unguentum exinanitum* évoquent les termes de la «kénôse» d'après Paul : ἑαυτὸν ἐκένωσεν, *semetipsum exinanivit, Phil.* 2, 7. Origène va citer le passage. Non pour méditer sur la kénôse en elle-même comme mystère du Christ, selon le schème de la descente et de l'humilité, puis de l'exaltation souveraine. Le schème est assoupli : descente, mais pour la diffusion universelle. Le parfum se répand : non qu'il tombe jusqu'à terre et s'anéantisse, mais il s'épanche, s'étale, se propage et se diffuse en tout lieu. Si le Christ s'est dépouillé lui-même par la kénôse, s'il laisse en apparence «la lumière inaccessible», «la condition divine», «Verbe fait chair», c'est pour que les âmes l'aiment, l'attirent, se l'approprient, s'engagent à sa suite (§ 5) ; de même les églises (§ 6), comme les âmes (§ 7). La kénôse divine, pour la diffusion humaine.

Même interprétation en deux autres passages du Commentaire. Dépouillement de soi du Christ, «pour rassembler l'Église», méritant le nom d'Ecclésiaste, Prol. 4, 18 ; pour devenir «goutte», et venir ainsi rassembler «la goutte des nations», «la goutte du reste de Jacob», II, 10, 8-9 ; homme pour sauver les hommes ; kénôse inséparable de son effet, la diffusion du Nom. (M.B.)

## 13. **Rectitude** (I, 6, 6 et 11)

Le terme hébreu est au pluriel en *Cant.* 1, 4. Chouraqui, traduisant «les rectitudes», explique : «Il s'agit d'un pluriel d'abstraction. Le parallèle est apparent avec 1, 3 : 'les vierges t'aiment'. Il s'agit d'une abstraction et d'une généralisation supplémentaires. L'absolu de l'amour entraîne toute pureté et toute droiture dans l'universalité de son ordre» (p. 40).

La Septante a εὐθύτης, que les anciennes versions latines ont toujours traduit *aequitas*, cf. D. De Bruyne, «Les anciennes versions latines du Cantique des cantiques», p. 120, et A. Vaccari, *Cantici Canticorum uetus Latina*. La Vulgate traduit : *Recti diligunt te*. Les modernes : «C'est à bon droit qu'elles sont amoureuses de toi», *TOB* ; «Ils sont dans le droit, ceux qui t'aiment», Osty ; «C'est avec raison qu'on t'aime», Dhorme ; «Comme on a raison de t'aimer», Crampon, *BJ*, etc. On emploie ici «équité», à cause de l'opposition qu'Origène va établir avec «iniquité».

Dans le chapitre II paraît le motif de la *rectitudo*, en variation de trois thèmes conjoints, droiture de la station, de la marche, du cœur : *recte stare* (II, 2,5 et 9) ; *recte incedere* : *festinandum est ad vias rectas et standum in semitis virtutum, ne forte Sol iustitiae rectus incedens*... (§ 12) ; *rectum cor* (§ 10) ; sans parler de la balance et de la règle, *libra, regula* (§ 11). Thèmes du langage commun, transcrits en métaphores bibliques citées par Origène. Ici, pour l'A.T., chez des prophètes et des sapientiaux (cf. *Mal.* 4,2 [3,20] et *Prov.* 4,26) : II, 2,5.6.9 ; pour le N.T. (cf. *Lc* 1,6) : II, 2,9. Ailleurs, dans les citations accumulées des exhortations parénétiques de Paul (cf. *I Cor.* 16,13 ; *Éphés.* 6,14 ; *Phil.* 4,1) : par exemple au sujet de Moïse devant Pharaon, *HomEx.* IV, 9 ; ou dans d'autres citations éparses, *ibid.* III, 3 (et voir n. 12 *ad loc.*, *SC* 321, p. 110-112).

Dans son édition des *Homélies sur Ézéchiel* de GRÉGOIRE LE GRAND, Ch. MOREL a bien noté (ad II, 10, *SC* 327, p. 98, n. 1) cette diffusion du thème du *status rectus* chez les auteurs profanes : CICÉRON, *leg.* 1,27, OVIDE, *met.* 1,84-86, puis chrétiens : MINUCIUS FELIX, 17,2, LACTANCE, *inst.* 2, 1, 13-19 (avec citation d'Ovide), *opif.* 8,3 et 19,10, CYPRIEN, *Demetr.* 16, avant de conclure que l'opposition *stare/iacere* était fréquente chez Grégoire, ainsi que l'alliance *stare* et *rectus*. — Parmi les imitateurs d'Origène, on peut citer, brodant les mêmes thèmes sur le verset *Recti dilignunt te*, APPONIUS, *In Canticum* I, 34-39. (M.B.)

### **14. Les aspects du Christ** (I, 6,12-14)

La fin du livre I énumère quelques dénominations (*appellationes, nomina* ; ὀνομασίαι), ou points de vue, aspects (ἐπίνοιαι) parmi d'autres, dont l'ensemble est au cœur de la christologie d'Origène. Dans ce Commentaire voir encore : Prol. 2,27 ; II, 9,11-14 ; III, 5,15 ; 6,4 ; 8,15 ; au début de son œuvre, dans *ComJn* I, 1, 52-62 ; 109-124 ; 125 à 292 *passim* ; dans *PArch.* I, 2,1-13 ; etc. Pour une vue d'ensemble, voir H. CROUZEL, « Le contenu spirituel des dénominations du Christ selon le livre I du *Commentaire sur Jean* d'Origène », *Origeniana Secunda*, p. 131-150. Mais déjà F. BERTRAND, *Mystique de Jésus chez Origène* (*Théologie* 23), Paris 1951, p. 1-33.

Pour la fin de l'œuvre, noter l'apport du *Contre Celse*, avec l'emploi des mots composés αὐτοαλήθεια, αὐτοδικαιοσύνη, αὐτολόγος, αὐτοσοφία ; cf. les références dans l'*Index verborum* (*SC* 227, p. 375) ; et voir par ex. *CCels.* III, 41, avec la n. 2 *ad loc.*, *SC* 136, p. 96-97. Rappellons-le : partout il s'agit de « dons », de « biens » que le Fils reçoit du Père en même temps qu'il est constitué dans sa personne et ses fonctions. Il les reçoit et il les communique. Il s'agit de participation. Et non point d'aséité : et la traduction autrefois fréquente «par soi» est à bannir. La traduction commune n'est guère plus heureuse : «en soi» désigne, depuis Kant, ce qui est incommunicable et inconnaissable, le contraire de la doctrine d'Origène. En fait, reçus et communiqués, ces biens et ces dons en leur plénitude s'identifient à l'être divin : il est *substantia virtutum, ComCant.* I, 6, 13. Le Logos est «la vertu tout entière animée et vivante», *ComJn* XXXII, 127 ; «Logos animé et vivant, qui est aussi Sagesse vivante et Fils de Dieu», *CCels.* III, 81, fin. Le moins mal est de traduire, au sens propre et fort du mot, Logos «en personne», etc.

Des vertus identifiées à la personne du Christ ou au Verbe, Origène parle comme d'êtres animés. Ainsi que Dieu, d'une part elles sont aimées : «... seul peut être approuvé cet amour qui s'attache à Dieu et aux vertus de l'âme», *ComCant.*, Prol. 2, 40 ; dans le commandement d'aimer Dieu de tout son cœur ... «est inclus l'ordre d'aimer la charité, la sagesse, la justice, la vérité et toutes les vertus *(bona)*», II, 9, 14. D'autre part, elles aiment : «L'Équité t'a aimé», et aussi «la Justice, la Vérité, la Sagesse, la Pureté et chacune des autres vertus», I, 6, 12.

Après chaque énumération, on pourrait redire : «Tout cela, c'est le seul et même Verbe de Dieu qui, adapté grâce à ces aspects particuliers *(per haec singula ... commutatum)* aux dispositions de la prière, ne laisse aucun sens de l'âme privé de sa grâce», II, 9, 14. «Le Christ est en personne toutes les vertus, et en retour elles l'embrassent», I, 6, 14. La vertu humaine est don et grâce. Elle est aussi acceptation et tâche : il faut l'accueillir et la mettre en valeur pour gravir les progrès et les degrés vers la perfection, cf. II, 11, 6.11. L'ordre moral n'est donc pas oublié. L'équité garde les commandements : elle aime le Christ, I, 6, 9 ; c'est la même démarche. Les messages prophétiques appellent à la conversion à Dieu, et en même temps à son amour universel par la justice, la bonté, la générosité envers le prochain, etc. «La vertu est dans l'homme une participation existentielle au Verbe, reçue à travers son humanité», H. CROUZEL, art. «Origène», *DSp* 11 (1982), col. 954. L'identification personnelle de l'âme au Verbe est proportionnelle à la pratique authentique des vertus. Voir encore le thème «des blessures salutaires» de la charité et des autres vertus (III, 8, 13-15, et la note complémentaire 21 : «Le trait et la blessure de charité»). (M.B.)

## 15. Le Soleil regarde (II, 2, 1)

Les sections distinctes ne manquent pas dans le Commentaire. Sur la charité, les trois livres de Salomon, les cantiques, dans le Prologue 1-2, 3, 4. Dans ce livre II : sur la couleur noire des figures de l'Épouse ; sur l'âme, II, 1, 1-57 ; 5, 1-40 ; et entre les deux, plus courte, cette section sur le soleil, qualifiée à la fin de « digression », 2, 1-22.

Ce n'est pas la moins laborieuse. L'auteur parle peu du soleil visible. Il effleure ce qui concerne son action due à sa position et à son regard. L'astre cause la noirceur du teint quand il regarde droit, de son apogée, au zénith. Il ne brûle pas les corps qui sont loin de son rayonnement vertical, à l'horizon (regardés de côté). On retient qu'il ne connaît pas d'éclipse : pour le Soleil de justice qu'il figure, on ne pourra donc pas parler d'absence.

Ce Soleil « invisible et spirituel » (§ 22), Origène l'évoque à loisir. Il l'anime, lui attribue des attitudes corrélatives à celles de l'âme, son unique satellite en ce système mobile. De la lumière est inséparable le regard qu'elle permet et impressionne. Et le regard a des orientations corrélatives à celles des conduites : au contexte de la vision va se mêler celui de la marche de l'âme.

Peut-on garder les jeux de mots constants du texte, malgré l'approximation et l'inélégance des expressions et des images ? A la suite d'Origène, on tente cette transposition.

Pour les regards :

— *adspicere* (tourner ses regards vers, regarder, avec bienveillance, comme Dieu) : regarder droit.
— *despicere* (regarder d'en haut, de haut, avec mépris, détourner ses regards de) ; on lira bientôt l'équivalence : *despicere, hoc est oblique adspicere* (§ 15) : donc regarder de côté.
— *respicere* (se retourner pour regarder, favorablement, comme Dieu : donc en face — d'où équivalence peut-être avec le premier verbe, mais qu'autorise sans doute celle que donne Origène pour le sens du second) : regarder en face.

Noms correspondants :

— *aspectus*, regard droit.
— *despectus*, regard de côté.

Pour la marche :

— *incedere obliquus, oblique* : marcher en oblique.
— *incedere perversus, perverse* : marcher de travers.

(M.B.)

## **16. Se connaître soi-même** (II, 5, 1-40)

Du verset, Origène donne quelques lignes d'explication dans *HomCant.* I, 9 ; ici, une dizaine de pages. Il attribue d'abord la célèbre formule à « l'un des sept Sages », nombre parfait, probablement symbolique. Ce furent Bias de Priène, Chilon de Lacédémone, Cléobule de Lindos, Périandre de Corinthe, Pittacos de Mitylène, Solon d'Athènes, Thalès de Milet, d'après la liste de Stobée, III, 1, 172 (Diels, *Vorsokratiker* I, 62, 20). En réalité, on ignorait le nom de l'auteur. « On l'attribuait tantôt à Apollon lui-même, tantôt à la Pythie Phémonoé ou Phanothée, tantôt au collège des sept Sages, tantôt à tel d'entre eux, Chilon, Thalès, Solon ou Bias, tantôt à Homère, tantôt à l'eunuque Labys », P. Courcelle, *Connais-toi toi-même*, t. I, Paris 1974, p. 11 ; sur Platon, p. 15-18 ; sur Origène, p. 97-100.

Les Sept, en tout cas, bien que connus comme « les pères » de la philosophie, étaient surtout des moralistes, imprégnés de sagesse populaire, d'où le caractère commun de leurs exhortations « à la réserve dans le savoir, à la modération dans les plaisirs », dans un entrelacement de « thèmes étroitement apparentés, dont le dénominateur commun était, semble-t-il, l'idée de limite, et à travers lesquels apparaît l'un des traits les plus constants de l'esprit grec ... ; unité de thèmes que nous trouvons encore associés dans les *Éthiques* aristotéliciennes : l'exaltation de la mesure, de la tempérance, de la prudence, le souci précautionneux du hasard, l'importance donnée au καιρός », P. Aubenque, *La prudence chez Aristote*, Paris 1963, 1976[2], p. 165 s.

L'adage a gardé sa saveur d'origine dans la pensée religieuse et philosophique. Car plus connue que l'apophtegme des Sages est devenue la célèbre inscription de l'entrée du temple d'Apollon à Delphes, « Connais-toi toi-même », au sens de « prends conscience que tu es un homme, reste dans les limites de ta condition », É. des Places, *La religion grecque*, Paris 1969, p. 41. Au précepte delphique les philosophes allaient revenir, entre autres Platon : *I Alcibiade* 124 b ; *Apologie* 20 e - 23 ; *Protagoras* 343 a ; *Charmide* 164 d - 165 a, 167 a, 169 e ; *Phèdre* 229 e ; *Philèbe* 19 c, 49 c ; *Timée* 72 a ; *Lois* XI, 923 a. « En dépit de toutes les interprétations modernes qui ont cru y reconnaître l'invitation faite à l'homme de découvrir en lui-même le pouvoir de la *réflexion*, cette formule n'a jamais signifié autre chose, jusqu'à Socrate et même Platon inclusivement, que ceci, qui est tout différent : connais ta portée qui est limitée, sache que tu es un mortel et non un dieu », P. Aubenque, *o. c.*, p. 166.

P. Courcelle (*o. c.*, p. 39-73) signale que Philon mentionne le précepte de Delphes et le rapproche de celui de l'Exode : «Veille sur toi-même» (*Ex.* 23,21 ; *Deut.* 15,9 ; 24,8, etc.). Il caractérise alors les interprétations de Philon, précisément, puis de Plutarque, du néo-stoïcisme, de la gnose païenne. Lisons ce qu'il dit de Clément d'Alexandrie (p. 77-80) : «Il n'ignore ni les leçons de l'*Alcibiade*, auxquelles il découvre une application chrétienne (*Strom.* V, 17, 1), ni les équivalences bibliques du 'Connais-toi toi-même', déjà proposées par Philon, ou les équivalences néo-testamentaires proposées par des Gnostiques chrétiens, à partir du *logion* attribué à Jésus : 'Si tu as vu ton frère, tu as vu ton Dieu' (*Strom.* II, 70, 5)... Le 'connais-toi toi-même', loin d'être complaisance à soi comme chez plusieurs Stoïciens et chez Philostrate, ou recherche angoissée comme chez les Gnostiques, devient chez Clément prise de conscience du péché et recherche active de notre affinité avec l'incorruptibilité divine, pleine confiance dans le Dieu des Chrétiens.»

Le développement d'Origène est plus ample et plus systématique. D'abord, pour lui, l'admirable sentence est antérieure aux Sages de la Grèce. Elle remonte à Salomon, censé être l'auteur des Proverbes, de l'Ecclésiaste et du Cantique, préludant à la tripartition de la philosophie morale, naturelle et contemplative, comme il l'a dit (*Prol.* 3, 1 s.). Dans le Cantique on ne traite pas de sagesse humaine, mais de sagesse chrétienne et divine. On s'adresse à l'âme qui doit reconnaître qu'elle est belle parce qu'elle «a été faite à l'image de Dieu», qu'elle est comblée de biens, mais exposée. Faute de cette connaissance, elle a ordre de partir ... C'est donc le Verbe ou le Christ qui parle à son Épouse, non seulement l'âme individuelle, mais aussi bien l'Église, soit l'ensemble des âmes croyantes, et il met l'essentiel du salut et de la béatitude dans la science et la connaissance de soi. Et deux thèmes, ébauchés çà et là parmi ses prédécesseurs, concernant l'un la morale, l'autre la métaphysique, sont développés en un double exposé didactique. Car la connaissance de l'âme doit porter sur deux points : «ce qu'elle est, et de quelle façon elle est mue, c'est-à-dire ce qu'elle a dans son être *(substantia)* et dans ses dispositions *(affectibus)*» (II, 5, 7) ; disons : son être et son agir.

Il commence par le second thème. Il faut agir conformément à l'image de Dieu que nous sommes. De là, «tout un développement sur l'examen de conscience», «un petit traité de l'examen de conscience», Crouzel, *Image*, p. 214, *Connaissance*, p. 64. L'âme doit examiner si elle a une disposition bonne ou mauvaise, une constance pour toutes les vertus tant pour comprendre que pour agir, ou une résignation à ce qui est inévitable ou facile, un progrès de soi et une bienfaisance envers les autres, un état de tension vers le but ou de freinage par les passions (colère, tristesse, crainte, avidité plus ou moins grande de gloire), des relations humaines libérales ou intéressées, une intelligence dominant les impressions, bref, l'aptitude à contempler la beauté reçue et à la restaurer. Faute de quoi, victime du grégarisme d'esprit, elle sera victime de désagrégation morale. C'est un aspect de la connaissance que l'âme doit avoir d'elle-même dans ses dispositions et ses actions (II, 5, 8-17).

Il en est un autre, plus profond et plus difficile. C'est, grâce aux dons spirituels et au Saint Esprit, d'abord la connaissance de la Trinité (II, 5, 18-20). Dans un développement sur la connaissance de soi, le bref passage sur la connaissance de la Trinité peut sembler un hors d'œuvre. Il est sans préparation et sans suite organiques, sans rapport explicite d'antériorité ou de dépendance. Et l'auteur, qui répète partout que l'homme, ou ici l'âme, est fait «à l'image de Dieu» (II, 5, 2), n'évoque pas une recherche possible, à la façon d'AUGUSTIN, d'images des personnes et des relations trinitaires dans les fonctions ou parties de l'âme (*trin.* 9-10, 14). C'est au titre de sa dignité qu'Origène mentionne la Trinité comme objet principal de la science.

Mais doit venir en second lieu la connaissance de sa créature. Entre autres de l'âme : sa substance, corporelle ou incorporelle, simple ou composée, et si composée, en combien de parties ; son origine, si elle a été ou non créée, inséminée avec le corps ou venant de l'extérieur, créée pour animer le corps ou antérieurement, avant de venir dans le corps, pour une raison mystérieuse, et laquelle ; sa liaison avec le corps se fait-elle une seule fois, ou à plusieurs reprises, ce qui est improbable ; y a-t-il des esprits de même ordre ou différents d'elle ; leur est-elle semblable par nature ou peut-elle, par grâce, le devenir ; sa vertu *(virtus animi)* peut-elle croître ou décroître, changer ou non ? L'âme est menacée d'être chassée, destinée à partager les opinions des pécheurs, si elle n'a point examiné ses actes, ses progrès ou ses vices. C'est un rappel du premier thème. Puis vient un rappel du second : elle doit connaître sa nature, sa substance, et son état. Le programme est certes difficile, mais proposé à l'âme belle entre toutes et parfaite ; il lui a été beaucoup donné ; que par sa négligence, elle ne s'attire pas l'ordre de «sortir»... On le voit, à l'exhortation du petit traité d'examen de conscience a succédé la problématique scolaire d'un petit traité métaphysique, ou, selon un terme employé (II, 5, 22), un ensemble de *quaestiones de anima.* (M.B.)

## 17. **Le sachet de myrrhe** (II, 10)

*Alligamentum guttae.* Tournure elliptique : dans les trois langues, le sens est complexe. Voir le long commentaire de LAWSON, p. 341 s., n. 223. Force nous est de simplifier ; du reste, nul n'ignore qu'une chaînette ou un ruban ferme et suspend au cou le sachet d'essences aromatiques.

— *Alligamentum* : c'est ce lien du sachet, ce sachet lié, ce sachet de parfum concentré ; suspendu entre les seins de l'Aimée, sur sa poitrine (§ 1) ; lié et serré, il figure le corps du Christ, la cohésion des doctrines, l'entrelacement des vérités dogmatiques (§§ 4-7).

—*Guttae* : en grec, le terme ἡ στακτή désignait la myrrhe la plus précieuse, celle qui exsude naturellement de l'arbre en forme de goutte, avant l'incision des horticulteurs, cf. PLINE, *nat.* 12, 35. Du particulier au général, le passage était facile : « Il faut savoir que Symmaque et Aquila ont nommé ' la myrrhe ' à la place de la στακτή », THÉODORET DE CYR, *In Cant.* I (*PG* 81, col. 81 B). Un terme évoque l'autre : « goutte » de myrrhe, « myrrhe » de goutte. Origène égrène leurs emplois figurés : « la goutte » (§§ 8-9) ; « la myrrhe » (§ 10).

— Litt. « Il demeurera — ou il séjournera ». En hébreu, un seul verbe au sens de *pernoctabit*, « il passe la nuit », Osty, *TOB*. Sur l'ensemble on observe : « Comme presque toujours dans les comparaisons du poème, le détail ajouté : ici, ' il repose entre mes seins ', se rapporte directement à l'image (ici, le sachet de myrrhe), et non au sujet (ici, le Bien-Aimé) », JOÜON, p. 146. « Le parallélisme qui est la loi fondamentale de la poésie hébraïque commande la composition du distique 13-14. L'amant est parfum (myrrhe) et nard (cypre) », CHOURAQUI, p. 45. Identification de la poésie amoureuse. Certes ; mais d'abord de l'amour qui précède et inspire la poésie. Comme l'enfant sur la poitrine de sa mère, le Bien-Aimé a reposé sur la poitrine de sa Bien-Aimée sa tête et son visage : ou du moins, elle l'imagine et le désire, comme de recevoir des baisers (*Cant.* 1, 1). Et le sachet parfumé (qu'il lui a offert ?) le représente, « le rend présent », au corps et au cœur de celle qui l'aime. Les sujets des verbes latins peuvent se fondre en un, et le relatif de la traduction garder l'indétermination de sens, l'identification du sachet et de l'amant. (M.B.)

## 18. **Le Bien-Aimé** (II, 10, 1-3)

Les noms de parenté ne sont pas toujours employés dans leur acception propre. Dans une acception figurée, ils peuvent désigner les liens non pas du sang, mais des sentiments. Il ne s'agit plus de déterminations parentales définies, mais de termes d'affection au sens que précisent les contextes. Ainsi en est-il du terme hébreu *Dôd*. Dans l'ordre de la parenté, il désignait l'oncle, ayant la charge de marier sa nièce, ou le fils de cet oncle, époux que prescrivait l'usage. D'où une transposition aisée dans la langue familière en une appellation de l'ordre affectif, sentimental et amoureux. Dans le Cantique, le sens premier est toujours occulté par le second. En font foi, sauf exception comme celle du traducteur anglais Lawson («Nephew»), les traductions modernes : «Bien-Aimé», Segond, Crampon, Pirot-Clamer, Dhorme, *BJ*, Osty ; «Chéri», *TOB*, Tournay ; «Amant», Chouraqui. C'est rejoindre la traduction de la Vulgate : *Dilectus*.

Aussi bien, la foi et la piété juives l'entendent-elles dans une plénitude doctrinale incomparable : «Voilà enfin le mot attendu, l'aveu direct de l'amour : *'mon amant'*. Ce cri reviendra 26 fois dans le Cantique, selon le nombre et la sommation des lettres du tétragramme sacré (YHWH = 26). Les exégètes rapprochent de ce nombre la sommation des lettres de l'unité (= 13) et de l'amour (= 13). Le Cantique est ainsi le chant de l'unité d'amour (13 + 13 = 26) dont il révèle le mystère et dont le nom est Dieu. Dans les 26 répétitions du mot Amant *(Dodi)* les exégètes verront s'égrener le nombre de Dieu dont le Cantique dévoile la vie intérieure — la vie d'Amour — et l'union mystique avec son amante — celle qui accomplit son vouloir» —, CHOURAQUI, p. 44-45.

Les traductions grecques hésitent. La plus littérale, celle d'Aquila, choisit πατράδελφος, frère du père, oncle paternel. La Septante, ἀδελφιδός, fils du frère ou de la sœur, neveu. Or, écrites par des Hébreux pour des Hébreux, dans le même contexte de poésie, de tendresse et d'amour, ces mots ne peuvent qu'avoir la même acception figurée d'affection que le terme hébreu qu'ils traduisent. Ce qu'atteste la traduction la plus littéraire, celle de Symmaque, ἀγαπητός, «Bien-Aimé» (cf. FIELD, p. 414). Comment la traduction latine aurait-elle un autre sens ?

Mais avec le christianisme, l'optique change. «Pendant plus de deux millénaires les Juifs n'ont vu dans la Sulamite qu'un symbole, celui d'Israël, dans le Roi qu'une référence à Dieu : dans l'amour qui les unit, la révélation de l'amour divin»,

Chouraqui, p. 7. Les chrétiens transposent. Chez Origène, le Cantique devient le chant de l'amour mystique du Christ et de l'Église, du Verbe et de l'âme. Tous les détails littéraires de la poésie amoureuse sont relus en fonction de ce nouveau rapport. Dès lors interviennent non seulement des emprunts à la théologie paulinienne, mais des rappels de l'histoire évangélique, de la nature humaine du Christ, de la vie, l'action, la doctrine de Jésus. La symbolisation est enrichie, d'une interprétation plus complexe.

Ainsi en va-t-il déjà pour les traductions grecques et latines. D'après un fragment conservé par Procope, Origène cite l'expression grecque d'Aquila et l'explique. Mais ailleurs, il commente la Septante. Jérôme traduit *fratruelis* dans *HomCant.* II, 3, etc., comme il l'a fait systématiquement dans sa traduction «hexaplaire» du Cantique, cf. A. Vaccari, «Recupero d'un lavoro critico di S. Girolamo», dans *Scritti di Erudizione e di Filologia*, II, Rome 1958, p. 83-146 ; mais il adopte *dilectus* dans la Vulgate. Rufin emploie *fratruelis* en Prol. 2, 24, mais *fraternus* dans le reste du Commentaire.

Origène exhume donc les sens premiers des termes lus dans Aquila et la Septante. Il s'ingénie à montrer qu'ils conviennent l'un et l'autre pour désigner le Christ, figuré par l'Époux, dont il modifie l'ascendance immédiate : «le Neveu» est tour à tour «le frère du père», «le fils de la sœur», «le fils du frère». Dans les extraits selon Procope, citant la traduction d'Aquila, «le frère du père», πατράδελφος, il poursuit : «Il faut dire que le père de l'Église des nations est l'ancien peuple, puisqu'à partir de leur Loi et de leurs prophètes a commencé la naissance en Dieu, et à partir de nous la promotion vers la piété. De celui-là donc qui fut ainsi rendu père de l'Épouse, le Sauveur est le frère, comme eux né sous la Loi» (*PG* 17, col. 260 A-B). — Dans *HomCant.* II, 3, Jérôme traduit *fratruelis meus* l'expression de *Cant.* 1, 13, et Origène l'interprète : «Considérons ce que veut dire le nom de 'neveu'. L'Église qui parle ainsi, c'est nous qui avons été rassemblés du milieu des nations. Notre Sauveur est le fils de sa sœur (= de la sœur de l'Église), c'est-à-dire de la Synagogue : car elles sont deux sœurs, l'Église et la Synagogue. Donc le Sauveur ..., fils de la Synagogue sœur, mari de l'Église, Époux de l'Église, est le 'neveu' de son Épouse.» — Et à notre passage II, 10, 3 on a, sous la plume de Rufin : «L'Épouse est bien l'Église venue des nations, mais son frère est le premier peuple, le frère aîné ... Et parce que 'le Christ selon la chair' est né de ce peuple, l'Église des nations l'appelle Fils du frère.»

Impressionnés par l'autorité d'Origène, des Pères de l'Église ont répété traductions et arguments. L'exégèse et la pensée modernes regardent ces considérations comme tant d'autres développements à partir de sens premiers, ou d'étymologies — à leurs yeux vraies ou fausses ; cf. éd. des *HomEx.*, *SC* 321, p. 418-419, ma note complém. 10 : « Étymologies ». On y trouve des thèmes riches et beaux, qui traduisent la pensée de leurs auteurs. Mais on y voit des illustrations fondées sur des associations d'idées ou d'images. Le passage scripturaire est un prétexte et un départ. L'interprétation est factice. Pour les critiques, elle est une projection rétrospective, à des fins apologétiques ou doctrinales, de vérités connues par ailleurs, postérieurement explicitées. Elle est une sorte de *prophetia ex eventu*, ou comme ici *ex nomine*. Heureusement, Origène ne s'attarde point et ne reviendra plus à ses identifications laborieuses. Il parle bientôt de la naissance corporelle du Christ, de la venue du Fils de Dieu dans la chair, du Verbe de Dieu. A lui convient éminemment la rayonnante appellation de « Bien-Aimé ». Il faut la maintenir, comme le traducteur des deux Homélies et tant d'autres. Notre pâle et prosaïque terme de « neveu » serait-il capable de dire au monde la conviction de foi que proclame le nom divin et glorieux de la Bible ? Et de retentir à jamais comme le cri d'amour de l'Église pour le Christ, et de l'âme pour le Verbe ? (M.B.)

## **19. L'Église** (III, 3, 2)

Nulle part Origène ne traite de l'Église comme dans ce Commentaire d'un bout à l'autre. Réunissons trois passages caractéristiques disant l'essentiel.

II, 7, 3-16. L'identification mystique de l'Église au Christ est affirmée par deux citations majeures de Paul. Elle est son « Épouse », « son corps », « ses membres » ; « nous sommes ses membres » (§§ 3-5). Et avant l'état final céleste où elle sera « glorieuse, sans tache » a lieu sa préparation temporelle dans la diversité des fonctions doctrinale, caritative, cultuelle (§ 5) : à partir du message prophétique et surtout du baptême, par la croissance en vertus, notamment de pureté (§§ 6-7), de fidélité (§§ 8-9) et d'obéissance, obéissance de sa foi assimilée à l'obéissance du Christ (§§ 10-16). L'Église est fondée sur le Christ, toujours liée à lui. Au ciel et sur la terre, elle est communion mystique avec le Christ de la communauté humaine. Mais elle est organisme spirituel et organisation hiérarchique, comme elle apparaît dans le temps et dans l'espace.

II, 1, 31-34. L'auteur évoque l'Église actuelle, dans « sa constitution, son organisation et son administration », avant qu'elle ne soit «transportée de la terre au ciel» (§ 31). C'est l'histoire présente. Mais elle s'enracine dans l'histoire déjà ancienne du Christ : «des mystères de l'Incarnation» et de ses effets, «la nourriture» qui lui est propre, et celle que procurent «le service divin», «les mystères des prières et des supplications» — sans doute l'assemblée eucharistique à laquelle participent les trois degrés de l'ordre, et les fidèles ou laïcs, baptisés, docteurs, etc. (§§ 32-33). Mais bien auparavant il y avait eu l'histoire très ancienne : Moïse et Marie, la reine de Saba, Salomon, etc.; celle des préfigurations. — Mystère qui a son origine «avant la fondation du monde», est-il dit ailleurs (II, 8, 4). — C'est un survol du déroulement de l'histoire sainte, mais aussi de la dynamique spirituelle qui la conduit. En quête de la connaissance véritable, un peuple immense vient offrir au Christ des présents dignes, parfums des bonnes œuvres, or des pensées, parure des mœurs, repentir et aveu des fautes; pour obtenir éclaircissement, paix, amitié, révélation. Cortège nuptial de la fiancée à la rencontre du fiancé, marche épique de l'Église venue des nations et même de toute la communauté humaine au-devant et autour du «Roi pacifique».

III, 3, 2-6. D'abord l'auteur reprend l'identification paulinienne et la prolonge. «Nos corps (le corps de l'Épouse) sont les membres du Christ (le corps de l'Époux)» (III, 2, 5). Il poursuit : «L'Église du Dieu vivant» est «la maison de Dieu ..., la maison du Fils de Dieu» (III, 3, 2). Mais cette assimilation spirituelle inclut la multiplicité empirique. Car l'Église est à la fois une et multiple, elle se déploie en une pluralité d'églises locales dont parlent déjà les apôtres Paul et Jean. «Donc l'Église ou les églises sont la maison de l'Époux et de l'Épouse, ou la maison du Verbe et de l'âme» (§ 3). Et cette Église universelle a partout la même structure hiérarchique établie, «évêque, prêtres» (§§ 5-6).

Ces passages amènent à conclure. L'Église est mystère de communion des âmes avec les personnes divines et entre elles : telle est la caractéristique dominante et continue mise en valeur ici et dans tout l'ouvrage. Mais cette communion enveloppe l'Église empirique, communauté humaine répandue dans le temps et l'espace; maintes évocations de personnages ou d'événements de l'histoire sainte l'annoncent en figures. De la fresque historique se détachent désormais les églises locales avec la même structure doctrinale, sacramentelle et hiérarchique (même foi, mêmes sacrements — ici baptême, eucharistie, allusion à la pénitence -, mêmes trois degrés de l'ordre); institution visible, connue de tous, sans ennemis qu'Origène ait à combattre, et qu'il se borne à énoncer par deux fois.

La pensée d'Origène est riche, vivante, mobile, accumule les expressions parallèles, convergentes, entrelacées. Précisément un index ordinaire, aux termes désunis et distants, en rendrait mal compte. Les multiples groupements de termes origéniens, au lieu d'être démembrés comme les fleurs sèches d'un herbier, méritent d'être autant que possible sauvegardés en touffes vivantes comme les fleurs d'un parterre. D'où notre rubrique, Index III : «Ecclésiologie». (M.B.)

## 20. Le thème de l'ombre (III, 5, 16)

D'après ce texte, il y a une triple gradation : ombre de la Loi (Ancien Testament); ombre du Christ (Nouveau Testament actuellement vécu ; selon Origène, l'Évangile temporel); vision des biens eschatologiques (selon Origène, l'Évangile éternel, terme pris à *Apoc.* 14, 6). Le plus souvent, cette triple distinction est exposée en fonction d'*Hébr.* 10, 1 : «La Loi, ayant l'ombre (σκιά) des biens futurs, mais non l'image (εἰκών) des réalités (πράγματα)». L'ombre est alors réservée à l'Ancien Testament et elle exprime seulement le pressentiment des biens futurs sans possession réelle. L'image signifie davantage : la possession réelle, quoique partielle, des biens eschatologiques dans l'Évangile temporel, et leur vision «à travers un miroir et en énigme» (*I Cor.* 13, 12), expression qu'Origène n'applique jamais à l'Ancien Testament. Enfin les biens suprêmes, «les mystères», sont pour Origène, suivant un usage platonicien appliqué aux Idées, «les réalités» contemplées alors «face à face» (*I Cor.* 13, 12).

Entre Bernard et Origène, pour ce thème de l'ombre, «l'étroitesse des ressemblances» a été signalée par J. Daniélou, «Saint Bernard et les Pères grecs», dans *Saint Bernard théologien. Actes du Congrès de Dijon, 15-19 sept. 1953*, Rome 1953, p. 48 s. Bernard y revient à quatre reprises : *SSC* 20, 7 ; 72, 5, et surtout 31, 8-10 et 48, 6-9. Le Sermon 31 s'inspire plutôt du Commentaire, tandis que le Sermon 48 suit l'explication de la seconde homélie. Cf. L. Brésard, «Bernard et Origène commentent le Cantique», p. 53-55.

## 21. Le trait et la blessure de charité (III, 8, 15)

Ce *thème mystique* du trait et de la blessure de charité (ou d'amour) a pour créateur Origène. Il connaît les poètes lyriques grecs (et les philosophes) «qui décrivent les joies et les douleurs de l'amour comme l'œuvre d'un jeune Dieu, Éros, qui perçait les cœurs de ses flèches inévitables ... » et les latins qui évoquaient « la (douce) blessure d'amour causée par le divin archer » (cf. Cabassut, article cité *infra*). Et peut-être la représentation du petit éros avec ses flèches et son carquois, projetée sur l'Éros céleste du *Banquet* de Platon, a-t-elle joué un rôle dans cette imagerie mystique. Car l'auteur évoque « banquet », « Cupidon » (Éros), « un trait et une blessure d'amour » (*Prol.* 2, 1.16.17) et ajoute « la douce blessure de la flèche de choix » (III, 8, 13).

Mais Origène remonte à une source biblique. Il la trouve en joignant deux versets : *Is* 49, 2, la parole du Serviteur de Yahvé (pour Origène, le Christ) : « Il m'a placé comme une flèche de choix, il m'a caché dans son carquois » ; et *Cant.* 2, 5, la plainte de l'Épouse : « Je suis blessée de charité ». Parallèle toujours supposé, mais ouvertement avoué à propos du Cantique. Sa prédication est brève. Elle mentionne, comme à titre de repoussoir, « les traits de l'amour charnel », la blessure de « la passion terrestre ». Et aussitôt elle invite à se dépouiller, pour s'offrir « à la flèche de choix : flèche toute belle, car c'est Dieu, l'Archer ». C'est donc la Flèche qui parle et qui blesse. Heureux quiconque en est blessé, comme « ceux qui avaient en eux le cœur brûlant, quand il (leur) expliquait les Écritures » (les disciples d'Emmaüs, *Lc* 24, 32) ; et comme quiconque est blessé par l'enseignement de la divine Écriture, et peut dire : « Je suis blessé de charité », *HomCant.* II, 8, fin (voir la n. 4 *ad loc.*, *SC* 37 *bis*, p. 133).

Le Commentaire est plus riche. Au Prologue, même rejet de « l'amour charnel et terrestre des poètes », en faveur de » l'amour spirituel et céleste ». Conduite par lui, l'âme, éprise de la beauté du Verbe, « image et splendeur du Dieu invisible », reçoit de lui « un trait et une blessure d'amour » ; et au spectacle de la beauté des choses toutes créées en lui, « si on est frappé par leur élégance et percé par la magnificence de leur splendeur, ou comme dit le prophète, par ' la flèche de choix ', on recevra de lui une blessure salutaire », Prol. 2, 16.17. Plus loin, il évoque seulement l'Épouse « toute brûlante du désir de l'Époux et tourmentée par la blessure intime de l'amour », I, 1, 4. Ici, au livre III, il développe en reliant le thème à une de ses théories favorites. Il dit quelques dénominations du Verbe : « Pain véritable », « Vigne véritable », « Agneau de Dieu » ; la manière dont il se communique à chacun selon son aptitude ou son désir : comme pain, comme vin, comme fruits, toute nourriture et tous délices (§§ 11-12). « La douce blessure de la flèche de choix » rappelée, il énumère comment elle peut se dire des aspects du Christ, et des vertus qui leur sont conformes, qui confèrent une participation. Charité, science, sagesse, force, justice, bonté, miséricorde :

autant d'aspects, de vertus, de sortes de blessures. La blessure de la charité les englobe toutes, comme un genre englobe ses espèces. « Dieu est charité » vient-il de dire (§ 14) ; c'est-à-dire que le Père est charité, le Fils est charité, et ils ne sont qu'une seule charité, Prol. 2, 26. Il pourrait conclure que la charité parfaite et sa blessure confèrent une complète identification à la personne du Christ.

Il le dit équivalemment ailleurs, de façon mystérieuse. Il établit une correspondance de données chrétiennes avec un passage sur les facteurs de la connaissance, de PLATON, *Lettre* VII, 342 a-c ; au troisième facteur, l'image, il substitue : « Il y a l'empreinte des plaies dans l'âme, c'est-à-dire le Christ en chacun, provenant du Christ-Logos (Parole) », *CCels.* VI, 9, 10.17 s. (voir la n. 1 *ad* VI, 9, *SC* 147, p. 200).

Les autres textes, antérieurs et postérieurs au Commentaire, sont indiqués par H. CROUZEL : Introd., *supra*, tome I, p. 33-34 ; *Origène*, p. 168-169. Pour le développement ultérieur du thème et ses variations, voir A. CABASSUT, art. « Blessure d'amour », *DSp* 1 (1936), col. 1724-1729 : pour les spirituels, col. 1724 s. ; pour la patristique col. 1728 s. ; sur ce point, cf. L. BRÉSARD, « Bernard et Origène commentent le Cantique », p. 64-68. (M.B.)

## **22. Les raisons séminales** (III, 13, 9)

*Ratio*, en grec λόγος, semble avoir ici le sens de λόγος σπερματικός, principe spermatique, raison séminale. Ce terme du vocabulaire stoïcien désigne un principe dans l'ordre du cosmos ou de la vie. Les λόγοι σπερματικοί sont « les germes dans lesquels s'extériorise la puissance créatrice du *Logos* cosmique ... Comme semences, ils permettent l'apparition des individus, et, comme porteurs de la loi de la nature, ils programment et déterminent leur développement », M. POHLENZ, *Die Stoa*, I, Göttingen 1970[4], p. 78-79. Origène le savait ; il cite à propos d'un tableau de l'union de Zeus et d'Héra, une explication de Chrysippe : Zeus, c'est Dieu ; Héra, c'est « la matière qui, ayant reçu les raisons séminales, les garde en elle-même pour l'ordonnance de l'univers » (*CCels.* IV, 48). Et pour organiser les données de la Bible et de la foi chrétienne, on dirait qu'il s'empare du thème, le transpose et le développe[1].

1. Voir C. BLANC, éd. de *ComJn*, *SC* 290, p. 8-11 : « Le Logos et les logoi, germes divins » ; M. FÉDOU, *Christianisme et religions païennes dans le « Contre Celse » d'Origène*, Paris 1988, p. 567-570 : « Le Logos de Dieu ».

Le Logos divin embrasse toute la création, est coextensif au monde (*ComJn* VI, 154 et 188). Il contient tout ce qu'il y a de raisons dans les choses (*CCels.* V, 39) ; non point comme le πνεῦμα corporel des stoïciens, mais comme puissance divine (*ibid.* VI, 71). Et il ne s'agit pas seulement du principe du monde corporel, mais des éléments du monde intelligible, dont le monde sensible contient les images (cf. *ComJn* XIX, 146-147). Ainsi la notion stoïcienne de λόγος σπερματικός se trouve réévaluée selon le platonisme de notre auteur ; cf. *supra*, Prol. 1, 1 et n. 2 *ad loc.* ; II, 8, 17 et n. 1 *ad loc.* ; et aussi III, 13, 9 avec la n. 2 *ad loc.*

Il est d'autres points de ressemblance : « Dieu sème avec joie des semences dans notre raison (ἡγεμονικόν) », *HomJér.* I, 14 ; voir la note *ad loc.* de P. NAUTIN, *SC* 232, p. 228-229 : « La semence nommée dans l'Évangile (dont il vient d'être question) rappelle à Origène la doctrine stoïcienne selon laquelle il y a dans notre raison la semence de toute vertu et de toute vérité. » Mais ces points s'inscrivent dans une vue d'ensemble théologique : « L'action du Père et du Fils... se manifeste en ce que tous les êtres raisonnables participent au Verbe de Dieu, c'est-à-dire à la raison *(uerbi dei, id est rationis)*, et pour cela portent en eux comme des semences de la Sagesse et de la Justice, ce qu'est le Christ », *PArch.* I, 3, 6 ; voir *SC* 253, p. 71-72, la note 32 *ad loc.*, avec ses nombreuses références, auxquelles on peut joindre la demi-douzaine de la note précitée de P. Nautin.

Autre emprunt notable. Origène parle de « la raison séminale résultant de l'union des mâles aux femelles », qui renferme les λόγοι des ascendants, mélange d'où provient l'hérédité, *CCels.* I, 37 (et n. 2 *ad loc.*, *SC* 132, p. 178) ; *ComJn* XX, 3 et 5. Mais pour Origène, il n'en résulte pas un strict déterminisme, car cette action des λόγοι est modifiée par l'usage du libre arbitre d'où dépend la qualité des âmes. Pour expliquer la résurrection, Origène ne parle point du λόγος σπερματικός stoïcien, principe de répétition au retour de chaque période cyclique, mais simplement de λόγος, en comparaison avec le grain de blé, ou de λόγος σπέρματος, « dans ce que l'Écriture appelle la tente de l'âme », *CCels.* V, 23 (et n. 1 *ad loc.*, *SC* 147, p. 70) ; et VII, 32.

JUSTIN avait esquissé ce rapprochement entre la résurrection et « la semence humaine », *I Apol.* 18, 6 et 19, 1-4, mais sans référence aux stoïciens. Sa théologie emprunte à leur vocabulaire, mais s'éloigne de leur doctrine. Et cela, même quand elle traite du λόγος, du λόγος σπερματικός, et des σπέρματα τοῦ Λόγου. Elle envisage le λόγος du Père éternel, sa fonction cosmologique dans la création et l'organisation du monde, *II Apol.* 6, 3 ; puis, dans l'économie ou dessein de Dieu sur l'humanité, son action universelle, donc même antérieure à l'Incarnation. Car à ce Logos participe tout le genre humain ; et tous ceux qui ont vécu selon lui, même sans le connaître, furent des chrétiens sans le savoir, *I Apol.* 46, 3.4. Au σπέρμα τοῦ Λόγου, implanté (ἔμφυτον) dans tout le genre humain, au divin Λόγος σπερματικός, philosophes, poètes, écrivains ou lettrés doivent d'avoir pu atteindre une vérité partielle, cf. *II Apol.* 8, 1.3 et 13, 2-3.5 ; sans parler des prophètes et des législateurs, et en particulier du premier de tous, Moïse, *I Apol.* 59, 1.

Thèmes bien connus et appréciés par la réflexion chrétienne ; surtout depuis une trentaine d'années où leur interprétation est renouvelée : il s'agit non point de la Raison universelle mais du Verbe divin. Voir J. DANIÉLOU, *Message évangélique*, p. 42-48. D. BOURGEOIS, *La sagesse des anciens dans le mystère du Verbe. Évangile et philosophie chez saint Justin philosophe et martyr*, Paris 1981, p. 146-158. — Sur les notions successives de la raison dans la pensée occidentale, voir É. BRÉHIER, *Études de philosophie antique*, Paris 1955, p. 161-177 : « Logos stoïcien, Verbe chrétien, Raison cartésienne ». (M.B.)

## 23. **Les astres** (III, 13, 22)

Que les astres soient des êtres vivants était dans l'Antiquité une opinion commune. Même parmi les philosophes. A part, si l'on en croit EUSÈBE, *Prép. Évang.* XV, 34, Démocrite, Épicure et Aristote. Et encore, pour ce dernier ! « Ils ne sont pas tout à fait dépourvus d'âme ..., ils ont en partage l'action et la vie ... L'activité des astres est du même genre que celle des animaux et des plantes », *De caelo* II, 292 a 20 s. et b 2. Et le dialogue *Sur la philosophie* vulgarise la même astrologie que celle de l'auteur du *Timée*, cf. A.-J. FESTUGIÈRE, *La révélation d'Hermès Trismégiste*, II, Paris, 1949, p. 258-259. ARISTOTE se plaçait ainsi entre Platon et les stoïciens. Pour PLATON, *Lois* X, de 897 à 899 a, *Timée* 38 s., les astres sont « vivants » ; 40 b, « vivants et éternels » ; cf. *Épinomis* 981 c, 982 e, 984 a-b, 991 d. Plus tard, ALBINOS, *Épitomè* 14, 7. Pour les stoïciens, cf. *SVF* II, 681 c. Les Latins suivirent : CICÉRON, *nat. deor.* 2, 39.54 ; OVIDE, *met.* 1, 72-73.

Hors du paganisme : PHILON, *Opif.* 73 : les astres sont animés, intelligents et vertueux ; *Gig.* 8 : « des êtres vivants, des âmes pures et divines » ; *Plant.* 12 : « des êtres vivants, mais composés uniquement d'intelligence », soit les planètes, soit les fixes. CLÉMENT D'ALEXANDRIE, *Eclog. proph.* 55 : « des corps spirituels» préposés avec les anges à l'administration commune ; *Strom.* V, 37,2 : ils sont du moins guidés par des anges.

Comment Origène ne tiendrait-il pas compte de ces opinions quand il interroge l'Écriture ? Soit qu'il les rejette, en passant, comme l'opinion d'Anaxagore pour qui les astres sont «des masses enflammées», *CCels.* V, 11 ; ou qu'il refuse absolument d'adorer ceux que les Grecs nomment «dieux visibles et sensibles», *ibid.* V, 10 (voir V, toute la section de 6 à 13). Pour le reste, il faut chercher : «*Rien de clair* n'est transmis au sujet du soleil, de la lune et des étoiles, s'ils sont animés ou sans âme» ; «les saints, parvenus aux lieux célestes, le comprendront», *PArch.* Préf., 10, et II, 11,7. Et pour le vaste domaine des sens figurés, des hyperboles, des prosopopées de l'Écriture, il questionne, affirme sans doute mais plus d'une fois hésite. Que veut dire «la terre pécheresse» vivante, coupable et châtiée de quatre fléaux, jugée au jour du jugement comme toute créature, qui va passer comme le ciel, pour avoir commis des actes qui le méritent (cf. *Éz.* 14,13.24) : plus que les habitants, la terre même, *HomÉz.* IV, 1 s. Et le monde ? lui qui est objet de malédiction pour ses scandales (*Matth.* 18,7), qui n'a pas connu le Père (*Jn* 17,25), *ComMatth.* XIII, 20. «L'âme du soleil est liée à un corps» et, comme toute la création, assujettie à la vanité, *ComJn* I, 98-99. Pour les astres, comme pour chaque créature céleste, sont préparés une fonction et un service, selon la dignité de leur mérite antérieur, *PArch.* II, 9,7. Ils sont de soi-disant dieux, donnés en partage aux nations (cf. *I Cor.* 8,5, et surtout *Deut.* 4,19), *ComJn* I, 212-213 (voir n. 1 *ad loc.*, *SC* 120, p. 164), et II, 23-27. Non pas causes des événements humains, mais signes, *ComGen.*, dans *Philoc.* 23,14. Doués de libre arbitre et supérieurs aux hommes, *PEuch.* 7.

La théorie courante s'harmonise mieux avec les expressions bibliques ; à ce titre, Origène l'accepte, bien qu'il laisse voir une incertitude. Comme des vivants raisonnables, les astres reçoivent des commandements de Dieu (*Is.* 45,12), *PArch.* I, 7,3 ; mais ils ne sont pas purs à ses yeux (*Job* 25,5), ce qu'on ne pourrait dire de l'éclat de leur corps, *ibid.* I, 7,2 : «à moins que ce soit dit *par hyperbole*», ajoute *ComJn* 35, 257. «*A supposer* que les étoiles du ciel soient des êtres vivants, raisonnables et vertueux, illuminés de la connaissance par la sagesse qui est 'le commencement de la lumière éternelle ...'», reprend-il bien plus tard, *CCels.* V, 10. Quelle que soit la nature des astres, veut dire Origène, elle ne fonde pas l'idolâtrie, mais l'adoration de Dieu.

D'une part, on n'adore point ceux à qui on devient semblables (*Gen.* 15,5 ; *Deut.* 1,10) ; ni ceux à qui on est supérieur par l'acquisition de «la sagesse resplendissante et inaltérable qui est un reflet de la lumière éternelle»; ni ceux dont la lumière n'est qu'une participation : on adore «Dieu, le Père de la Véritable Lumière..., et le Fils de Dieu, la Lumière Véritable». D'autre part, on n'adore pas ceux qui adorent; on ne prie pas ceux qui prient, dont la présence, à l'inverse de celle de Dieu, ne s'étend pas au monde entier; et s'ils prédisent, «on adore l'Auteur des prophéties (qu'ils transmettent) et le Logos de Dieu leur ministre». Alors s'éclaire pour nous le lyrisme sacré des Psaumes exhortant l'univers à célébrer le Seigneur : «Étoiles et lumière, louez-le toutes... Cieux des cieux, louez-le (*Ps.* 148, 3-4)», *CCels.* V, 10-13. Il nous entraîne : «Nous chantons des hymnes à Dieu et à son Fils unique, comme font le soleil, la lune, les étoiles, et toute l'armée céleste. Car tous ils chantent des hymnes, formant un chœur divin, avec les hommes justes, au Dieu suprême et à son Fils unique», *ibid.*, VIII, 67. (M.B.)

# INDEX

Les chiffres des index renvoient aux livres, chapitres et, le cas échéant, paragraphes de la présente édition.

## I. — ÉCRITURE SAINTE

Les petites lettres renvoient aux références des citations données au bas des pages du texte latin. Lorsqu'elles sont en caractères italiques, elles indiquent des allusions.

**Proverbes**

**II Corinthiens**



**Galates**

# II. — ONOMASTIQUE

Lorsqu'ils sont en italique, les chiffres des paragraphes indiquent des noms inclus dans des citations scripturaires. Le signe —/ se traduit par « lemme associé à ». — L'index regroupe les noms propres et quelques autres pouvant leur être assimilés.

## III. — ECCLÉSIOLOGIE

*1° Relation de l'âme au Verbe de Dieu, ou de l'Église au Christ :*

L'intelligence spirituelle, soit de l'Église par rapport au Christ, soit de l'union de l'âme au Verbe de Dieu, I, 1, 2.

Ce que disent soit le Verbe de Dieu à l'âme digne de lui et attachée à lui, soit le Christ à l'Église, IV, 1, 1.

Du Verbe de Dieu se sont éprises soit l'âme qui fut faite à son image, soit l'Église ; ce parfait Époux s'adresse à l'âme unie à lui ou à l'Église, Prol. 1, 1.

Cet amour dont est enflammée pour le Verbe de Dieu l'âme bienheureuse ..., cet épithalame par lequel l'Église est conjointe et associée au Christ, l'Époux céleste, désirant lui être unie par le Verbe pour concevoir de lui (des fils) ... : eux qui ont bien été conçus de la semence du Verbe de Dieu, mais enfantés et mis au monde soit par l'Église immaculée, soit par l'âme ... brûlant du seul amour du Verbe de Dieu, Prol. 2, 46.

L'Église venant au Christ, ou l'âme adhérant au Verbe de Dieu ... quels autres «chambre» du Christ et «cellier» du Verbe de Dieu, où il introduit son Église ou l'âme qui adhère à lui ... sinon la pensée du Christ ? I, 5, 3.

Aux amis de l'Époux, prophètes et tous ceux qui furent au service de Dieu depuis le commencement du siècle, c'est à juste titre que l'Église de Dieu ou l'âme qui adhère au Verbe de Dieu dit ..., III, 6, 2 ... Dans cette maison de vin, l'Église ou toute âme désirant les biens parfaits se hâte d'entrer ..., 6, 7 ... L'Épouse, c'est-à-dire l'Église ou l'âme tendant à la perfection, 7, 27 ... Toute l'Église de Dieu ou l'âme cherchant Dieu, 7, 31.

Ces lieux secrets du cœur où l'âme obtient du Verbe de Dieu une plus brillante lumière de science ... Si parfois le Christ, «Soleil de justice», manifeste à son Église les éminents et sublimes secrets de ses vertus ..., II, 4, 25.

Les seins, la faculté maîtresse du cœur dans laquelle l'Église tient le Christ, ou l'âme le Verbe de Dieu, lié et serré par les liens de leur désir, II, 10, 11.

Le Bien-Aimé de l'Épouse est comme «un pommier» dans l'Église du Christ ... Désire alors séjourner à l'ombre de ce pommier l'Épouse, soit l'Église, «sous la protection du Fils de Dieu», soit l'âme qui ... «adhère au seul et unique Verbe de Dieu», III, 5, 8.9 ... L'Église ..., toute âme, 5, 17.

Ce que celui qui est l'Époux, le Verbe et la Sagesse, semble dire de lui-même et de l'Épouse ..., il faut comprendre que le Christ le dit de l'Église (et de lui-même), III, 4,1.

Le Verbe de Dieu appelant l'âme à lui ..., voyons comment ses paroles sont dites par le Christ à l'Église, IV, 2,20.21.

*2° Le Christ, (le Verbe), l'Église, l'âme :*

(Du Verbe de Dieu) se sont éprises soit l'âme qui fut faite à l'image de Dieu, soit l'Église», Prol. 1,1.

L'Époux, tantôt est présent et enseigne, tantôt est dit absent et on le désire. Et l'un et l'autre cas s'applique soit à l'Église, soit à l'âme ardente, III, 11,17.

Sont au-dessus de tout genre non seulement le Verbe de Dieu mais encore son Église, et l'âme parfaite ..., III, 9,3.

L'odeur de la doctrine qui procède du Christ et l'agréable parfum du Saint Esprit ont rempli toute la maison de ce monde, ou la maison de toute l'Église. Ou du moins, ils ont rempli toute la maison de cette âme ..., II, 9,5.

L'âme, Épouse du Verbe, qui réside dans sa maison royale, c'est-à-dire dans l'Église, est informée par le Verbe de Dieu son Époux ..., dans cette Église qui est la maison du Dieu vivant ..., III, 14,10.11.

... Quel est «le visage» de l'âme, (beau)... tel que «le Christ lui-même s'est présenté l'Église», à savoir les âmes parvenues à la perfection, qui toutes ensemble forment le corps de l'Église, ... les âmes dont ce corps est constitué, IV, 2,17.18.

L'Église est fortifiée ... par des arbres fruitiers ... les catéchumènes de l'Église ..., (Dieu) plante de tels hommes dans l'Église du Christ, laquelle est «un Paradis de délices» ... L'Église est donc entourée de pommes et y trouve son repos. En ces pommes on peut voir ces âmes qui chaque jour «se renouvellent à l'image de celui qui les a créées», III, 8,9.10.

Que ce soit l'Église désirant être unie au Christ; or, note que l'Église est l'assemblée de tous les saints. Que cette Église soit donc comme une seule personne formée de la réunion de tous *(quasi omnium una persona)* ..., I, 1,5.

Appliquons cela au Christ et à l'Église. Le Christ, parlant à son Épouse, c'est-à-dire aux âmes des croyants ..., II, 5,6.

C'est là un baiser ... que l'on dit offert par l'Époux, le Verbe de Dieu, à l'Épouse, c'est-à-dire à l'âme pure et parfaite. De cette réalité une image est ce baiser que nous nous donnons les uns les autres à l'Église, au temps des mystères, I, 1,13.

Mettons en scène une âme dont tout le zèle est d'être unie et associée au Verbe de Dieu, ... de même que la dot de l'Église fut les livres de la Loi et des prophètes, ainsi, pour cette âme, que l'on estime cadeaux de dot la loi de nature, la pensée rationnelle et le libre-arbitre, I, 1, 9.

*3° Le Christ, l'Église :*

L'Église qui «des nations» vint au Christ, II, 1, 14.

C'est par la voix seule du Bien-Aimé que le Christ est d'abord reconnu par l'Église. Car il a d'abord envoyé sa voix devant lui par l'intermédiaire des prophètes... L'Église, qui était rassemblée depuis le commencement du siècle a entendu sa voix seule, III, 11, 10.

Le Christ venant vers l'Église..., III, 12, 1.

Si nous l'expliquons au sujet du Christ et de l'Église..., III, 14, 20.

Le Sauveur, avant de venir à l'union et à la compagnie de l'Église, est tenté par le diable... montrant qu'elle devrait venir au Christ par bien des épreuves..., III, 14, 29. Il donne à son Église l'assurance..., 14, 31.

Vraiment «gracieuse» est l'Église, même ici-bas, quand elle est la compagne du Christ et qu'elle imite le Christ, III, 1, 10.

L'Église semble être décrite par le Christ..., maison spirituelle, «maison de Dieu, qui est l'Église du Dieu vivant», donc maison du Fils de Dieu, III, 3, 2.

Le Christ dit à l'Église, IV, 2, 21.25.26.

Le Fils unique... annonce à son Église tout ce qui est contenu dans les seins cachés du Père, IV, 2, 29.

Les baisers du Christ qu'il offrit à l'Église, I, 1, 8.

L'Église offre au Christ (des prières)... maintenant où elle s'est approchée du Christ, II, 1, 39.40.

L'Église, comparant la suavité de la doctrine du Christ... semble dire que sont des pommes suaves et douces les doctrines ecclésiastiques que l'on prêche dans l'Église du Christ..., III, 5, 8.

A cette cavalerie céleste, le Christ compare et assimile son Église, II, 6, 10.

Cette comparaison avec la tourterelle convient donc à merveille à l'Église, soit parce qu'après le Christ elle ne connaît pas l'union conjugale avec un autre mari..., II, 7, 9.

Le cou de l'Église, à savoir son obéissance est devenue semblable à l'obéissance du Christ..., II, 7, 14.15.

Voilà «les imitations d'or» que firent à l'Église Épouse les amis de l'Époux..., II, 8, 20.

L'Épouse, c'est-à-dire l'Église du Christ, demande à être fortifiée..., III, 8, 7.

La foi en la passion du Christ, voilà donc «la gloire et les richesses» de l'Église..., III, 9, 6.

«Ce mystère est grand par rapport au Christ et à l'Église», II, 3, 14; 8, 5.

«Le Christ est le chef de l'Église, lui, le Sauveur du corps... L'Église est soumise au Christ... Le Christ a aimé son Église...», II, 7,4.

Toute l'Église est «le Corps du Christ»... où il y a «divers membres», II, 4,5.

«Vous êtes vous, le corps du Christ, et membres, chacun pour sa part», II, 7,3.

«On nourrit sa propre chair... comme le Christ a fait pour l'Église, car nous sommes membres de son corps»... L'Épouse du Christ, qui est l'Église, est aussi son corps et ses membres...; membres de l'Époux, membres de l'Église, II, 7,4.5.

Ce corps que Jésus a pris ne pourrait-il pas peut-être aussi recevoir le nom de «couche» qu'il partage avec l'Épouse, car c'est par lui que l'Église semble avoir été unie au Christ, et avoir pu obtenir la participation du Verbe de Dieu, selon qu'il est dit encore «médiateur»... III, 2,9.

La voix de son Église... La voix de l'Église catholique..., IV, 2, 26.27.

*4° L'Église, l'âme :*

...Parole de menace à l'Église... à chaque âme, II, 5,38.39.

Soit l'Église, soit l'âme diront peut-être..., II, 9,10.

L'âme que l'on dit être dans l'Église..., dans la maison de l'Église, III, 14,13.

Toute l'Église de Dieu ou l'âme qui recherche Dieu «est introduite (par les apôtres) dans la maison du vin»..., III, 7,31.

L'Église fut formée du rassemblement de beaucoup d'âmes..., de la réunion d'âmes nombreuses..., II, 6,13.

Dans l'Église, les âmes des croyants une à une..., les croyants dans l'Église, un à un, sont compris comme divers arbres..., IV, 1,10.

Les démons pourchassent et attaquent soit l'Église de Dieu, soit chacun des fidèles en particulier, II, 6,2.

*5° L'Église :*

Église du Christ, III, 5,8; 8,7.9.

Église(s) de Dieu Prol. 3,1; 4,31.32; II, 6,2; III, 6,2; 7,31.

«Église des premiers-nés qui est dans les cieux», Prol. 4,19.

Ne crois pas qu'on la dit Épouse ou Église depuis la venue du Sauveur dans la chair, mais dès le commencement du genre humain et dès la création même du monde, bien mieux même «avant la création du monde», II, 8,4.

Les premiers fondements de l'assemblée qu'est l'Église furent posés «dès le commencement» même, et c'est pourquoi l'Apôtre dit que

n'avons pas une telle habitude, ni les Églises de Dieu»... Paul écrit «aux Églises de Galatie» et Jean «aux sept Églises». Donc l'Église ou les Églises ..., III, 3, 3.

Paul dit qu'il «persécutait l'Église de Dieu»..., qu'il avait «le souci de toutes les Églises», III, 7, 25.

Les «fleurs» des peuples croyants et des Églises naissantes, IV, 1, 17.

Les diverses Églises établies sur la surface de la terre, IV, 1, 19.

Les jeunes filles attirent à elles le Christ, si vraiment on l'entend des Églises : unique certes est l'Église, quand elle est parfaite, mais nombreuses sont les jeunes filles ..., I, 4, 6.

(M.B.)

# TABLE DES MATIÈRES

## TOME I



## TOME II

# SOURCES CHRÉTIENNES



Dans la liste qui suit, dite « liste alphabétique », tous les ouvrages sont rangés par nom d'auteur ancien, les numéros précisant pour chacun l'ordre de parution depuis le début de la collection. Pour une information plus complète, on peut se procurer deux autres listes au secrétariat de « Sources Chrétiennes » — 29, rue du Plat, 69002 Lyon (France) — Tél. : 78 37 27 08 :

1. La « liste numérique », qui présente les volumes et leurs auteurs actuels d'après les dates de publication ; elle indique les réimpressions et les ouvrages momentanément épuisés ou dont la réédition est préparée.
2. La « liste thématique », qui présente les volumes d'après les centres d'intérêt et les genres littéraires : exégèse, dogme, histoire, correspondance, apologétique, etc.

*LISTE ALPHABÉTIQUE (1-376)*

*SOUS PRESSE*

**Les Apophtegmes des Pères.** Tome I. J.-C. Guy (†).
ATHÉNAGORE : **Supplique au sujet des chrétiens** et **Traité de la Résurrection.** B. Pouderon.
BERNARD DE CLAIRVAUX : **Introduction aux Œuvres complètes.**
GALAND DE REIGNY : **Parabolaire.** J. Leclercq, G. Raciti, C. Friedlander.
GRÉGOIRE DE NAZIANZE : **Discours 42-43.** J. Bernardi.
JEAN DAMASCÈNE : **Écrits sur l'Islam.** R. Le Coz.
LACTANCE : **Institutions divines.** Livre IV. P. Monat.
ORIGÈNE : **Commentaire sur saint Jean.** Tome V. C. Blanc.

*PROCHAINES PUBLICATIONS*

BERNARD DE CLAIRVAUX : **A la gloire de la Vierge Mère.** I. Huille. J. Regnard.
BERNARD DE CLAIRVAUX : **Livre du libre arbitre et de la grâce.** F. Callerot.
BERNARD DE CLAIRVAUX : **Du précepte et de la dispense.** A. Lemaire.
CÉSAIRE D'ARLES : **Œuvres monastiques.** Tome II : **Œuvres pour les moines.** J. Courreau, A. de Vogüé.
**Livre d'heures ancien du Sinaï.** M. Ajjoub.
GRÉGOIRE LE GRAND : **Pastoral.** B. Judic, C. Morel.
HERMIAS : **Diatribe contre les philosophes païens.** R. C. P. Hanson (†).
JEAN CHRYSOSTOME : **Sur l'égalité du Père et du Fils.** Hom. VIII-XII. A.-M. Malingrey.
ORIGÈNE : **Homélies sur les Juges.** P. Messié, L. Neyrand, M. Borret.

*Également aux Éditions du Cerf*

**LES ŒUVRES DE PHILON D'ALEXANDRIE**

publiées sous la direction de

R. Arnaldez, C. Mondésert, J. Pouilloux.

Texte original et traduction française.

1. **Introduction générale. De opificio mundi.** R. Arnaldez.
2. **Legum allegoriae.** C. Mondésert.
3. **De cherubim.** J. Gorez.
4. **De sacrificiis Abelis et Caini.** A. Méasson.
5. **Quod deterius potiori insidiari soleat.** I. Feuer.
6. **De posteritate Caini.** R. Arnaldez.

7-8. **De gigantibus. Quod Deus sit immutabilis.** A. Mosès.

9. **De agricultura.** J. Pouilloux.
10. **De plantatione.** J. Pouilloux.

11-12. **De ebrietate. De sobrietate.** J. Gorez.

13. **De confusione linguarum.** J.-G. Kahn.
14. **De migratione Abrahami.** J. Cazeaux.
15. **Quis rerum divinarum heres sit.** M. Harl.
16. **De congressu eruditionis gratia.** M. Alexandre.
17. **De fuga et inventione.** E. Starobinski-Safran.
18. **De mutatione nominum.** R. Arnaldez.
19. **De somniis.** P. Savinel.
20. **De Abrahamo.** J. Gorez.
21. **De Iosepho.** J. Laporte.
22. **De vita Mosis.** R. Arnaldez, C. Mondésert, J. Pouilloux, P. Savinel.
23. **De Decalogo.** V. Nikiprowetzky.
24. **De specialibus legibus.** Livres I-II. S. Daniel.
25. **De specialibus legibus.** Livres III-IV. A. Mosès.
26. **De virtutibus.** R. Arnaldez, A.-M. Vérilhac, M.-R. Servel et P. Delobre.
27. **De praemiis et poenis. De exsecrationibus.** A. Beckaert.
28. **Quod omnis probus liber sit.** M. Petit.
29. **De vita contemplativa.** F. Daumas et P. Miquel.
30. **De aeternitate mundi.** R. Arnaldez et J. Pouilloux.
31. **In Flaccum.** A. Pelletier.
32. **Legatio ad Caium.** A. Pelletier.
33. **Quaestiones in Genesim et in Exodum. Fragmenta graeca.** F. Petit.

34 A. **Quaestiones in Genesim,** I-II (e vers. armen.). Ch. Mercier.

34 B. **Quaestiones in Genesim,** III-VI (e vers. armen.). Ch. Mercier et F. Petit.

34 C. **Quaestiones in Exodum,** I-II (e vers. armen.). A. Terian.

35. **De Providentia,** I-II. M. Hadas-Lebel.
36. **Alexander (De animalibus)** (e vers. armen.). A. Terian.

IMPRIMERIE A. BONTEMPS
LIMOGES (FRANCE)
Registre des travaux :
DÉPÔT LÉGAL : Mars 1992
IMPRIMEUR N° 1543-91 — ÉDITEUR N° 9315